Für Jost Hermand
mit lieben
Grüßen
von Therese

Berlin, 12.4.1989

Schriftsteller der Gegenwart

Christa Wolf

von Therese Hörnigk

Volk und Wissen 1989
Volkseigener Verlag Berlin

Herausgegeben vom Kollektiv für Literaturgeschichte
im Volkseigenen Verlag Volk und Wissen
Leitung: Prof. Dr. Kurt Böttcher
Redaktion: Hannelore Prosche   Mitarbeit: Petra Gruner
Bildredaktion: Petra Gruner
Redaktionell-technische Mitarbeit: Brigitte Witt
Redaktionsschluß: 21. November 1988

Hörnigk, Therese:
Christa Wolf / von Therese Hörnigk. – 1. Aufl.
– Berlin : Volk u. Wissen, 1989. – 280 S. : Ill.
– (Schriftsteller der Gegenwart ; 26)
NE: GT

ISBN 3-06-102746-7
ISSN 0582-1355

1. Auflage
© Volk und Wissen Volkseigener Verlag, Berlin 1989
Für das Gespräch © Christa Wolf und Therese Hörnigk, 1989
Lizenz-Nr. 203 1000/89 · (E 102746-1)
Printed in the German Democratic Republic
Schrift: 9/11 p Garamond, Fotosatz
Gesamtherstellung:
Grafischer Großbetrieb Völkerfreundschaft Dresden
Umschlag und typografische Gestaltung: Lothar Reher
(Foto Rückseite: Barbara Köppe)
LSV 8013
Bestell-Nr. 709 552 9
01150

Inhalt

I. Gespräch mit Christa Wolf 7

II. Die Entdeckung der eigenen Stimme 48
Kindheitslandschaften 48
Literaturkritiken 1952 bis 1962 55
»Moskauer Novelle« 73
»Der geteilte Himmel« 85

III. Die poetische Kraft des Nachdenkens 106
Publizistik und Essayistik
in den Zeiten des Umbruchs 107
Selbstverständigung und Standortbestimmung 116
»Juninachmittag« 122
»Nachdenken über Christa T.« 130
»Lesen und Schreiben« 149
»Till Eulenspiegel« 160

IV. Plädoyers für Empfindsamkeit 169
»Unter den Linden« 171
»Unter den Linden« (173) – »Neue Lebensansichten eines Katers« (178) – »Selbstversuch« (181)
»Kindheitsmuster« 186

V. Projektionsraum Romantik 208
»Kein Ort. Nirgends« 209

VI. Mythos und Zivilisation 229
»Kassandra« 231
»Störfall« 250

Anhang 265
Biografische Daten 265
Bibliografie der Buchausgaben 266
Anmerkungen und Zitatnachweise 268
Bildnachweise 280

I.
Gespräch mit Christa Wolf

THERESE HÖRNIGK: Bei Franz Fühmann habe ich gelesen, daß die Lebenserfahrung eines Autors Substrat seiner Dichtung sei. Das meint doch auch, die Biografie eines Autors gibt wesentlichen Aufschluß über die dichterischen Äußerungen, was ja nicht bedeutet, daß das erzählte Leben dem äußeren entspräche, wie ein Bericht einem Sachverhalt. Andererseits liegt natürlich immer eine gewisse Verführung darin, Biografisches aus den Werken ›abzuziehen‹. Kann man beispielsweise *Kindheitsmuster* Authentisches entnehmen?

CHRISTA WOLF: Das kann man; ich sage das, obwohl ich damit der weit verbreiteten Gewohnheit Vorschub leiste, Autorenleben und Buch für deckungsgleich zu halten. Das Milieu, das ich in *Kindheitsmuster* beschrieben habe, ist authentisch, die äußeren Umstände, unter denen ich aufgewachsen bin, kann man schon daraus ›abziehen‹. Ich denke ja übrigens, daß auch die Personen in einem literarischen Sinn ›authentisch‹ sind – was aber eben nicht heißt, daß sie genau so waren, wie ich sie beschrieben habe; nicht nur, daß ich vieles erfunden habe: der Blick eines Kindes und sehr jungen Mädchens prägt auch Erinnerungen, die zwar vielleicht besonders deutlich und scharf sind, aber doch nicht allen Verzweigungen in der Welt der Erwachsenen gerecht werden. Ich habe das an manchen Reaktionen nach dem Erscheinen des Buches zu spüren bekommen. Ich mußte erfahren und begreifen lernen, daß nicht jeder, der sich durch eine Darstellung betroffen fühlt, einem Autor zubilligen kann, daß er *seine* Verarbeitung zum Beispiel seiner Kindheit geben mußte.

Aber ich glaube, deine Frage greift noch etwas tiefer, gerade, weil du Fühmann zitierst. Dieses »Substrat«, der Nährboden, die Grundlage einer Biografie, etwas wirklich Entscheidendes für einen Autor, meint doch nicht nur, nicht einmal in erster Linie, den Stoff, den das Leben einem zugeführt, oft aufgezwungen hat; es meint auch die Verarbeitungsart von Erfahrungen – jenen geheimnisvollen, nicht genug zu bestaunenden Vorgang, der aus einem Erlebnis erst eine Erfahrung macht, und zwar, je nach Beschaffenheit des psychischen ›Apparats‹, aus ganz ähnlichen Erlebnissen bei verschiedenen Menschen ganz unterschiedliche Erfahrungen. Autoren, die ich für ›authentisch‹ halte, müssen ihre andauernde innere Auseinandersetzung mit der Bildung, Verfestigung, Wiederauflösung und Infragestellung von Erfahrung ausdrücken. Jemand, der nicht anders als schreibend existieren kann, macht die vielleicht wichtigsten Erfahrungen mit sich selbst, indem er schreibt – gleichgültig, worüber er gerade schreibt. Wenn ich *Kindheitsmuster* heute noch einmal schreiben wollte, sollte oder müßte – wozu ich keinen Anlaß sehe –, würde es ein anderes Buch werden. Meine Kindheit hat sich in mir inzwischen weiter verändert, sie wird komplizierter, auch mächtiger und bestimmender, ich weiß gar nicht, ob ich der Aufgabe, sie zu beschreiben, heute noch gewachsen wäre. Ich hätte wahrscheinlich zu starke Skrupel.

HÖRNIGK: Gibt es Kindheitserfahrungen, die für deine Einstellung zum Leben prägend geworden sind, die sich für die individuelle Entwicklung als manifest erwiesen haben?

WOLF: Das ist eine Frage, die mir selbst immer wichtiger wird. Ich denke in den letzten Jahren mehr darüber nach als früher, da es mir – ich könnte auch sagen: uns, den Angehörigen meiner Generation – unzweifelhaft zu sein schien, daß wir gerade jene Kindheitsprägungen, vor denen wir dann erschraken, ›überwunden‹ hatten. Wie wir überhaupt wenig über die Gesetze der psychischen Entwicklung wußten, wußten wir auch kaum etwas über die entscheidende Bedeutung der frühen Jahre im Leben eines Menschen, in denen Grundmuster angelegt werden, Strukturen, die wirksam bleiben, auch wenn die Inhalte des bewußten Seins sich verändern. Wir haben, auch in der Literatur, zu lange nur von *Inhalten* gesprochen, zu wenig über *Strukturen* nachgedacht. Nehmen wir, ein für meine Generation sehr auffälliges Merkmal, die Abhängigkeit von Autorität, die in unserer Kindheit als Autoritätshörigkeit gesetzt wurde; die wir in eine andere Gesellschaft mit hinübergenommen haben (von der sie, nebenbei gesagt, sehr gefördert wurde), und von der sich, soviel ich sehen kann, gar nicht so viele Generationsgenossen wirklich freimachen konnten. Schreiben, wenn man es als Selbstbefragung betreibt, kann da eine Hilfe sein, ähnlich einer gründlichen Therapie, sich dieser Einschränkung durch Autoritätsgläubigkeit zunächst bewußt zu werden und dann, in einem jahrelangen, schmerzhaften Prozeß, die Angst loszuwerden, die einer echten inneren Freiheit entgegensteht.

Meine Generation hat früh eine Ideologie gegen eine andere ausgetauscht, sie ist spät, zögernd, teilweise gar nicht erwachsen geworden, will sagen: reif, autonom. Daher kommen ihre – unsere Schwierigkeiten mit den Jüngeren. Da ist eine große Unsicherheit, weil die eigene Ablösung von ideologischen Setzungen, intensiven Bindungen an festgelegte Strukturen so wenig gelungen ist, die Jungen so wenig selbständiges Denken und Handeln sehen und daher keine Leitfiguren finden, auf die sie sich verlassen können. So holt uns, im Verhältnis zu den Jungen, unsere nicht genügend verarbeitete Kindheit wieder ein.

HÖRNIGK: Können sich deiner Meinung nach durch Schreiben, das heißt durch den Prozeß der Selbsterforschung, auch Persönlichkeitsstrukturen ändern, die angelegt oder durch Milieu bestimmt sind?

WOLF: Sicher kann man nichts erzeugen, was nicht da ist. Aber in allen Menschen ist mehr ›da‹, als sie selbst oder ihre Umgebung wissen, denn alle Gesellschaften, die ich kenne, schränken die Anlagen eines Kindes stark ein, akzentuieren dafür gewisse erwünschte Eigenschaften und Verhaltensweisen. Aber ich glaube – aus eigener Erfahrung, und vielleicht im Gegensatz zu manchen Psychologen –, daß wir modulationsfähig bleiben, daß eine Kindheit, die uns starre Muster aufgedrückt hat, nicht unkorrigierbar ist (anders als eine Kindheit ohne Liebe), daß eine andauernde Wachheit gegenüber

Warnsignalen, die aus unserer Umgebung oder aus uns selbst kommen – eine Krankheit zum Beispiel – und der andauernde Versuch, den schmerzhaften Punkten im Schreiben nicht auszuweichen, allmählich eine Veränderung bewirken können, im Sinne von: offener, selbständiger, angstfreier, toleranter werden. Daß man – auch ich – es lernen mußte, gewisse früher verpönte Gefühle zuzulassen, zum Beispiel Trauer. Ich erinnere an die fünfziger und die frühen sechziger Jahre. Als *Nachdenken über Christa T.* erschien, gab es in der ernstzunehmenden Kritik (die neben der bestellten, politisch sich entrüstenden erschien), ein großes Erschrecken darüber, daß heutzutage jemand traurig sein und das auch noch zeigen konnte. Es war die Zeit des großen öffentlichen Optimismus. Mir war diese Trauer beim Schreiben zwar bewußt gewesen, weil ich sie ja eben schreibend verarbeitete, doch hatte ich mir nicht klar gemacht, auf wieviel Widerstand sie stoßen mußte; aber diese Kritik, die mich zuerst sehr traf, half mir dann, mich zu dieser Trauer um den Verlust eines Menschen und um den Verlust derjenigen Teile meiner selbst, die diesem Menschen nahe waren oder es hätten sein können, zu bekennen. Denn dies war ja der eigentliche Verlust, den ich in diesem Buch beklagte, und dadurch habe ich diese Anteile in mir erhalten können oder wieder zum Leben erweckt.

HÖRNIGK: Es ist ja merkwürdig, daß eine bestimmte Art von kritischen Einwänden sich immer wiederholt. Das hängt natürlich auch mit den Strukturen deiner Prosa zusammen. Beispielsweise finde ich dieselben Einwände, wie sie zu *Nachdenken über Christa T.* erhoben wurden, bei *Kassandra* wieder. Sie basieren auf der Annahme, daß Trauer, oder in diesem Fall Katastrophenvorhersage, lähmend wirken könne und nicht imstande wäre, Kräfte freizusetzen, die gegen Resignation anarbeiten könnten.

WOLF: Ja, es ist merkwürdig, daß Menschen, die in ihrer Theorie gerade von der Veränderbarkeit der Verhältnisse und des Menschen ausgehen, in der Praxis dann so wenig Zutrauen haben, daß Menschen durch die Einsicht in ihre reale Lage wirklich aktiviert werden können. – Unsere Kultur hat, seit ihrem Beginn, auch – manche sagen: hauptsächlich, oder ausschließlich – als Abwehrsystem gegen Todesangst gewirkt. Dies wird mir, je älter ich werde, um so verständlicher. Das Bedürfnis, die Angst vor dem Tod abzuwehren, ist groß, und es bleibt weitgehend unbefriedigt in einer Zeit, da die Versprechungen eines ewigen Lebens durch die Religionen an den meisten Menschen vorbeigehen. Gefährlich wird es, wenn mit der *Angst* vor dem Tod die *Realität* des Todes mit verdrängt wird und mit dieser Realität immer mehr Realitäten, die zu ihr in einem Bezug stehen: Heutzutage die reale Gefahr einer Weltkatastrophe. Die Abwehr vieler richtet sich dann nicht gegen diejenigen Menschen, Schichten und Gruppen, die diese Gefahr heraufbeschwören; auch nicht gegen die eigenen Verhaltensweisen, die sie befördern, sondern eben gegen die, die sie benennen.

HÖRNIGK: Ich will doch noch einmal zu dem Problem der von dir erwähnten Autoritätshörigkeit deiner Generation und ihrer Furcht vor der Andersartigkeit der Jüngeren zurückkommen. Meinst du, dies ist eine Besonderheit deiner Generation, der um 1930 Geborenen, also derer, die den deutschen Faschismus noch bewußt erlebt haben, dann übergangslos in die neue Gesellschaft hineingekommen und da sehr früh mit bestimmten Verantwortungen betraut worden sind? Gehört nicht ein guter Teil dieser Erscheinungen zum üblichen Ablösungsprozeß einer Generation von der vorangegangenen, der sich in allen Gesellschaften vollzieht?

WOLF: Ich gebe dir recht: In den letzten hundertfünfzig Jahren der Industriegesellschaften, da eine sich überstürzende technische Entwicklung die Erfahrungen einer Generation für die nächste scheinbar oder wirklich sehr schnell ungültig macht, vollzieht sich der Ablösungsprozeß abrupt, total und oft dramatisch. Laß mich mal drüber nachdenken, was dieser Vorgang in meiner Generation vielleicht doch Besonderes hat. (Eigentlich kann ich gar nicht von der ganzen Generation sprechen; ich spreche von dem Teil, der eine ähnliche geistig-politische Entwicklung hatte wie ich.) Als wir fünfzehn, sechzehn waren, mußten wir uns unter dem niederschmetternden Eindruck der ganzen Wahrheit über den deutschen Faschismus von denen abstoßen, die in diesen zwölf Jahren nach unserer

Meinung durch Dabeisein, Mitmachen, Schweigen schuldig geworden waren. Wir mußten diejenigen entdecken, die Opfer geworden waren, diejenigen, die Widerstand geleistet hatten. Wir mußten es lernen, uns in sie einzufühlen. Identifizieren konnten wir uns natürlich auch mit ihnen nicht, dazu hatten wir kein Recht. Das heißt, als wir sechzehn waren, konnten wir uns mit niemandem identifizieren. Dies ist eine wesentliche Aussage für meine Generation. Es ist ein nachwirkendes Defizit für junge Menschen, wenn sie sich mit niemandem identifizieren können. Uns wurde dann ein verlockendes Angebot gemacht: Ihr könnt, hieß es, eure mögliche, noch nicht verwirklichte Teilhabe an dieser nationalen Schuld loswerden oder abtragen, indem ihr aktiv am Aufbau der neuen Gesellschaft teilnehmt, die das genaue Gegenteil, die einzig radikale Alternative zum verbrecherischen System des Nationalsozialismus darstellt. Und an die Stelle des monströsen Wahnsystems, mit dem man unser Denken vergiftet hatte, trat ein Denkmodell mit dem Anspruch, die Widersprüche der Realität nicht zu verleugnen und zu verzerren, sondern adäquat widerzuspiegeln. Dies waren aktivierende, auch verändernde Angebote. Die Auseinandersetzung, die unausweichlich war, hat uns tief aufgewühlt. Dazu kam, speziell bei mir, aber nicht nur bei mir, die enge Beziehung zu Kommunisten, Antifaschisten durch meine Arbeit damals seit 1953 im Schriftstellerverband, in der Redaktion der »Neuen Deutschen Literatur«, im Verlag »Neues Leben«. Beeindruckendere Leute als sie konnte es für uns damals nicht geben. Natürlich übernahmen sie eine Vorbildrolle, es bildete sich ein Lehrer-Schüler-Verhältnis heraus, sie waren die absolut und in jeder Hinsicht Vorbildlichen, wir diejenigen, die in jeder Hinsicht zu hören und zu lernen hatten. Dies konnte wohl nicht anders sein, wie die Verhältnisse einmal lagen, aber ich glaube, auf die Dauer hat es beiden Teilen nicht gutgetan. Die Älteren kamen nie in die Lage – in der wir jetzt sind –, daß sie das Bedürfnis, ja den Zwang in sich verspürten, von den Jüngeren zu lernen, ihre eigene Art zu leben an dem andersgearteten Anspruch der Jungen zu überprüfen. Wir damals Jungen waren zu lange in Vater-Sohn, Mutter-Tochter-Beziehungen eingebunden, die es uns schwer machten, mündig zu werden. Ich glaube, viele meiner Generation haben sich nie richtig davon erholt. Sie ließen es bei den alten, beengenden, aber auch bequemen Bindungen, anstatt im Prozeß der eigenen Reifung auch diese Beziehung noch einmal in Frage zu stellen, sie von innen her neu zu formieren, mit einem neuen Verständnis auch für die Widersprüche, Konflikte der älteren Generation, für ihre Fehler, für die Gründe ihres Versagens in bestimmten Punkten. Aus lebendigen Menschen Denkmäler, Standbilder zu machen – dazu gehören ja immer zwei. Die einen haben sich, aus Furcht vor Veränderung, in ihrer Unfehlbarkeitsrolle eingerichtet; die anderen aus innerer Unsicherheit in der Rolle der unselbständig Nachfolgenden. Beide werden für die heute Jungen, die dritte und vierte Generation, keine Orientierungsfiguren sein können.

Für mich ist ein Beweis dafür, daß dieser Zustand weitgehend aus der deutschen Geschichte erwächst, daß Angehörige der gleichen Generation in den anderen sozialistischen Ländern früher kritisch, kühner, weniger brav und zähmbar waren als bei uns. Es lastete nicht die Schuld aus der Zeit des Nationalsozialismus auf ihnen und die Hemmung, sich offen kritisch gegenüber denen zu äußern, die ihre Lehrer und Vorbilder gewesen waren.

HÖRNIGK: Für mich ergibt sich hier ein gewisser Widerspruch. Es ist sehr einleuchtend, wie du ein Grunderlebnis deiner Generation beschreibst. Andererseits – war es nicht auch so, daß ihr schon als sehr junge Leute, jedenfalls für heutige Verhältnisse unglaublich früh, mit Verantwortung betraut (teilweise auch beladen) worden seid, die ihr vielleicht noch gar nicht tragen konntet? Als echte oder auch unechte Erben seid ihr doch schon von Beginn an auf wichtige Positionen in der Gesellschaft gestellt worden. Vielfach war ja auch kein anderer da. Wenn es stimmt, was die Soziologen beschreiben, nämlich daß die entscheidenden sozialen Eindrücke eines Menschen in der Zeit zwischen dem 18. und dem 25. Lebensjahr liegen, so ist doch gerade mit eurer Generation in dieser Zeit unheimlich viel passiert. Ich denke nur an einige Daten in deiner Biografie. Mit 20 bis du in die SED eingetreten, bist dann sehr früh mit gesellschaftlicher Verantwortung betraut worden, wie es heute kaum noch denkbar erscheint. Mit 26 Jahren warst du zum Beispiel Mitglied im Vorstand des Deutschen Schriftstellerverbandes. Seid ihr nicht gerade sehr frühzeitig auch zu Partnern gemacht worden, die zwar noch zu erziehen waren, gleichzeitig aber selbst schon als Erzieher fungierten?

WOLF: An dem, was du sagst, stimmt vieles, eurer Generation muß das besonders auffallen, da ich oft von euch höre, daß ihr alle Plätze besetzt fandet und spät zu Verantwortung kommt. Aber was mich betrifft, sehe ich die ›frühe Verantwortung‹ kaum. Ich habe ja zunächst ganz normal studiert, dann als wissenschaftliche Mitarbeiterin im Schriftstellerverband gearbeitet, als Redakteurin in der »Neuen Deutschen Literatur« – alles nicht übermäßig verantwortliche Tätigkeiten. Und im Vorstand des Schriftstellerverbandes ist man eine unter vielen, meist Älteren. Allerdings war ich noch nicht dreißig, als ich Cheflektorin beim Verlag »Neues Leben« wurde, und dies war eine Verantwortung, der ich mich nicht gewachsen fühlte. Meine Kompetenz reichte nicht aus für eine solche Arbeit, ich habe die Zeit als sehr belastend in der Erinnerung behalten. Andererseits, da hast du wieder recht: Bruno Peterson, ein alter Genosse, der damals dort Verlagsleiter war, hatte mich geworben, vertraute mir und machte mich zu seiner Partnerin, eine stimulierende Erfahrung. Aber das Unbehagen überwog, es ist mein Naturell, eine solche Kluft zwischen Anspruch und Leistung nicht zu lange ertragen zu können, mein Körper wehrt sich notfalls mit Krankheit. Damals ›wählte‹ ich einen typisch weiblichen Ausweg: ich bekam mein zweites Kind.

Ich denke mir – weiß es auch –, daß die Erfahrung des Nichtgewachsenseins bei anderen Generationsgenossen ganz ähnlich war, daß aber viele diese Selbsterfahrung zudeckten – vielleicht, weil ihnen keine andere Wahl blieb; vielleicht auch, weil sie keine Frauen waren, die eben – denn auch das kann eine Art von Ausfluchtmöglichkeit sein – sich für kurze Zeit in die Frauenrolle zurückziehen. Ich finde nicht, daß es eine Katastrophe ist, wenn man für eine gewisse Zeit hinter den Anforderungen einer gesellschaftlichen Rolle zurückbleibt, solange man sich dessen bewußt ist und die Spannung aushält, die dieses Bewußtsein hervorruft. Viele lernten es ja auch, ihre Grenzen hinauszuschieben. Am schwierigsten ist es, das *innere* Wachstum nachzuholen, damit es der äußeren Verantwortungs-, ja: Machtfülle entspricht, also nicht nur oder hauptsächlich die Fassade zu stärken. Dies haben viele nicht geschafft, wirkten und wirken dadurch besonders auf Jüngere starr, dogmatisch. Ich glaube, wenn sich Leute meiner Generation überwinden könnten, ganz offen mit Jüngeren zu sprechen, würden die vielleicht erstaunt sein über das Maß an Selbstverleugnung, Selbstzweifel und dauernder Über-Anstrengung, das da zum Vorschein käme, das die Dauer-Überforderung anzeigt, die sie eingegangen sind – immer aus dem Gefühl heraus, die gesellschaftliche Entwicklung erfordere es, daß man in diese Bresche springt. – Übrigens hat sich ja seit den sechziger Jahren innerhalb dieser Generation ein Prozeß der Differenzierung, sogar Polarisierung, immer deutlicher gezeigt, auch unter den Autoren.

HÖRNIGK: Noch einmal zurück zu den Fakten. 1949 hast du dich an der Universität in Jena für ein Lehrerstudium in den Fächern Deutsch und Geschichte eingeschrieben. Im Spätherbst 1951 bist du an die Karl-Marx-Universität nach Leipzig gegangen. Wechselte man damals die Universität, um bei bestimmten Lehrern zu studieren? In Leipzig lehrten Krauss, Mayer, Bloch, um nur einige der Berühmtheiten zu erwähnen.

WOLF: Leider – möchte ich fast sagen – war das nicht mein ausschlaggebendes Motiv für den Universitätswechsel. Wahrscheinlich wären wir beide, mein späterer Mann und ich, in Jena geblieben, wenn ich nicht unser erstes Kind erwartet hätte. Wir hatten beide zusammen 220 Mark Studienbeihilfe, das war ein bißchen wenig. Einer mußte Geld verdienen. Daraufhin ließ sich Gerhard vom Studium beurlauben – was damals noch möglich war –, nachdem er in Leipzig eine mit 300 Mark hoch dotierte Anstellung als Hilfsredakteur beim Rundfunk gefunden hatte. Allerdings wurde er dann innerhalb eines Jahres ohne ein abgeschlossenes Studium verantwortlicher Redakteur: Das gehört noch zu unserem vorigen Thema. Er wurde nach Berlin versetzt, ich blieb dann doch mit dem Kind allein in Leipzig, es war in vielerlei Hinsicht schwierig. – Soviel zu den Gründen für den Wechsel der Universität. Übrigens habe ich bei den von dir vorhin genannten Professoren gar nicht so viele Vorlesungen gehört, wie manche Rezensenten glauben nachweisen zu können.

HÖRNIGK: Du hast bei Hans Mayer deine Diplomarbeit geschrieben, hast du an einem seiner inzwischen legendären Seminare teilgenommen?

WOLF: Nicht an einem Oberseminar. Als ich aus Jena zu ihm kam, nahm er mich nicht in sein Oberseminar auf – er hatte eine starke Animosität gegen die Germanisten aus dem Kreis um Professor Scholz, und ich sah keinen Grund zu verbergen, daß ich mit großem Gewinn für mich bei Edith Braemer studiert hatte. In Übungen und Seminaren habe ich bei Hans Mayer mitgearbeitet – erst neulich, bei seinem 80. Geburtstag, habe ich ihn an unsere erste Begegnung erinnert ...

HÖRNIGK: Habt ihr eigentlich damals die laufenden ideologischen Debatten um Kunstwerke und Kunstrichtungen verfolgt? Etwa die Auseinandersetzungen um das Brecht-Theater, die Faustus-Debatte und ähnliches?

WOLF: Verfolgt haben wir die Debatten gewiß, ich weiß, daß wir mit großem Ernst die einschlägigen, damals recht häufigen und meist sehr langen Artikel im »Neuen Deutschland« studierten. Ob wir sie auch *verstanden* haben, das möchte ich stark bezweifeln: Wir konnten nicht sehen, welche Kräfte und Interessen hinter den verschiedenen ästhetischen Lagern standen. Um Brecht ging es allerdings in Jena schon ausdrücklich, der Scholz-Kreis hatte ja eine bestimmte, etwas distanzierte Haltung zu Brecht; das spielte im Seminar eine Rolle – zum Beispiel, als wir uns in Weimar ein Gastspiel des Berliner Ensembles mit Lenzens *Hofmeister* angesehen hatten. Von den Scholz-Leuten haben wir einen hohen Standard marxistischer Literaturwissenschaft mitbekommen, das Seminar bei Edith Braemer über den deutschen Sturm und Drang würde ich nie missen wollen, ebensowenig mein Praktikum bei der Ausstellung »Gesellschaft und Kultur der Goethezeit«, die von den Scholz-Leuten im Weimarer Schloß aufgebaut worden war – meines Wissens einer der ersten Versuche, eine marxistische Sicht auf eine der wichtigsten Perioden unserer Literaturgeschichte populär zu machen. Ich glaube heute, daß in dieser Ausstellung, sicher auch in den Seminaren, die Beziehungen zwischen ›Basis‹ und ›Überbau‹ zu direkt dargestellt wurden; daß die Beziehungen zwischen ökonomischen Interessen und der Literatur manchmal zu kurzschlüssig behandelt wurden. Aber wir bekamen eine solide Grundlage in materialistisch-dialektischem Denken, und zwar konkret, angewendet auf unser Fach. – Später, das will ich nicht verschweigen, war Edith Braemer unheimlich wütend auf mich, bezichtigte mich der Häresie, aller möglichen Abweichungen …

HÖRNIGK: Nach *Nachdenken über Christa T.?*

WOLF: Ja, ich glaube, es war in dieser Zeit – aber das ist eine andere Frage. Was ich nur sagen wollte: Jene Methode, sich mit Literatur auseinanderzusetzen, wurde dann bei Hans Mayer weiter gefestigt. Auch, trotz Einschränkungen, in gewisser Weise von der sehr starken Lukács-Rezeption jener Jahre. Lukács war ja nun wirklich unser Nonplusultra. Die Bände, die damals von ihm erschienen waren, haben wir nicht nur Wort für Wort studiert, auch seine Wertungen haben wir übernommen, um sie später teilweise zu korrigieren – was Kleist, bestimmte Strömungen der Romantik, was den deutschen Expressionismus, was den modernen Roman betrifft… Du merkst, ich versuche mich zu erinnern. Ja, die kulturpolitischen Auseinandersetzungen haben mich auch auf der Universität schon beschäftigt. Später, als ich beim Schriftstellerverband arbeitete, selbst Kritiken schrieb, rückten sie in den Mittelpunkt meines Denkens.

In die Leipziger Zeit fiel ja zum Beispiel der 17. Juni. (Im Juni/Juli 1953 habe ich mein Staatsexamen gemacht, saß in der Deutschen Bücherei über den Romanen von Hans Fallada, über die ich meine Diplomarbeit schrieb.) Das war ein Einschnitt. Ich erlebte zum erstenmal, was sich später öfters wiederholte: die verschiedenartigen Reaktionen der verschiedenen Menschen auf ein solches Schock-Erlebnis. Manche vergaßen ganz schnell, was sie in den ersten Tagen gesagt oder auch in der Zeitung geschrieben hatten: daß es Gründe für Unzufriedenheit gegeben hatte, gerade unter den Arbeitern, daß Korrekturen in der Politik der staatlichen Stellen nötig seien;

sie suchten die Ursachen nur jenseits der Grenze und in faschistoiden Tendenzen, die wiederaufgelebt seien. Dazu gerieten andere, auch ich, in Widerspruch, wir beharrten auf Analyse der Vorgänge, auf Veränderungen. Andererseits: Gerade in Leipzig habe ich an jenem Tag Gruppen gesehen, Einzelfiguren, die etwas Bedrohliches, stark Gewalttätiges, Gestriges hatten. Aber auch diese Erfahrung wieder ist sehr kompliziert, eigentlich müßte ich sie ausführlicher beschreiben. So ein Interview neigt leider immer zu Verkürzungen, verführt zu Simplifizierungen.

HÖRNIGK: Stephan Hermlin hat sich in diesem Zusammenhang an Bücherverbrennungen erinnert.

WOLF: Die habe ich nicht erlebt. Aber die Zerstörung von Akten, Schreibmaschinen, Büromaterialien habe ich gesehen. Und einen wilden, ungezügelten Haß gegen diesen Staat, der mit dem Anlaß, der ihn angeblich ausgelöst hatte, nicht übereinging – das empfand ich stark.

HÖRNIGK: Damals hatte das Ganze vielleicht eine Art Ventilfunktion. Bei aller berechtigten Unzufriedenheit mit der schwierigen wirtschaftlichen Situation und bei einer von vielen als dogmatisch erlebten Politik waren diese Ereignisse doch wohl auch ein Zeichen dafür, daß die erreichte Bewußtseinsveränderung weitaus überschätzt, daß die notwendige Zeitdauer für einen solchen Prozeß weit unterschätzt wurden.

WOLF: Ja, ganz bestimmt. Wir können zum Beispiel bei Becher in seinen Tagebüchern lesen, wie er das Deutschlandtreffen von 1950 als einen Ausdruck für den vollzogenen Umwandlungsprozeß der Jugend feiert. Daß ein Mensch mit seiner Vergangenheit sich sehr wünschte, eine tiefgreifende Wandlung der Jugend schnell zu erleben, ist verständlich. Aber da hatte dieser Prozeß gerade erst begonnen, und veränderte *Meinungen* sind eben am leichtesten zu gewinnen. Ein tiefgreifend verändertes Bewußtsein, das nicht nur im Rausch der Begeisterung, sondern auch in krisenhaften Situationen, also kritisch, den Widersprüchen der sich formierenden Gesellschaft gewachsen ist, das wächst langsam, unter Konflikten. Ich habe damals niemanden gefunden, der mir diesen Ausbruch von Destruktionslust, den ich am 17. Juni beobachtet habe, erklären konnte. Ich kam am Abend dieses Tages nach Hause mit einer Handvoll Parteiabzeichen, die ich von der Straße aufgelesen hatte. Mir wurde bewußt, auf einer wie dünnen Decke wir gingen. Seitdem, mindestens seitdem ist mir eine kritische Haltung zugewachsen, die sich mit oberflächlichen ›Einschätzungen‹ von Verhältnissen ohne tiefschürfende Analyse nicht beruhigen kann.

HÖRNIGK: Lag nicht gerade die Schwierigkeit darin, annehmbare Wertorientierungen zu vermitteln? Ich erinnere mich an idealisierte Geschichts- beziehungsweise Sowjetunion-Bilder, die in Wirklichkeit ja kaum funktionierten. Aber wo sollte man die Wertorientierung sonst hernehmen?

WOLF: Gewisse Realitäten in ihrer ganzen Härte konnten wir nicht wahrnehmen, sie wurden auch nicht vermittelt. Unser Bild von der Sowjetunion war sentimentgeladen, verklärt und geschönt, auch durch Schuldgefühle mit bestimmt. Wir reden ja von der Zeit vor Stalins Tod, lange vor dem XX. Parteitag, und ich leugne nicht, daß ich durchaus vom Geist dieser Zeit ergriffen war. Dann gab es aber immer wieder Signale, aus denen ich heute ablesen kann, daß mein kritischer Blick mir nicht ganz verlorengegangen war. Zum Beispiel gelang es uns einfach nicht, die große wissenschaftliche Bedeutung von Stalins Werk über die Sprachwissenschaft zu begreifen, das wir als ein Jahrhundertwerk studieren sollten. Ich habe es, gründlich wie ich bin, zwei- oder dreimal gelesen und kam nicht dahinter. Ich erinnere mich einer Diskussion mit einer Kommilitonin über diesen Aufsatz, die ganz verstört auf unsere Zweifel an seiner tiefschürfenden Bedeutung reagierte.

Ich weiß, diese Zeit muß noch dargestellt werden, dieses einmalige, sehr komplizierte Gemisch in den Köpfen der damaligen jungen Generation kann für Spätere kaum begreiflich sein... Was wir hier machen, ist zutage fördern, was ganz obenauf liegt... Es gab immer einiges, was mich hinderte, ungehemmt im Strom der Zeit mitzuschwimmen. Damals dachte ich, ich müßte meine kleinbürgerlichen Hemmungen ablegen, da dieser Strom die Zukunft verkörperte, und so habe ich dann versucht, innere Vorbehalte zu unterdrücken, Signale zu übersehen. Das ging bei mir nie lange, dann kam entweder ein Einbruch der äußeren Realität, der mich korrigierte, oder mein Körper ertrug den Widerspruch nicht länger und machte mich krank. Heute kann ich mir ganz gut erklären, warum bestimmte Krankheiten sich zu bestimmten Zeitpunkten einstellten. Aber darüber müßte ich eigentlich schreiben, um mich gründlich zu fragen, warum in bestimmten Zeiten das Bedürfnis nach Übereinstimmung so stark war; was mich, offenbar von der Kindheit her, dazu gebracht hat, die Übereinstimmung mit einer großen Gruppe von Menschen zu suchen. Das mag für Jüngere nicht leicht zu verstehen sein, die – wie sagt man heute: eine andere Sozialisation hatten.

HÖRNIGK: So fremd kommt mir das alles gar nicht vor, denn ich glaube, auch spätere Generationen haben doch noch ähnliche Erfahrungen gemacht, obwohl – und darin liegt gewiß ein wesentlicher Unterschied – die Kontraste nicht so scharf erlebt wurden.

Wie bist du denn eigentlich in den Schriftstellerverband gekommen?

WOLF: Ich habe dort im Herbst 1953 angefangen zu arbeiten, eingestellt von KuBa, der damals Sekretär des Schriftstellerverbandes war. Diese Arbeit habe ich gewählt, ich hatte eine Alternative: Hans Mayer hatte mir angeboten, als Assistentin bei ihm an der Universität zu bleiben. Ich wollte aber nicht an der Universität bleiben, mich reizte die Praxis der sozialistischen Literatur, eine Universitätslaufbahn interessierte mich nicht. Ich hatte schon während des Studiums starke Krisen in bezug auf mein Fach gehabt, hatte am Sinn des Germanistik-Studiums gezweifelt, hatte überlegt, das Fach zu wechseln, Psychologie zu studieren... Auch die Pädagogik hatte ich nach dem zweiten Studienjahr aufgegeben – das war damals noch möglich –, obwohl ich seit meiner Kindheit Lehrerin werden wollte. Jetzt gab es für mich nur noch die Literatur. Die Arbeit im Schriftstellerverband war für eine wie mich ein idealer Einstieg: Eine Arbeit, die mich mit der Literatur in ihrem Entstehungsprozeß in Kontakt brachte, vor allem aber mit denen, die sie schrieben – Jungen und Älteren.

HÖRNIGK: Du hast dort Autoren getroffen, die für deine Entwicklung sehr wichtig wurden – persönlich, beruflich, politisch, nehme ich an. KuBa nanntest du. Da waren auch Weiskopf, Wedding, die Sterns, Claudius, Becher, Hermlin, Seghers natürlich...

WOLF: Becher bin ich persönlich nicht begegnet, den habe ich immer nur von weitem gesehen, aber Claudius, Strittmatter – das waren ja nach KuBa Sekretäre des Verbandes. Und bei dem Namen »KuBa« fällt mir sofort Louis Fürnberg ein – ein wichtiger Mensch dieser Jahre für uns beide, er war eng mit KuBa befreundet, keineswegs ohne Widersprüche. Fürnberg war ein Mensch, der an anderen sehr feine Schwingungen wahrnahm und darauf reagierte, sehr verletzbar, daher bemüht, andere nicht zu verletzen. KuBa konnte schreiend und tobend im Zimmer umherrennen, Schimpfworte ausstoßen. Ich höre jetzt manchmal, wie man über ihn herzieht, zum Beispiel wegen seines sicherlich unangemessenen Verhaltens als Sekretär des Schriftstellerverbandes am 17. Juni 1953 – damals war ich noch nicht in Berlin. Er war kein Dogmatiker, obwohl er entsetzlich dogmatische Ansichten vertreten konnte; parteitreu, ja, stalingläubig, auch das. Der XX. Parteitag hat ihn beinahe umgebracht, da hat er angefangen, sich wie wild gegen zu wehren, hat überall die Gefahr der Aufweichung gewittert, auch ich fiel später unter diejenigen, deren Ansichten und Haltung er nicht ertrug und heftig bekämpfte. Aber er hat mich jahrelang fasziniert, er war kein enger, sondern ein ungebärdiger Mensch; ein Arbeiterjunge mit wirklicher dichterischer Begabung, auch wenn heute viele seiner Gedichte, wenn sie immer wieder mal öffentlich vorgetragen werden, grob, allzu vereinfachend auf mich wirken. Er gehört zu jenen, denen der Konflikt zwischen den sozialistischen Idealen, für die sie angetreten waren, und der Realität, die sie wahrnahmen oder gegen die sie sich verschlossen, das Herz gebrochen hat. Fürnberg gehörte auch dazu – er hatte ja fürchten müssen, in die Slansky-Prozesse in der Tschechoslowakei verwickelt zu werden; er war ein lauterer Mensch, jahrelang hat es ihm die Sprache verschlagen, oder er hat seine Zweifel übertönt, bis dann, nach dem XX. Parteitag, ein Jubelbrief kam: Tauwetter!

Ich spreche über diese Erlebnisse und Erfahrungen hier zum erstenmal, weil ich sehe, daß jene Generation, die, entweder, weil sie früh starb – denk an Weiskopf, an Bredel, an Fürnberg, KuBa, Brecht: alle Herzinfarkt! –, oder weil sie aus einem falschen Disziplinverständnis heraus über ihre eigene Erfahrung nicht oder wenig geschrieben hat –, daß jene Generation schon jetzt für die Nachgeborenen in ein Dunkel der Unkenntnis versunken ist, oder unsichtbar geworden durch das erbarmungslose Scheinwerferlicht der offiziellen Glorifizierung. Beides haben die nicht verdient; sie waren lebendig, interessant, alles andere als uniform, ihre letzten Lebensjahre – und oft nicht nur die letzten – von Tragik überschattet. Besserwissen ist nicht immer besser sein, nicht wahr?

KuBa zum Beispiel – natürlich muß ich hier bei Stichpunkten bleiben – hat uns damals jungen Leuten viel zugetraut. Ich war 24 Jahre alt, hatte zwar Literatur studiert, aber bestimmt keine Ahnung davon, wie Literatur entsteht, mein Kopf war mit Maßstäben von Lukács vollgestopft, die ich nun auf die Manuskripte anwendete, die uns zugetragen wurden. Es gab ja schon eine junge Literatur, junge Autoren, Arbeitsgemeinschaften, Kongresse für sie. Ich entsinne mich, zu einem dieser Kongresse machten wir jungen Mitarbeiter für KuBa die Rede, in Tag- und Nachtarbeit, unter heftigem Streit um jede Formulierung, fuhren dann mit ihm im Auto nach Leipzig, er drehte das Fenster herunter und sang mit gräßlicher Stimme die ganze Zeit über Balladen, obszöne Lieder von Wedekind zum Beispiel, bis wir sie mitsingen konnten. ›Seine‹ Rede hat er prima vista auf dem Kongreß vorgetragen und gegen jedermann verteidigt... KuBa konnte Menschen blind vertrauen, er besaß keine Menschenkenntnis, ich habe einige seiner Enttäuschungen an Menschen, deren wirkliche Absichten er nicht erkennen konnte, miterlebt. Tragikomische Geschichten... Er konnte sehr treu sein, selbstlos, hilfsbereit... Ich spreche nicht gerne en passant über einen Menschen, der viel komplizierter ist, als ein paar Bemerkungen in einem Interview es andeuten können.

Das waren die fünfziger Jahre auch: Eine Zeit heftiger Diskussionen. Dogmatismus? Ja. Wenn du die Zeitungen jener Jahre nachliest, dir können die Haare zu Berge stehen. Man muß sich ja vorstellen, daß die Verdikte gegen Künstler und

Kunstwerke, die in der Zeitung standen, damals ernst genommen wurden, oft auch von den Betroffenen selbst, und für die Beschuldigten Folgen hatten. Andererseits gab es Versammlungen, in denen die Leute sagten, womit sie nicht einverstanden waren. Und wir Jungen waren in alles verwickelt. Wir nahmen Anteil, es war unsere Sache. Wir waren in einer Stimmung übersteigerter Intensität, alles, was ›hier und heute‹ geschah, war entscheidend, das Richtige mußte sich bald und vollkommen durchsetzen, wir würden den Sozialismus, den Marx gemeint hatte, noch erleben. Auf der einen Seite Einübung in nüchternes, kritisches, analytisch-dialektisches Denken, auf der anderen eine Art Heilsgewißheit, wenige Jahre lang. In *Christa T.* habe ich etwas davon beschrieben. – Heute stehen junge Leute kopfschüttelnd vor dieser Haltung, die wir damals einnahmen.

HÖRNIGK: Du hast eben schon den XX. Parteitag der KPdSU erwähnt. Darauf möchte ich noch einmal zurückkommen. Ich hatte mir lange Zeit vorgestellt, daß euch diese Eröffnungen damals ziemlich zerstört haben müssen, in dem Sinne, daß ein Glaube ins Wanken gekommen ist. Erst später wurde mir bewußt, daß die Enthüllungen Chrustschows ja eigentlich auch ungeheuer befreiend gewirkt haben könnten.

WOLF: Beides traf zu. Es hat uns nicht zerstört, wohl aber *ver*stört, die Wahrheit, oder einen Teil der Wahrheit über Stalins und Berijas Verbrechen zu erfahren. Verstört haben mich auch Reaktionen älterer Kollegen und Genossen im Schriftstellerverband, besonders solcher, die in der Moskauer Emigration gewesen waren, von denen einige jetzt zusammenbrachen. Ich fragte mich, wie es ihnen möglich gewesen war, alles, was sie dort erfahren oder selbst erlebt hatten, so weit zu verdrängen, daß sie ganz oder partiell gläubig bleiben konnten. Ich denke, ich habe etwas dabei gelernt: Meine eigene Gläubigkeit schwand dahin, künftig wollte ich zu meinen Erfahrungen stehen und sie mir durch nichts und niemanden ausreden, verleugnen oder verbieten lassen. – Sonst hätte ich ja übrigens niemals eine Zeile schreiben können.

Es gab unter den Älteren unterschiedliche Reaktionen auf den Schock des XX. Parteitags. Die erschütternden Aufzeichnungen Johannes R. Bechers aus jener Zeit kennen wir inzwischen. Ein anderer, Willi Bredel, hat sich in den Versammlungen jener Monate betont zu uns Jüngeren gesetzt, hat uns umarmt und gesagt: Na, ich denke, wir müssen ein bißchen mehr miteinander reden. – 1959 fuhr ich inmitten einer Schriftstellerdelegation aus der DDR als Korrespondentin zum Sowjetischen Schriftstellerkongreß nach Moskau. Da hat Bredel mir einen Nachmittag lang sein Moskau gezeigt: die Lubjanka. Das Hotel, in dem die Emigranten wohnten. Er hat mir erzählt, wie es war, wenn man die Nummer eines Freundes wählte, wartete, ob er den Hörer abnehmen würde und dann selber, ohne sich zu melden, den Hörer wieder auflegte: Es gab den anderen noch, er war noch nicht abgeholt. Sie seien die »Eta-Deutschen« genannt worden, hat er mir erzählt, da sie kaum Russisch konnten, manche, wie Becher, es auch nicht lernen wollten, und in den Geschäften immer nur auf die Ware zeigten: Eta – was ja heißt: das da.

Wahrscheinlich hätte ich nirgendwo anders in jenen Jahren so exponierte und besonders sensible Vertreter dieser älteren Generation in dieser scharfen Konfliktsituation erleben können, die sie nicht mehr so sorgsam vor uns verbergen konnten und wollten. Ihren Heiligenschein hatten sie verloren, das war nicht nur für uns gut – wir mußten erwachsen werden –, sondern auch für sie. Unfehlbar, unantastbar waren also auch sie nicht, aber dadurch doch nicht erledigt oder abserviert. Ich verstand sie besser, selbst diejenigen, die ihre Starrheit nicht auflösen konnten, um nicht zusammenzubrechen oder weil sie ihr Denken in Schwarzweißschemata nicht mehr aufgeben konnten. – Nicht auszudenken (und doch oft ausgedacht), wie die Entwicklung in den sozialistischen Ländern verlaufen wäre, wenn der Impuls, den der XX. Parteitag ausgesendet hat, in der UdSSR nicht wieder ins Stocken gekommen wäre... Nicht mehr ins Stocken gekommen ist unsere intensive Diskussion um die Probleme, die uns spätestens von diesem Zeitpunkt an auf den Nägeln brannten. Die Stunden kann man nicht zählen, in denen wir in unterschiedlichen Kreisen zusammensaßen – oft mit Älteren, die nun bereit waren, offen zu reden –, uns aus erster Hand Informationen holten über die verschiedenen Emigrationen, über das Überleben in deutschen Konzentrationslagern und Zuchthäusern, uns freiredeten von den Folgen des stalinistischen Denkens in uns selbst und eine Zukunft entwarfen, in der die »freie Entfaltung des einzelnen die Voraussetzung für die freie Entfaltung aller« sein würde. Viele müßte ich da nennen: Jeanne und Kurt Stern, die Schlotterbecks in Potsdam, Eduard Claudius, etwas später Stephan Hermlin, in den sechziger Jahren dann Lotte und Walter Janka. Wichtige Freundschaften.

HÖRNIGK: Also ist der Eindruck doch richtig, daß die Älteren ein großes Interesse an euch Jüngeren hatten, daß sie euch früh zu Partnern machten. Noch mal: Einfach die Tatsache, daß du mit 26 Jahren schon im Vorstand des Deutschen Schriftstellerverbandes warst (so hieß er damals noch), zeugt doch davon, daß man euch ernsthaft als Hoffnungsträger sah, euch vorbereitete, das weiterzuführen, was die Älteren angefangen hatten, woran sie vielleicht auch aus verschiedenen Gründen gescheitert waren.

WOLF: Das ist sicher richtig. Man muß aber auch bedenken, wie dünn die mittlere Generation besetzt war. Viele waren gefallen. Die Altersgruppe der Strittmatter, Fühmann, Brězan war stark dezimiert worden. Ganz zu schweigen – oder besser: nicht zu schweigen von den jungen Menschen unter den deutschen Juden, die in den Gaskammern ermordet wurden, und denen es bestimmt gewesen wäre, zu schreiben, zu malen, zu komponieren ... Ich muß oft an sie denken. – Aber du hast recht: Das Interesse der Älteren, ihre Ideale an uns weiterzugeben, war wirklich groß – auch, weil das eigene Leben gerechtfertigt war, wenn die junge Generation sich als Nachfolgende verstand. Das erleben ja wir, älter werdend, kaum als Generation: daß die Jüngeren sich für unser Leben interessieren, daß sie etwas über uns wissen wollen. Das hat Ursachen. Aber damals spielte das eine große Rolle. Es gab schon etwas wie ein Lehrer-Schüler-Verhältnis, das ja Brecht sehr kultiviert, eigentlich sogar institutionalisiert hat. Die Gefahr, die einem erst später bewußt wurde: daß man aus der Schüler-Rolle nicht mehr herauskam. Daß man immer wieder da hineingestukt wurde. Heute noch erlebe ich mit einigem Mißtrauen, daß Angehörige meiner Generation mit verklärten Augen von diesen Jahren reden, fast so, als sehnten sie sich nach ihnen zurück und als habe der Zwang zum Reiferwerden, sich Konflikten zu stellen, Desillusionierung zu ertragen, ihnen dann keinen rechten Spaß mehr gemacht. Diese gefühlsmäßige Fixierung auf bestimmte Jahre in der Jugend ist, glaube ich, auch noch nicht in der Literatur beschrieben worden.

HÖRNIGK: Zu Beginn der sechziger Jahre hat der amerikanische Schriftsteller Lowenfels die DDR besucht. Er hat damals, die gesellschaftliche Entwicklung in den sozialistischen Ländern mit der in den kapitalistischen Ländern vergleichend, von einer Zeitgrenze, einem Zeitsprung zwischen alter und neuer Welt gesprochen. Du hast im »Forum« darüber berichtet. Neuerdings taucht dieses Bild des öfteren wieder auf, etwa in Interviews von Heiner Müller oder Christoph Hein, der in diesem Zusammenhang von einer »Kulturgrenze« spricht. Würdest du das von heute aus betrachtet immer noch so beschreiben wollen?

WOLF: Soviel kann ich bestätigen: Damals hatte auch ich die Zuversicht, daß mit der grundlegenden Veränderung der Eigentumsverhältnisse eine nächste Phase der Menschheitsentwicklung eingeleitet sei, insofern hatte ich also auch das Gefühl, im Verhältnis zur Bundesrepublik in einer ›anderswerdenden‹ Gesellschaftsformation zu leben, und die Hoffnung, daß noch während meiner Lebenszeit die Vorzüge der sozialistischen Gesellschaft sich entwickeln und zeigen würden. Wenn ich von der heutigen Perspektive aus auf jene Jahre blicke, die ja durchaus von einem gewissen Hochgefühl getragen waren, von dem man sich ungern trennt, dann muß ich mich natürlich fragen, wie wir, aber eben nicht nur wir, gerade als Marxisten annehmen konnten, ein Volk, das sich nicht selbst vom Faschismus hatte befreien können (um das mindeste zu sagen), könne sozusagen nahtlos, jedenfalls schnell, in eine sozialistische Gesellschaftsordnung ›überführt‹ werden. Schon allein dieser Anspruch hat, glaube ich, damals viele Leute weggetrieben. Allein die Unnachgiebigkeit, mit der bei uns in den ersten Jahren die Teilhabe sehr großer Teile des deutschen Volkes an den Verbrechen der Nazis öffentlich behandelt wurde (ganz im Gegensatz zur Praxis in den Westzonen, dann der Bundesrepublik), mag vielen als unerträglich erschienen sein. Und, von heute aus gesehen, muß ich mich natürlich weiter fragen, wie viele von den möglichen Vorzügen einer sozialistischen Gesellschaft, selbst wenn sie arm ist, in den Anfängen steckt, überhaupt zum Vorschein kommen können unter den Bedingungen einer Besatzungsmacht, die, gerade auf dem Kulturgebiet, zwar viele gute Leute bei uns einsetzte, Qualitäts- und Wertmaßstäbe schuf, aber doch im eigenen Land eben unter dem Stalinismus selbst eine Perversion dieser sozialistischen Gesellschaft erfuhr. Das böse Wort, daß der Zweck die Mittel heilige, habe ich niemals akzeptiert. Aus dieser Nicht-Akzeptanz entstanden meine ersten Konflikte mit offiziellen Ansichten und Maßnahmen.

HÖRNIGK: 1956 hat dich Louis Fürnberg in einem inzwischen viel zitierten Brief zum Schreiben ermuntert. Welchen Anlaß hatte er eigentlich? Kannte er frühe Ergebnisse schriftstellerischen Bemühens?

WOLF: Nein, nein. Fürnberg kannte meine Kritiken, und er hatte einen Brief von mir, in dem ich meine Sehnsucht, zu schreiben, ausdrückte. Er war ein freundlicher Mensch, dessen Bedürfnis es war, andere zu ermuntern. Wir kannten uns persönlich gut, haben viel miteinander geredet, ich weiß nicht, ob er aus diesem Eindruck von mir die Hoffnung ableitete, daß ich Talent zum Schreiben hätte. Gewiß hatte er sich die Erfahrung zu eigen gemacht, daß ermutigen immer besser ist als entmutigen. Danach handelte er. Mir hat das sehr an ihm gefallen.

HÖRNIGK: In *Dimension des Autors* finden interessierte Leser fast alle deine Aufsätze, inklusive Interviews über beziehungsweise mit Anna Seghers. Nun ist in der literaturwissenschaftlichen Forschung schon eine Menge zu deinem Verhältnis zu Anna Seghers geschrieben und teilweise gemutmaßt worden, vor allem, was die Vorbild- oder Lehrer-Rolle der Seghers betrifft. Ich denke, sowohl deine Werkgeschichte als auch deine Poetik zeugen von großer Nähe, aber auch von bewußter Abgrenzung. Heiner Müller hat sich zu Brecht als einer Art Übervater bekannt. Gab es eine Phase, in der die Seghers auch so etwas wie eine Übermutter für dich war?

WOLF: Nein, das glaube ich nicht... Übrigens: In den Brecht-Sog bin ich nicht geraten, weil ich eine Frau bin (und natürlich auch, weil ich nichts mit Dramatik zu tun hatte). Es stand überhaupt nicht zur Debatte, auch nachträglich nicht, heute weiß ich, warum nicht. Die Art von Selbstaufgabe, die Brecht Frauen abverlangte, hätte ich niemals leisten können und wollen. – Anna Seghers habe ich verehrt, ich war von ihr als Mensch und als Autorin stark fasziniert, studierte ihre Art zu schreiben, fragte sie, soweit sie es zuließ, über ihr Leben aus. Sie eignete sich wenig dazu, anderen gegenüber lehrerhaft zu sein, vielleicht gab es sogar – mit aller Vorsicht deute ich das an – zwischen uns eine Art von Gegenseitigkeit im Geben und Nehmen, auch sie interessierte sich wohl für die Jüngeren, für die ich ein Beispiel abgab. Dann differenzierte sich meine Meinung zu ihren Arbeiten: Einige blieben mir sehr nahe, ich bewundere sie bis heute, andere rückten weg. Natürlich dachte ich viel darüber nach, unter welchen Umständen sie ihre für mich stärkeren, unter welchen sie ihre für mich nicht so starken Arbeiten geschrieben hatte. Daraus konnte ich lernen. Bis heute bin ich froh, daß ich diese Orientierungshilfe durch sie hatte. Die Bindung an sie geriet nie zur Abhängigkeit, nie hätte ich um ihretwillen bestimmte Seiten meiner Person unterdrücken, ihr zuliebe etwas aufgeben sollen, was mir wichtig war. Als es dann soweit war, daß ich Dinge schreiben mußte, die ihr fremd waren, oder Dinge tun mußte, die sie nicht billigen konnte, hat es mich zwar etwas gekostet, aber unmöglich war es durchaus nicht. Ich glaube, wir haben beide darunter gelitten, aber es hat unser Verhältnis nicht zerbrochen, das sich organisch entwickelt hatte und nun eben auch organisch an den Punkt kam, da ich mich in bestimmten Konfliktsituationen anders entschied als sie, auch in politischen Fragen andere Akzente setzte – so ist dieses Verhältnis, wenn ich das so ausdrücken darf, auch über ihren Tod hinaus für mich lebendig geblieben. Sie interessiert mich immer noch wie am ersten Tag, ich glaube, ich kenne und verstehe sie heute besser als manchmal zu ihren Lebzeiten. Über all das im einzelnen zu sprechen, ist es noch zu früh. Übrigens – das war mir damals gar nicht so bewußt – mag sie auch für mich eine Art Zeichen dafür gewesen sein, daß man es als junge Frau mit Kindern schaffen kann zu schreiben – in ihren so unendlich viel schwierigeren, den meinigen gar nicht vergleichbaren Verhältnissen hatte sie es jedenfalls geschafft. – Aber ich war eben damals ja auch noch eine Ausnahme: als schreibende Frau in allen diesen von Männern besetzten Gremien.

HÖRNIGK: Hattest du nicht manchmal das Gefühl, als junge Frau in diesen Funktionen als eine Art Schmuck zu agieren?

WOLF: Freilich. Ein Muster wiederholte sich: Mein Gott, wir haben ja noch gar keine Frau in diesem Gremium, dieser Kommission, diesem Vorstand! Da dachte, weil es so wenig Frauen gab, der brave Mann an mich. Nur daß ich mich nicht lange als schweigende Garnierung verhielt.

HÖRNIGK: Warum gab es so wenige?

WOLF: Die meisten jungen Mädchen und Frauen waren damals mit dem nackten Überleben beschäftigt. Zwar fingen schon verhältnismäßig viele Mädchen an zu studieren – jedenfalls Germanistik, Sprachen usw. –, dann heirateten sie, während des Studiums, nach dem Studium, wie ich, oft einen Studienkollegen, dann bekamen sie Kinder, wie ich. Es gab kaum Kindergärten oder -krippen, eine Frau, die weiter arbeiten oder studieren wollte, mußte für ihr Kind private Lösungen suchen, wir wußten bitter wenig über die emotionalen Bedürfnisse von Säuglingen, frage heute Frauen meiner Generation – wir alle haben Schuldgefühle gegenüber unseren Kindern. Es gab keine Waschmaschinen, keine Babynahrung; die stelltest du dir jeden Mittag aus Kalbfleisch und Gemüse selber her. Heute kaufen junge Mütter sie im Gläschen in der Kaufhalle. Die jungen Männer, Studienkollegen der jungen Frauen, Väter dieser Kinder, begannen ihre Karrieren; die jungen Frauen begannen in der Mehrzahl ihren Verzicht auf die am höchsten qualifizierte Berufstätigkeit und auf die exponierten Rollen in der Gesellschaft. Du mußtest schon wahnsinnig motiviert sein – wie ich es offenbar war – und einen Mann haben, der nicht auf die Idee kam, daß du, nur weil du eine Frau warst, deine berufliche und politische Entwicklung zurückstellen solltest, um nicht zu verzichten. Außerdem: Die Art meiner Arbeit erlaubte mir, nicht in den ersten Jahren, aber später doch immer häufiger, auch zu Hause sein zu können...

HÖRNIGK: Hast du Anna Seghers deine Arbeiten gezeigt, bevor sie publiziert waren – etwa die *Moskauer Novelle* oder den *Geteilten Himmel*? Stand sie dir als Ratgeberin zur Verfügung?

WOLF: Nein. Ich wäre nicht auf die Idee gekommen, ihr Manuskripte zu geben. Ich habe ihr, wahrscheinlich von *Nachdenken über Christa T.* an, meine Bücher gegeben. Als ich anfing zu schreiben, wohnten wir ja nicht mehr in Berlin, sondern in Halle, da war der enge Kontakt mit dem Berliner Kreis zunächst unterbrochen. Aber ich hätte mich sowieso nicht getraut, ich hätte es, glaube ich, als Zumutung empfunden, der Anna mit einem Manuskript von mir zu kommen. Ich habe meine Manuskripte, ehe ich sie zum Verlag gab, niemandem gezeigt, außer Gerhard.

HÖRNIGK: Ich würde gerne noch etwas über deine Beziehung zu Konrad Wolf wissen. Es gab doch einen Plan, die *Moskauer Novelle* zu verfilmen?

WOLF: Gerhard und ich haben schon an dem Drehbuch dafür gearbeitet, als die Novelle gerade als Vorabdruck in der »Jungen Kunst« erschienen war. Für Konrad Wolf war diese Geschichte – die Liebe einer Deutschen zu einem Russen – wohl interessant, weil er einen wichtigen Teil seines Lebensstoffes von der ›anderen Seite‹ her dargestellt sah. *Seine* stärksten Gefühlserlebnisse lagen ja in seiner Moskauer Kindheit und seiner Jugend in der Roten Armee. Er war jahrelang für mich ein wichtiger Mensch, unsere Beziehungen waren zu kompliziert, als daß ich sie hier auch nur annähernd beschreiben könnte. Er, ein wenig, nicht viel älter als wir, fast noch unsere Generation, aber eben *nicht* in Nazideutschland aufgewachsen, geprägt durch eine andere Heimat, in der sehr schwierigen Lage, sich nun dieses Land zur Heimat zu machen. Auch dazu brauchte er Menschen wie uns, über die künstlerische Zusammenarbeit hinaus. Die war übrigens gut, gleich von diesem ersten Drehbuch an, das aber dann nicht verfilmt wurde. Die sowjetische Seite wollte damals nicht die Liebe einer Deutschen zu einem Russen zeigen, noch dazu, da der Russe, ein ehemaliger Offizier, als nicht stark genug empfunden wurde. Der damals üblichen soziologischen Literaturbetrachtung folgend, mußte die führende Rolle der Sowjetunion auch übertragen werden auf das Personal dieses kleinen Büchleins, das ja übrigens große Schwächen hat. Mich schmerzte diese Ablehnung, auch, weil ich fürchtete, daß der Kontakt mit Konrad Wolf nun abbrechen würde. Aber er meldete sich wieder, als ich den *Geteilten Himmel* geschrieben hatte; noch ehe das Buch erschienen war, erklärte er, er wolle es verfilmen. Das wurde dann eine sehr intensive Zusammenarbeit. Mit seiner Hilfe – wir hatten ja keine Filmerfahrung – haben wir das Szenarium geschrieben, manchmal wochenlang in irgendeinem Heim zusammengehockt und gearbeitet, da stellte sich auch persönliche Nähe her. Ich vermittelte den Kontakt zum Waggonbau Ammendorf, wo ich Material für das Buch gefunden hatte und wo dann auch gedreht wurde. Wir waren zeitweise bei den Dreharbeiten dabei. Wir arbeiteten in die gleiche Richtung. Wir wollten – alle, das ganze Team – ein bestimmtes künstlerisch-politisches Konzept durchsetzen, eine realistische Sicht auf unsere Verhältnisse. Mein Buch war ja am Anfang von bestimmter Seite politisch scharf angegriffen worden, der Film aber fand – sicher auch, weil Konrad Wolf ihn drehte – Unterstützung.

HÖRNIGK: Warst du zufrieden mit dem Film?

WOLF: Damals ja. Ich habe ihn vor gut einem Jahr wieder gesehen. Eine gewisse Atmosphäre hat er bewahrt, bei allem, was ich heute im einzelnen kritisch sehe. Zwischen den Bildern, auch außerhalb der Dialoge erscheint unser utopisches Denken, blitzen unsere Visionen auf…

Wir wollten noch andere Projekte mit Konrad Wolf realisieren – einen Stoff, der ihm und seiner Erfahrungswelt sehr nahe lag und der sich uns durch die Bekanntschaft mit einem jüngeren Mann anbot, Sohn von Emigranten, der viel später als Konrad Wolf in die DDR gekommen war und in einem Betrieb als Ingenieur arbeitete. »Ein Mann kehrt heim«. Wir sahen eine Chance, den Entwicklungsstand dieses Landes Anfang der sechziger Jahre mit den Augen eines solchen Mannes zu schildern, das heißt, wir wollten einen Verfremdungseffekt benutzen, um einen kritischen, aber nicht *nur* kritischen Blick auf bestimmte Erscheinungen bei uns zu werfen. Das Szenarium war schon geschrieben, es wurde uns dann bedeutet, daß es keinen Sinn hätte, weiter daran zu arbeiten, es gab einen kulturpolitischen Einschnitt nach dem Sturz Chrustschows. Noch einmal haben wir uns dann an einem eigenen Filmstoff versucht, das Drehbuch hieß »Fräulein Schmetterling«, ein Schüler von Konrad Wolf hat es verfilmt, hatte den Film schon nahezu abgedreht; es sollte ein Berlin-Film werden, das Material könnte interessant sein, weil es Szenen gibt, die in der alten, nicht mehr existierenden Markthalle am Alex spielen, und für andere Passagen stand die Kamera, glaube ich, oben auf dem Haus des Lehrers und filmte den aufgerissenen, rundum von Neubauten oder noch von Ruinen umgebenen Alexanderplatz. So kennen ihn die heute Fünfundzwanzigjährigen gar nicht mehr. Auch dieser Film wurde, ehe er wirklich fertig war, verboten.

HÖRNIGK: Das hing, soviel ich weiß, mit dem 11. Plenum des ZK 1965 zusammen.

WOLF: Ja.

HÖRNIGK: Das bringt mich zu der Frage nach der Einwirkung äußerer Ereignisse auf deine Arbeit. Mir scheint, einige historische Ereignisse haben sehr unmittelbar auf dein Schreiben eingewirkt. Zum Beispiel stellt sich das 11. Plenum wie ein Einschnitt für dich dar, als ein Wendepunkt in deiner schriftstellerischen Arbeit. Du hast damals dort eine Rede gehalten, die man im »Neuen Deutschland« nachlesen kann. Mir erschien es so, als ich diese Rede las, als sei damals bei dir so eine Art Schmerzgrenze erreicht gewesen, verursacht sicher durch angestaute Konflikte, wachsendes Konfliktbewußtsein, ausgelöst aber offensichtlich durch Beschuldigungen, die sich gegen Werner Bräunig und andere Kollegen richteten. Ich weiß nicht, ob du diese Rede vorbereitet hattest, mir erscheint fast, du fühltest dich gezwungen, zu reagieren, ich weiß ja auch nicht, ob die Rede vollständig abgedruckt ist, aber mir war nach der Lektüre klar, daß sich für dich eine Veränderung im Schreiben ergeben mußte. Und das wird bei den Werken, die dann folgen, sichtbar.

WOLF: Also jetzt mal der Reihe nach. Die Rede ist im »Neuen Deutschland« nicht vollständig abgedruckt. Ich hatte sie übrigens nicht vorbereitet, sprach nach Stichpunkten, fühlte mich aber dazu verpflichtet, weil am Vortag in einer Rede der Verdacht geäußert worden war, daß sich bei uns im Schriftstellerverband eine Art Petöfi-Club, also ein konterrevolutionäres Zentrum, zusammenbraue. Ich wußte, daß dieser Verdacht unhaltbar war, aber weitreichende Folgen haben konnte, also mußte ich sprechen; wozu war ich sonst Kandidatin des ZK? Sicher hätte ich präziser sprechen können, wenn ich ein Manuskript gehabt hätte. Es ist nicht leicht, einem Saal gegenüberzustehen, der gegen dich ist, dich durch Zwischenrufe unterbricht usw. Ich wollte ja eigentlich überzeugen, daß sie den Feind nicht bei uns zu suchen hatten ...

Übrigens: Gerade in jenen Monaten und Tagen habe ich sehr viel mit Konrad Wolf gesprochen, mit Jeanne und Kurt Stern, mit anderen Genossen. Ich sagte es schon: Ein ununterbrochenes heißes Gespräch; für mich gab es da nicht mehr die Möglichkeit eines Ausweichens, wenn vor meinen Augen versucht wurde, Schwierigkeiten, die es auf verschiedenen Gebieten des gesellschaftlichen Lebens gab, den Autoren anzulasten, die in Manuskripten und Filmen darüber zu schreiben begannen. Ein neues Lebensgefühl hatte sich, besonders in einigen Filmen, zu artikulieren begonnen – unvollkommen, kritikwürdig durchaus (wie übrigens auch unser Film sehr kritikwürdig war) –, aber das ist es ja eben, und auch das brachte mich zur Verzweiflung: Die notwendige künstlerische Diskussion, die Kritik unter Kollegen, die allen helfen könnte, bleibt aus, wenn ungerechtfertigte, ja demagogische politische Vorwürfe erstmal alle dazu zwingen, sich mit dem Werk eines Autors zu solidarisieren.

Es ging um den Realismus. Mindestens seit dem XX. Parteitag war ich auf der Seite derer, die es für sehr gefährlich hielten, wenn vorhandene Widersprüche nicht aufgedeckt werden. Ich wollte wissen, wo ich lebe. Ich habe, was ich nur kriegen konnte, gelesen, und wo ich es kriegen konnte: über die Geschichte der KPdSU, über die Geschichte unserer Partei, ich habe mich eng mit Menschen befreundet, die in der Nazi-Zeit im KZ saßen und dann, unter unsinnigen Beschuldigungen, auch wieder in der DDR im Gefängnis saßen. Von wem ich nur annahm, daß er mir etwas sagen konnte, was nicht in bisherigen Veröffentlichungen zu finden war, mit dem habe ich gesprochen. Du kannst mir glauben, oft ist da die Schmerzgrenze erreicht und überschritten worden – übrigens natürlich auch im Gespräch mit sowjetischen Freunden, beim Lesen von Büchern sowjetischer Autoren, die, nicht bei uns, nach und nach erschienen.

HÖRNIGK: Noch einmal zurück zum *Geteilten Himmel*. Da gab es für mich in der Rezeptionsgeschichte eine widersprüchliche Erscheinung: Einerseits die bis tief ins Persönliche gehenden Verletzungen, die da von bestimmten Leuten ausgehen – dieser Artikel in der »Freiheit«! –, die dich der »Dekadenz« bezichtigten und so weiter. Das muß ja sehr kränkend gewesen sein. Und andererseits die Erfahrung, daß sich nicht unwichtige Leute aus dem kulturellen Bereich irgendwann entschlossen, die Schärfe der Debatte abzuschwächen und dich vor den unqualifiziertesten Angriffen zu schützen. Das war ja *vor* dem 11. Plenum. Mir scheint, daß es zwischen dem August 1961 und dem 11. Plenum 1965 eine Zeit gegeben hat, in der es neue Hoffnungsansätze gab, in der kulturell viel passierte. Um so erschreckender diese plötzliche Zuspitzung. Ich glaube, sie war von euch nicht erwartet worden.

WOLF: Doch, unmittelbar vorher gab es sichere Anzeichen dafür, aber das kann man heute, wenn man auf die Presse von damals angewiesen ist, nicht mehr erfahren. Es liegt alles in unserer Erinnerung... Aber es stimmt: Eine Zeitlang hatten wir geglaubt, uns einen Freiraum erarbeitet zu haben; wir, das waren Autoren unserer Generation, aber vor allem auch schon Jüngere – acht, neun, zehn Jahre Jüngere, sehr Begabte darunter, Volker Braun, Sarah und Rainer Kirsch, Karl Mickel und andere, die das Gefühl hatten, auf dasselbe hinzuarbeiten, und zwar, salopp gesprochen, nach innen und nach außen. Wir mußten den Mut zu uns selber finden, der Literatur geben, was der Literatur ist, was hieß, uns als Subjekte ausbilden, was damals sehr schwer war (wie schwer, das kann man sich heute gar nicht mehr vorstellen), und den Raum, der ihr gebührt, der

Literatur in der Gesellschaft erkämpfen. Darin haben wir uns gegenseitig unterstützt, ermuntert; es gab keinen Neid, keine Mißgunst, keine Konkurrenz unter uns. Jeder freute sich mit dem anderen, wenn er, vielleicht nach zwei, drei Jahren, seinen Gedichtband ›durch‹ hatte, wie es so schön hieß, oder wenn ein Film erschien, der ›gelegen‹ hatte, wenn ein Stück *doch* aufgeführt, oder wenn ein umstrittenes Manuskript zum Druck genehmigt wurde. Das waren so unsere Siege. Dabei waren wir weder verbittert noch gar hoffnungslos – im Gegenteil. Die meiste Zeit hatten wir ja doch das Gefühl eines Rükkenwindes, wenn der manchmal auch ganz schwach erschien. Wir sahen uns auch nicht etwa einer Front gegenüber, die gegen uns stand. Immer gab es Differenzierungen, auch in der Kritik, wenn auch manchmal erst spät. Wir sahen verschiedene Strömungen in der Gesellschaft. Wir hatten das Gefühl, die Realität bewege sich auf Dauer in die gleiche Richtung wie wir und wir könnten, zusammen mit den Leuten aus der Wirtschaft, aus der Wissenschaft dieser progressiven Richtung zum Durchbruch verhelfen. Vergiß nicht, daß viele von uns, dem vielgeschmähten »Bitterfelder Weg« folgend, in Betrieben waren, Freundschaften mit Leuten aus Brigaden, mit Wirtschaftsfunktionären schlossen, Einblick bekamen in ökonomische Prozesse und Widersprüche. Das war alles sehr anstrengend, aber auch hoch interessant, und wir waren immer noch jung, zwischen dreißig und fünfunddreißig. Und es gab für uns keine Alternative. Sollten wir das Westdeutschland Adenauers und Globkes oder Erhards als möglichen Lebensort in Betracht ziehen? Dieses Land hier war – großmäulig gesprochen – unser Kampffeld, hier wollten wir es wissen, hier sollte es passieren, und zwar noch zu unseren Lebzeiten. Wahrscheinlich gibt es immer am Anfang einer gesellschaftlichen Entwicklung so ein beschleunigtes Zeitgefühl…

HÖRNIGK: Dann kommt die Erfahrung oder das Bewußtsein, daß alles viel länger dauern würde, als ihr es am Ende der fünfziger Jahre glaubtet –

WOLF: – und daß etwas anderes dabei herauskommen würde, als wir dachten. Das ist normal, aber man muß es Tag für Tag durchleben. Man ›weiß‹ übrigens alles schon viel eher, als man es aussprechen kann. Und dann braucht man noch längere Zeit, um darüber schreiben zu können.

HÖRNIGK: Könnte man sagen – um dich indirekt zu zitieren – du hast es noch nicht »überwunden«, um es erzählen zu können?

WOLF: Überwunden habe ich es, glaube ich, ich habe mich auch von den Abhängigkeiten weitgehend befreit, die ein selbstbestimmtes, vorurteilsloses Denken behindern. Von Abhängigkeiten, nicht von Bindungen und von Verantwortung, das ist ein Unterschied. Und doch dauert es bei mir dann immer noch lange, ehe ich über einen zentralen Lebensstoff schreiben kann. Bei *Kindheitsmuster* waren es mehr als fünfundzwanzig Jahre, ehe ich anfangen konnte... Da gehen bestimmte Prozesse in einem vor, die man nicht willkürlich beschleunigen kann.

HÖRNIGK: *Christa T.* demonstriert dann ziemlich deutlich eine neu gewonnene Wirklichkeitssicht, auch eine Sicherheit, diese Wirklichkeitserfahrung in neuer Weise niederzuschreiben. Dennoch hast du gerade bei diesem Buch wiederum, wie ich mir vorstellen kann, sehr belastende Erfahrungen in der Rezeption durch die Kritik gemacht. Können dich solche Dinge lähmen? Gab es nach dem, was du mit *Nachdenken über Christa T.* erlebtest, Zeiten, in denen du dich beim Schreiben gehemmt fühltest? Bist du abhängig von Kritik?

WOLF: Ich bin nicht so abhängig davon wie manche Schriftsteller – darunter sehr bedeutende –, von denen man hört, daß eine herbe Kritik sie für Tage in Depressionen treiben konnte: Thomas Mann, Virginia Woolf... Ganz unverständlich ist mir diese Reaktion allerdings nicht, besonders dann nicht, wenn du spürst, daß eine Kritik sich gegen deine Person richtet, daß ein Vernichtungswunsch hinter ihr steht. Dem standzuhalten, finde ich doch manchmal schwierig. Hinzu kam, daß meine Bücher – gerade *Christa T.* ist dafür ein aussagekräftiges Beispiel – oft zwischen die kulturpolitischen Fronten gerieten. Wir befanden uns ja im kalten Krieg, es brauchte nur ein westdeutscher Kritiker dieses Buch in kalkulierter Absicht ›positiv‹ als Anti-DDR-Buch zu interpretieren, um hier eine Lawine in Gang zu setzen, die ich im einzelnen jetzt gar nicht schildern will. Bitter war, daß einzelne Kollegen sich aus Angst in die Kampagne einspannen ließen, und besonders bitter, daß der Verlag, der das Buch publiziert hatte, sich öffentlich von ihm distanzierte. Meine Existenz in diesem Land als gesellschaftliches Wesen wurde in Frage gestellt, ich habe danach längere Zeit gebraucht, um wieder schreibfähig zu werden. Aber in diesen Auseinandersetzungen, in denen ich mich lange abmühte, meine Angreifer davon zu überzeugen, daß ich doch dasselbe wollte wie sie, wuchs mir eine hilfreiche Einsicht: Ich begriff auf einmal, daß ich *nicht* dasselbe wollte wie sie, daß sie sich durch mein Buch bedroht fühlten und darum so heftig reagierten. Danach ging es mir besser. Danach haben mich Kritiken manchmal immer noch betroffen, auch bedrückt. Sie haben mich aber auch, sozusagen paradoxerweise, in künftigen Arbeitsvorhaben bestärkt. Und die Zeiträume, nach denen ich wieder arbeitsfähig war, wurden kürzer.

HÖRNIGK: Eigentlich hätten die Reaktionen dich nicht überraschen dürfen, denn was du mit *Christa T.* in die Debatte brachtest, mußte in dem damaligen Umfeld sehr rigoros wirken.

WOLF: Sicher. Konflikte wurden artikuliert, die man nicht wahrhaben wollte, eine subjektive Befindlichkeit beanspruchte ihr Recht, sich auszudrücken. Aber damals hatte ich beim Schreiben noch eine Schutzhaut, unter der ich unbefangen, fast naiv arbeiten konnte. Die war dann natürlich weg, es wurde immer schwerer, diesen Freiraum zu erzeugen, den man zum Schreiben braucht. Aber jedenfalls war ich nun nicht mehr abzudrängen von dem, was ich machen mußte, ich erwartete nicht mehr, hier öffentlich akzeptiert zu werden, ich erfuhr später auch, wie es ist, ausgegrenzt zu werden – eine nützliche, wenn auch sehr schmerzhafte Erfahrung. Übrigens war das ein langer Prozeß, mit verschiedenen Phasen, hier vereinfacht in der Kürze. Die Texte, die ich nach der Biermann-Affäre 1976 schrieb – *Kein Ort. Nirgends* und der Günderrode-Essay –, sind Aufarbeitungen solcher Erfahrung. Es hat damals ziemlich lange gedauert, ehe ich das artikulieren konnte. – Übrigens glaube ich nicht, daß ein engagierter Autor derlei nur bei uns erleben kann. Man könnte daraufhin die Lebensgeschichte zum Beispiel von Heinrich Böll untersuchen... Es gehört einfach zum Berufsrisiko, glaube ich. Abgesehen von den direkt politischen Meinungsverschiedenheiten, die in solchen Konfliktsituationen scheinbar im Vordergrund stehen: die strikte, immer weitergehende Arbeitsteilung seit dem Beginn des bürgerlichen, des Industriezeitalters, die die Mehrheit der Produzenten in frustrierende Arbeitsprozesse zwingt, erzeugt auch bei vielen eine Abwehrhaltung gegen jene wenigen, die eine nicht entfremdete Arbeit machen dürfen und deren Lebensverhältnisse stärker durch sie selbst bestimmt werden. Und die starke Subjektivität, ohne die keine Literatur entsteht, dieses Bestehen der Autoren darauf, sich auszudrücken, verletzt solche Menschen. Das ist mir nicht so unverständlich. Ich muß auch damit rechnen, daß manche meiner Bücher inhaltlich auf Widerstand stoßen: Zum Beispiel haben einige Wissenschaftler bei *Störfall* mit Abwehr reagiert (andere wiederum mit Nachdenklichkeit und sogar Zustimmung), aber das war ja klar. Das Buch enthält ja polemische Elemente.

HÖRNIGK: Die abweisenden Reaktionen haben vielleicht auch ein bißchen damit zu tun, daß der moralische Anspruch in deinen Texten für unangemessen gehalten wird...

WOLF: ... den ich übrigens selbst nicht vertreten würde.

HÖRNIGK: Er wird aber, glaube ich, suggeriert, nicht zuletzt durch eine gewisse Tonlage, die nicht die fröhlichste ist. In diesem Zusammenhang möchte ich nach deinem Verhältnis zu Johannes Bobrowski fragen, du hast dich ja auf ihn berufen. Es gibt von ihm diesen schönen Satz: Alles auf Hoffnung, mehr ist nicht zu sagen. Schreiben »auf Hoffnung hin« – das ist so eine Metapher, die auch bei dir auftaucht, sowohl in der Essayistik, als auch in der Prosa. Zum Beispiel in *Kein Ort. Nirgends*: »Wenn wir zu hoffen aufhören, kommt, was wir befürchten, bestimmt«. Ist das Zufall? Wie kam es, daß damals offensichtlich eine Art Sog ausging von Bobrowski, der ja, wie man weiß, in seiner Zeit auch nicht gerade ein Erfolgsautor war mit seinen Ansichten, die geradezu zwangsläufig in Kollision geraten mußten mit bestimmten gängigen Auffassungen von Literatur.

WOLF: Bobrowski hat auf mich nur als Autor gewirkt, persönlich habe ich ihn nur ganz wenig gekannt, aber ich entsinne mich an Menschen, die ihn gut kannten und viel von ihm erzählten, natürlich auch daran, daß Gerhard sich viel mit ihm beschäftigte, ihn öfter traf. Er wollte ja über ihn schreiben, da starb Bobrowski. Da hat er die *Beschreibung eines Zimmers* geschrieben, ohne den Bewohner dieses Zimmers. Und auch ich bin dann in diesem Zimmer gewesen, bei Bobrowskis Familie. Aber deine Frage zielt auf etwas anderes. Der »Sog«, von dem du sprichst, ging aus von seiner Prosa. Da hörte man jemanden reden durch seinen Text, »Rede, daß ich dich sehe«... Ich suchte ja nach einer Möglichkeit, mich auszudrücken, die nicht konventionell sein durfte, die konventionelle Methode, eine ›Geschichte‹ zu erzählen, hätte das Netzwerk von Beziehungen, mit dem ich umging, nicht fassen können. Und, das muß man wissen, wir waren ja damals noch nicht sehr eingeweiht in die moderne Literatur und ihre Stilmöglichkeiten, ihre Autoren mußten einzeln durchgesetzt werden. Bobrowskis Art und Weise, sich frei in seinem Stoff zu bewegen, anachronistisch zu sein, den inneren Monolog zu behandeln, umgangssprachliche Elemente in stilisierte Dialoge hineinzunehmen – das hat mir alles zuerst mal einfach ›gefallen‹, wenn ich es las, und ich glaube schon, daß er mir auch bestimmte technische Möglichkeiten des Schreibens eröffnet hat (übrigens, das fällt mir gerade ein, in anderer Weise auch Aragon).

Ich brauche für jede meiner Arbeiten sehr viele Anfänge, ich schreibe mich ganz allmählich an die Freiheit gegenüber meinem Material heran, das ja erst, indem es eine ihm gemäße Form findet, zum literarischen Stoff wird: Diesen Prozeß habe ich an den Vorarbeiten zu *Christa T.* ein für allemal begriffen, über die vielen Versuche in herkömmlich realistischem Stil, Bobrowski verführte mich nicht zur Nachahmung, sondern dazu, meinen eigenen Ton zu finden.

HÖRNIGK: Für mich ist in deiner Prosa, so sehr sie auch von der jeweiligen Zeit geprägt ist, von Anfang an faszinierend (auch bei der von dir selbst stark kritisierten *Moskauer Novelle*), daß da eine Form gesucht wird, die nicht einem traditionellen Verständnis von Vermittlung von Totalität oder etwas Ähnlichem entsprechen sollte. Das finde ich auch beim *Geteilten*

Himmel, wo es, im Nachhinein betrachtet, deutliche Brüche und Probleme gibt, während die Form bei *Christa T.* dann schon sicher erscheint; auch beim Wiederlesen heute hat man das Gefühl, hier hat jemand seinen Stil gefunden, seine Möglichkeiten erkundet, Inhalt und Form organisch aufeinander zu beziehen. Diese Form entsprach nun kaum dem Ideal, das da im Lande herumlief, und daß sie auf Abwehr stoßen mußte, kann nicht verwundern.

WOLF: Dann muß es um so mehr verwundern, wieviele Leser damals schon imstande waren, ein derartiges Buch zu akzeptieren. Der Boden für seine Aufnahme war bereit. Immer wieder sagte und sagt man mir, ich schreibe »schwierig« – aber das schien und scheint doch für viele Leser kein unüberwindliches Hindernis zu sein.

HÖRNIGK: Daran knüpft sich meine Frage, ob sich über die Zeit hin aus deiner Sicht Veränderungen ergeben haben in dem, was du durch Schreiben bewirken kannst. Schreiben als erste Voraussetzung zur Veränderung mit dem Ziel, die eigene Hoffnung zu artikulieren, möglicherweise auch Hoffnung zu vermitteln. Franz Fühmann hat ja in einem seiner Aufsätze sehr schöne Erklärungen gegeben für das, was er bewirken will, hat erklärt, warum er seine Literatur als Lebenshilfe versteht – er sah dieses Wort identisch mit dem humanen Auftrag der Literatur. Wie ist dein Wirkungskonzept, hat es sich im Laufe der Zeit verändert?

WOLF: Als ich zu schreiben begann, hoffte ich – wie wir alle damals – Literatur könne gesellschaftliche Veränderungen mit bewirken. Eigentlich das Konzept der frühen Aufklärung. Wir haben dann allmählich gelernt, daß es längere Perioden in der Geschichte gibt, in denen Literatur nur sehr vermittelt auf Veränderungen einwirkt, unterirdisch, indirekt – manchmal ›nur‹, indem sie einfach durch ihr Dasein Menschen hilft, den Mut nicht ganz sinken zu lassen. Wenn »Lebenshilfe«, dann in diesem Sinn. Ich habe Lebenshilfe für andere nie als Ziel meiner Schreibarbeit angesehen, und doch habe ich die meiste Zeit über das Gefühl gehabt, gebraucht zu werden. Aber zunächst und vor allem bin ich es selbst, die es braucht, zu schreiben, als Mittel der Selbsterkenntnis, auch als Mittel der Entlastung, wenn der Druck der Selbstzweifel übermächtig zu werden droht. Schreiben ist einfach meine Existenzform. Ich würde ja auch schreiben, wenn niemand das drucken wollte, wenn ich kein Publikum hätte. Den moralischen Anspruch richte ich doch zuallererst auf, manchmal gegen mich. Ich leugne nicht, daß es Leser gibt, die in meinen Büchern auch eine Art von Lebenshilfe suchen und vielleicht auch finden, manchmal nehmen sie Literatur auch als Ersatz für unerfüllten Lebensanspruch. Aber zeigt das nicht eigentlich, daß sie sich abgeschnitten sehen von den ihnen angemessenen Tätigkeiten? Und daß die Institutionen, die in den neuzeitlichen Gesellschaften, welche ihre Mitglieder vielfach überfordern, für Lebenshilfe zuständig sind, bei uns zu schwach entwickelt wurden? Eine Autorin ist weder ein Pfarrer noch ein Psychologe. – Allerdings: In einem Wertsystem spielt die Literatur innerhalb ihres kulturellen Zusammenhangs eine wichtige Rolle, dem entziehe ich mich nicht. Doch wird, wenn all dies zur Sprache kommt, die ästhetische Seite der Literatur meist außer acht gelassen. Wozu nimmt man die Anstrengung der Form auf sich und schreibt nicht einfach Traktate? Mir scheint, man wundert sich auch in der Literaturwissenschaft zu wenig über die Existenz der ästhetischen Seite der Literatur, der literarischen Formen. Übrigens: In der UdSSR ist jetzt wieder eine Zeit herangekommen, in der die Literatur, die Kunst überhaupt, direkt auf gesellschaftliche Veränderungen Einfluß nehmen kann, indem sie ihnen vorausgeht, die Vergangenheit, so schmerzlich sie sein mag, heraufholt und aufarbeitet, in der Gegenwart progressive Kräfte aktiviert.

HÖRNIGK: Deiner Art zu schreiben wird ja oft unterstellt, daß das Aussprechen von Ängsten angstauslösend wirkt – das ist doch eine verbreitete Rezeptionsweise. Das Aussprechen von Ängsten wird nicht als Resignationsabwehr verstanden; es wird nicht verstanden, daß Angst aussprechen bedeutet, bewußter damit umgehen zu können. Insofern gibt es doch schon Literatur, die, gerade durch die ästhetische Vermittlung, als eine Art…

WOLF: Modell, als eine Art Modell wirkt. Das ist ein Wort, das mir gefällt. Alle Industriegesellschaften sind ja unter anderem riesige Verdrängungs- und Abwehrmechanismen, auch von Angst, von allen möglichen Frustrationen, anders könnten sie ja gar nicht existieren, nur daß die Erfahrungen und die Gruppen von Menschen, die sie ausgrenzen, diejenigen sind, die sie nötig brauchen würden, um der strukturellen Erstarrung und der Selbstzerstörung zu entgehen, die hinter der fieberhaften Produktion materieller Werte lauern. Weil ich das erkannt habe, versuche ich so beharrlich, der Ausgrenzung zu entgehen, ohne dabei meine Integrität aufzugeben. Das kostet Kraft und ist mit beträchtlichen Selbstzweifeln verbunden; du glaubst nicht, wie groß und verführerisch die Versuchung sein kann, dem ganzen Literaturbetrieb, dem ›Betrieb‹ überhaupt, den Rücken zu kehren und nur noch für sich selbst zu schreiben. Aber ich denke eben – da mag ich mich ja irren –, daß die Literatur und die Literaten die Aufgabe haben, diese ganzen unter der Decke gehaltenen Gefühle, Triebe, Sehnsüchte, Ängste bei sich selbst zuzulassen und sie auch möglichst öffentlich zu artikulieren. Aber das heißt nicht, daß Literatur um einer Botschaft willen geschrieben wird.

HÖRNIGK: Da ist noch etwas, was mir auf den Nägeln brennt; vielleicht geht das jetzt sehr ins Detail, aber sei's drum: In allen deinen Werken ist Liebe eigentlich immer verbunden mit Trennung. Liebesgeschichten sind Geschichten von Trennung. Liebe ist oft Erzählanlaß, wird dann zum Defizit: der Verlust von Liebe steht als Metapher für den Verlust an Menschlichkeit. Liebe hat in deinen Werken etwas übergreifend Metaphorisches.

WOLF: Ich würde nicht sagen: ›Liebe‹, eher: ›Liebesfähigkeit‹. Daß Liebespaare sich bei mir häufig, vielleicht immer, trennen, ist mir gar nicht so bewußt, erscheint mir auch nicht als so bedeutsam. Ich würde es auch nicht als Scheitern einer Liebe ansehen, wenn ein äußerer Anlaß Liebende trennt (›äußerer‹ und ›innerer‹ Anlaß wirken allerdings meist zusammen), meine Frage geht eigentlich dahin, ob sie fähig waren oder sind, einander als gleichberechtigte Verschiedene zu lieben: ohne daß einer die andere unterdrückt, ausbeutet, sich auf ihre Kosten hocharbeitet; ohne daß einer dem anderen sich unterwirft, abhängig von ihm ist, seine ›Liebe‹ um jeden Preis braucht, um eine innere Leere auszufüllen. Dies ist aber ein häufiges Schema der Beziehungen zwischen Mann und Frau heute: daß sie ihre Verbindung nicht dazu nutzen können, sich gegenseitig produktiv zu machen, daß die Beschädigungen, die sie in unserer Zivilisation in früher Kindheit unvermeidlich erfahren, sie zu zwingen scheinen, sich gegenseitig zu zerstören. Dies ist der Punkt, an dem die gesellschaftlichen Verhältnisse in das scheinbar ›privateste‹, ›intimste‹ Verhältnis eingreifen, daher wohl die »übergreifend metaphorische Bedeutung«, die dieses Verhältnis bei mir bekommt.

Übrigens: Der ganze *Faustus*-Roman von Thomas Mann, durchaus als Studie zur Vorgeschichte des deutschen Faschismus konzipiert, stellt die zentrale Figur, einen genialen »Tonsetzer«, unter das Verdikt: Du darfst nicht lieben. Liebesunfähigkeit als Preis für Freisetzung der Genialität – eine qualvolle Selbstauseinandersetzung eines männlichen Künstlers ... Ein weites Feld. Frauen sind weniger bereit, diesen Preis zu zahlen – bisher jedenfalls.

HÖRNIGK: Von einer scheinbar ephemeren Seite her berühren wir da einen Themenkomplex, der mich sehr interessiert, der auch für uns alle immer wichtiger wird: In einem Interview von 1978 hast du gesagt, man müßte die Wirklichkeit dieser Gesellschaft an ihren Zielen messen, man müsse die Sehnsucht wachhalten nach einer »realistischen Utopie«. Nun ist die Verwirklichung jener Ziele, an die du damals sicherlich gedacht hast, sehr viel weiter in die Ferne gerückt; mich würde interessieren, wie du heute das Verhältnis zu utopischen Entwürfen siehst. Ob Utopie – im Sinne realer Hoffnung – noch zu formulieren ist, oder ob die globalen Entwicklungen, die reale Bedrohung der Existenz dieses Planeten, nicht auch die Utopien verändern.

WOLF: Doch, das glaube ich schon. Es ist ein Vorgang, der sich schleichend vollzogen hat, heute können wir das Ergebnis konstatieren: die alten Utopien sind tot. Auch die Ziele haben sich geändert. Soll ich das nun beklagen? ›Utopie‹ heißt ja: ›Kein Ort‹. Ein Traum, dem auf Erden kein wirklicher Ort zugedacht ist? Unsere Lage ist zu gefährlich, als daß wir uns in unrealistischen Träumen verfangen dürften. Etwas anderes ist, glaube ich, der Verlust von Idealen, von ethischen, moralischen Werten: ohne die kommt kein Mensch und kommt keine Gesellschaft aus, ohne die wird das Zusammenleben der Menschen zu einem Alptraum, und sei es auf einem noch so hohen Niveau des Lebensstandards. Ich sehe, wie in verschiedenen Ländern, die ich kenne, auch bei uns, besonders jüngere Leute praktisch Lebensweisen entwickeln, die ihren Vorstellungen von einem nichtgewalttätigen, produktiven Zusammenleben nahe kommen. Das sind überall die gleichen Ideale, es ist der gleiche Menschentyp, der sie vertritt. Aber ich kann es mir bis jetzt nicht vorstellen, welche Veränderungen auf welche Weise eintreten könnten – ohne vorherige Katastrophe –, die die jetzigen destruktiven Groß-Strukturen unwirksam machen und durch produktive Strukturen ersetzen würden. Diese Megamaschinen, diese Monster von Monopolen, Konzernen, Bürokratien, diese Armee- und Staatsapparate: ich sehe sie in einem Teil der Welt schon wieder eifrig und eilfertig am Werke, eine Schlappe, die sie erlitten haben – Abrüstung in einem Teilbereich – auszuwetzen. Nur ja nicht grundsätzlich von ihren destruktiven Strukturen lassen müssen. Da mache ich mir keine Illusionen mehr, glaube ich (auch das kann eine Illusion sein), andererseits würde ich es für fahrlässig halten, alle Hoffnung aufzugeben. Gerade die letzten Jahre haben mich, kaum noch erwartet, eines Besseren belehrt. Wenn sich nur ein Zipfelchen zeigt, wo man etwas anpacken kann, dann muß ich es ergreifen. Ich kann anscheinend nicht anders, auch das mag generationstypisch zu sein. Dann muß ich mich eben wieder äußern oder sonstwie ins Getümmel begeben.

HÖRNIGK: Günter de Bruyn hat mal gesagt, Nichtübereinstimmung mit der Welt, in der zu leben man gezwungen ist, wird in besonderem Maß von dem als schmerzlich empfunden, der Übereinstimmung ersehnt.

WOLF: Da hat er recht. Er benennt da Schmerzen einer frühen Phase bei mir. Heute ersehne und erwarte ich nicht mehr »Übereinstimmung«, ich versuche mir nur immer wieder ein Stück Boden freizuschaufeln, auf dem ich mit beiden Füßen stehen kann, von dem aus ich das Meine schreiben, hin und wieder auch sagen kann.

HÖRNIGK: Aber du schreibst auch immer noch Briefe, aus gegebenem Anlaß, mit denen du etwas bewirken willst.

WOLF: Manchmal schreibe ich einen Brief, um mich selbst im Spiegel ansehn zu können. Manchmal kann man im Einzelfall etwas bewirken. Aus Erfahrung weiß ich, daß, wenn es hundert Briefe gibt, der hundertste dann derjenige sein kann, der alle anderen mit zur Wirkung bringt. Den möchte ich nicht versäumt haben.

HÖRNIGK: Du merkst es wahrscheinlich täglich, daß Menschen in dir eine Instanz sehen, nicht zuletzt durch die Anliegen, die sie an dich herantragen. Wie fühlst du dich in dieser Rolle?

WOLF: Diese Problematik gehört zum schwierigsten in meinem Leben, oft sehe ich sie schlicht als Unglück an. Helfen, wenn man helfen kann – das ist eine normale Sache, egal, ob man Autorin oder Briefträger ist; davon ist hier nicht die Rede. Aber man müßte mal untersuchen, wann das historisch angefangen hat, daß das Bedürfnis vieler Menschen nach der Autorität einer Instanz sich auf Literaten verlagert hat – wahrscheinlich mit der Säkularisierung des öffentlichen Lebens. Das ist aber ein Vorgang, eine Zumutung, die ins Fleisch schneidet, dem, den sie betrifft. Unmittelbarkeit und Spontaneität im Umgang mit anderen werden schwerer, der lebendige Mensch wird institutionalisiert, Schwäche, Irrtümer und Fehlentscheidungen lösen eine übertriebene Enttäuschung aus, die sich bis zu Abneigung, ja Haß steigern kann: Dies ist die Kehrseite der Medaille. Vor allem: Ich weiß, daß nicht ich gemeint bin, sondern das Bild, das man sich von mir macht. Es fällt mir schwer, dem standzuhalten.

HÖRNIGK: Ich habe es zuerst in der Büchner-Rede gefunden, dann wieder deutlich in *Störfall* – die Metapher von dem »blinden Fleck«, sowohl im einzelnen als auch in einer Gesellschaft, den du schreibend angehen willst. Warum spielt diese Metapher jetzt so eine große Rolle bei dir? Drückt sich darin auch eine gewisse Scheu vor einem Exhibitionismus aus, der dir augenscheinlich nicht liegt, weil das Sich-Annähern an den blinden Fleck einen ja in den Grenzbereich von Scham und Schuld bringt, dessen, was man noch oder eben nicht mehr aussprechen kann; was vielleicht, literarisch gesprochen, eben deshalb auch nicht formbar sein mag. Diese Grenzen liegen bei jedem Menschen, auch bei jedem Autor, anders. Meine Frage ist: Haben diese Grenzen sich für dich in den letzten Jahren erweitert, so daß es dir möglich wird, in Randbereiche vorzudringen, die dir früher nicht zugänglich waren?

WOLF: Mit jeder neuen Arbeit stehst du vor dieser Grenze, immer reizt es dich, sie zu überschreiten, immer ist da eine Gegenkraft, die dich zurückhält. Mir ist es nie leichtgefallen, gewisse Barrieren zu durchbrechen – persönliche, persönlich-politische –, und anscheinend sensibilisiert sich mit dem Älterwerden noch das Gefühl für Versäumnisse und Schuld, ohne die man heutzutage nicht lebt. Das macht das Schreiben noch schwerer, während natürlich der Zeit-Druck wächst. Literatur kann ja den »blinden Fleck« dieser Zivilisation, den Grund für ihre Destruktivität, ihre Liebesunfähigkeit, nur in persönlichen Geschichten umkreisen, mit denen der Autor, die Autorin, was für Personen er oder sie wählen mag, sehr nah an sich selbst, an sein Versagen, seine Schuld herangehen muß. Ich kann diesen Problemkreis nicht von außen angehen, aus der Position des besserwissenden Kritikers. Zweimal in ihrem Leben wurden Angehörige meiner Generation daran gehindert – oder: ließen sich daran hindern –, sich der ganzen schrecklichen, verbrecherischen oder tief widersprüchlichen Realität zu stellen, ich glaube, das ist einzigartig für das Leben eines Menschen. Die psychischen Folgen sind, scheint mir, noch kaum beschrieben, unglaublich schwer beschreibbar. Nun fangen die Jüngeren an, uns danach zu fragen, die Selbstbefragung kommt in ein akutes Stadium. Ich muß mich der Herausforderung stellen, ohne zu wissen, wie ich da herauskommen werde. Daher wohl diese Phantasien, nicht mehr publizieren zu müssen.

HÖRNIGK: Aber du bist doch jemand, der sehr interessiert ist an Kommunikation, deine ganze Schreibweise geht auf Kommunikation, du richtest das Wort an einen vorgestellten Leser, zwingst ihm die Kommunikation geradezu auf. Liegt da nicht ein gewisser Widerspruch?

WOLF: Unbestreitbar. Welche Seite des Widerspruchs ›gewinnt‹, wird sich später herausstellen. Zwischen solchen Spannungen entsteht ja Literatur: Nicht einen Millimeter unter dem zu bleiben, was du gerade noch ausdrücken kannst, was du mit aller Anstrengung dir noch abzwingen kannst, ohne daß die Anstrengung merkbar wird, auch die schwierige Balance zu finden zwischen der Einsamkeit der Selbstauseinandersetzung und dem Lebenselexier der Kommunikation. Dies Art Spannungen bilden dann, wenn der Balanceakt gelingt, unausgesprochen das Skelett der Prosa, ohne das sie, wie brisant ihr ›Thema‹ sonst scheinen mag, einfach zusammensacken würde. Äußere Spannung ist bei mir ja nicht so viel zu finden...

HÖRNIGK: Hast du eigentlich das Gefühl von vergehender Zeit? Ist das etwas Bedrückendes für dich?

WOLF: Das Gefühl von vergehender Zeit, von Vergänglichkeit, habe ich stark, das ist manchmal bedrückend, manchmal auch wohltätig. Manchmal kann es mir nicht schnell genug gehen, dann wieder kriege ich Angst, daß die Zeit nicht ausreichen wird, das noch zu machen, was ich machen möchte. Da ich aber weiß, daß ich diesen Prozeß nicht künstlich beschleunigen kann, muß ich mir einfach Geduld abgewinnen.

Übrigens: Ist es nicht merkwürdig, daß wir die meiste Zeit gesprächsweise Probleme umkreist haben, die unter die Rubrik ›Vergangenheitsbewältigung‹ fallen? Merkst du, wie unsere jüngere Geschichte – unsere eigene Lebensgeschichte und die dieses Landes – mit ihren unerledigten Widersprüchen und unausgetragenen Konflikten jetzt dicht unter der Oberfläche zu pochen beginnt? Das könnte interessant werden.

Juni 1987/Oktober 1988

II.
Die Entdeckung der eigenen Stimme

Mit Auskünften zur Person ist Christa Wolf – darin Anna Seghers ähnlich – immer zurückhaltend gewesen. Doch anders als die Seghers, hält sie sich nicht aus ihrem Werk heraus, strebt sie nicht nach Objektivierung des Erzählens. Hatte Anna Seghers ihr 1965 geantwortet, daß »die Erlebnisse und die Anschauungen eines Schriftstellers« (Di I 280) nur vermittelt über das Werk von Interesse wären oder daß persönliche Erschütterung sich nicht entäußern soll (1974; Di I 344), stellt Christa Wolf gerade dies aus: unmittelbare Betroffenheit und Engagement – die »Dimension des Autors«.
Doch dies ist gewachsen.

Kindheitslandschaften

> »Ich war in einer mittelgroßen, eigentlich eher kleinen Stadt jenseits der Oder aufgewachsen. Ich hing an dieser Umgebung, an dem Blick aus meinem Fenster über die ganze Stadt und den Fluß, an den Seen, an den Kiefernwäldern, an dieser im ganzen vielleicht kargen Landschaft. Ich konnte mir keinen anderen Hintergrund für mein Leben vorstellen.« (1965; Di I 8)

Die Stadt, in der Christa Ihlenfeld 1929 geboren wurde, hieß damals Landsberg an der Warthe, heute Gorzów Wielkopolski.

Landsberg, Warthebrücke (1935)

Sie liegt etwa 40 Kilometer östlich der Oder in der Volksrepublik Polen.

Zu den Bildern, die Bestand haben, gehören Erinnerungen an den Ort der Kindheit, an Gegenden und Sprachwendungen. Günter de Bruyn hat das sehr genau empfunden, als er – auf die nahe Verwandtschaft ihres poetischen Grundgestus zum Werk Johannes Bobrowskis verweisend – feststellte, daß jemand, der sich auskenne und die unverwechselbare Eindringlichkeit von Bildern und Sprache mit Landschaften zu verbinden verstehe, der Bobrowski die ostpreußische Herkunft ansähe, auch Christa Wolf mit einer ganz bestimmten Landschaft in Verbindung bringen könne: »Nicht gerade Landsberg an der Warthe, aber doch die Richtung.«[1]

Signaturen dieser frühen Erfahrungswelt sind in vielen ihrer Werke aufgehoben. Sie werden sehr bewußt erinnert, bleiben auch dort noch erkennbar, wo sie in eine eher prosaische Alltagserfahrung münden. Die von Sand und Kiefernwäldern geprägte Natur märkischer Landstriche gehört zu diesen Kindheitslandschaften ebenso wie der Gebrauch regionaler sprachlicher Wendungen im ruhigen Erzählton oder die wach gebliebenen Eindrücke an die norddeutscher Backsteingotik nachempfundene Architektur der Heimatstadt, die trotz ihrer Mittelmäßigkeit lange Zeit »das Muster für Städte« (1979; Di I 64) überhaupt blieb.

Namen berühmter Persönlichkeiten sind in den Annalen Landsbergs kaum auszumachen – wenn man einmal von dem kurzzeitigen Aufenthalt des protestantischen Theologen und Philosophen Friedrich Schleiermacher absehen wollte oder von Gottfried Benns zweijähriger Tätigkeit in dieser Stadt – mehr als hundert Jahre später, zwischen 1941 und 1943 –, der sich dort nicht als Dichter, sondern als Offizier und Truppenarzt in einer Kaserne der ehemaligen Garnisonstadt während des zweiten Weltkriegs aufhielt.

Nein, an unmittelbar künstlerischen Impulsen hatte Landsberg nicht viel zu bieten. Da war der Einfluß, der von der geografischen und kulturellen Nähe Berlins ausging, schon in der frühen Jugend weitaus stärker. Die spätere Affinität zu einer bestimmten, mit Namen wie Fontane oder E. T. A. Hoffmann verbundenen literarischen Tradition (1976; Di II 396) erklärt sich möglicherweise aus den Ortsbestimmungen ihrer Herkunft.

Fotos zeigen eine zumeist ernst schauende Frau mit freundlichen Augen und einem offenen, Vertrauen ausdrückenden Gesicht. Grelle Töne seien ihre Sache nie gewesen, »nicht als Autorin, nicht als Zeitgenossin«[2], schrieb Heinrich Böll auch mit Blick auf frühe Prägungen.

Zusammen mit dem drei Jahre jüngeren Bruder wuchs Christa Wolf in materiell gesicherten Verhältnissen auf. Die Eltern betrieben ein Lebensmittelgeschäft und hatten es zu Beginn der dreißiger Jahre zu bescheidenem Wohlstand gebracht. Ihre Vorfahren, eine weitverzweigte Familie, stammten alle aus der gleichen protestantisch geprägten Gegend der ehemaligen Neumark. Es waren Bauern, Arbeiter, Handwerker und Beamte. Von künstlerischer Vorbelastung also keine Spur:

»Kunst – im weiteren Sinn – ist mir in meiner Kindheit und Jugend nicht begegnet. Obwohl ich den Büchern früh verfallen war, wußte ich nicht, was Literatur ist oder sein könnte.« (1979; Di I 64)

Zu den ersten Leseeindrücken gehörten Bücher solcher Autoren, die mit den Nationalsozialisten sympathisierten beziehungsweise deren Ideologie offen propagierten. Namen wie Grimm, Johst, Jelusich, Binding, Carossa wären zu nennen – »verschwommene(s), schwülstige(s) [...] Zeug«, verschlungen mit »Gier und Genuß«, noch »ein, zwei Jahre« nach dem Krieg. (1975; Di II 367) Aus purem Zufall sei ihr einmal Remarques *Im Westen nichts Neues* in die Hände gefallen:

»Ich las es auf dem Sofa der Großeltern und fühle noch die abgewetzte Polsterlehne in meiner verschwitzten Hand. Ich las, daß an einem Bauchschuß im Krieg auch ein Deutscher elend krepiert. Vielleicht war dieser Tote der erste, gegen dessen Schicksal ich mich unwillkürlich auflehnte.« (1968; Di II 20)

Als Christa Ihlenfeld 1935 eingeschult wurde, waren die Nationalsozialisten längst an der Macht, waren Rassentheorie und Chauvinismus so selbstverständliche Bestandteile der Schullehrpläne geworden wie Mathematik und Sport, Literatur oder Musik. Als der zweite Weltkrieg ausbrach, der mit dem Überfall der Nazi-Wehrmacht auf Polen begann, war sie zehn Jahre alt. Gleiwitz war jedoch weit entfernt, und das Leben in Landsberg veränderte sich erst allmählich. Brutalität und Gewalt, die Schrecken des Krieges drangen nur langsam in die Provinz vor.

Ende Januar 1945 verließ die Familie Landsberg auf einem Lastwagen und flüchtete – wie Millionen Menschen – vor der heranrückenden Sowjetarmee in Richtung Westen:

»So weit, wie ich als Fünfzehn-, Sechzehnjährige mit unserem Umsiedlertreck kam, war ich als Kind nie gereist. So nah hatte ich den Krieg nie gesehen. Ich erfuhr, daß es etwas anderes ist, tote, zerfetzte ›Feinde‹ im Kino auf der Leinwand zu sehen, als selbst plötzlich einen erfrorenen steifen Säugling im Arm zu haben und ihn der Mutter geben zu müssen: etwas anderes, das Wort ›Kommunist‹ immer nur im Zusammenhang mit ›Verbrecher‹ flüstern zu hören, als plötzlich, in einer kalten Nacht, nach vielen Wochen auf der Landstraße, nach vielen nie für möglich gehaltenen Bildern, ne-

Etwa 1947

ben einem deutschen Kommunisten in KZ-Kleidung am Feuer zu sitzen.« (1965; Di I 8)

Das Ende des Krieges wurde kaum als Befreiung erlebt, sondern als traumatische Erfahrung der Flucht aus der Heimat und des Zusammenbruchs aller bisher erfahrenen und verteidigten Werte. Die Frage des ehemaligen KZ-Häftlings: »Wo habt ihr alle bloß gelebt?« gab einen ersten Anstoß, über eigene Haltungen nachzudenken, Scham zu empfinden über Verblendung und Intoleranz. Die Erkenntnis, wenn auch nur als Kind, zu den Mitläufern eines unmenschlichen Systems gehört zu haben, Objekt der Geschichte gewesen zu sein, traf sie bald mit voller Gewalt. Ein erster Akt von Schuldeingeständnis war das Verbrennen des Tagebuchs. Ein Vorgang, der später als Symbol der Verdrängung, der Abscheu vor dem eigenen Spiegelbild, erkannt und beschrieben wird.[3]

Gammelin in Mecklenburg, ein Dorf in der Nähe von Schwerin, bot den Übersiedlern einen ersten Zufluchtsort. Christa Ihlenfeld arbeitete zunächst als Schreibhilfe beim Bürgermeister, ehe sie im Frühjahr 1946 die Oberschule in Schwerin besuchen konnte. Mit Literatur kam sie erst wieder in Berührung, als sie längere Zeit in einem Lungensanatorium verbringen mußte. Die Bücher, die sie nun in die Hand bekam, haben nach eigenen Aussagen wie Offenbarungen gewirkt, lösten Erschütterungen aus, die eine Lebenswende vorbereiten halfen. (1975; Di II 367)

1947 übersiedelte die Familie nach Bad Frankenhausen, wo die Schülerin das Abitur ablegte. Die Stadt am Kyffhäuser war die zweite Station einer Reihe von elf verschiedenen Städten und Ortschaften, in denen Christa Wolf seither gewohnt hat, bevor sie sich 1976 endgültig in Berlin niederließ. Heimatsuche könnte eine mögliche Erklärung für den häufigen Ortswechsel sein, darüber hinaus wohl auch Mobilität, gründend in der Aufgeschlossenheit und Anteilnahme gegenüber den Unternehmungen der neuen Gesellschaft, die begonnen hatte, »mit den Eigentumsverhältnissen ›das Leben‹ zu ändern« (1979; Di I 65). Das Angebot, sich daran zu beteiligen, wurde auch von ihr als Chance für einen Neubeginn wahrgenommen.

Erste wirkliche Zugänge zum Begreifen der jüngsten Geschichte eröffneten sich über das Studium des dialektischen und historischen Materialismus. Später erinnerte sich Christa Wolf, wie sie an einem Abend im Frühherbst des Jahres 1948 ihre erste marxistische Schrift las, Striche an den Rand von Friedrich Engels' *Ludwig Feuerbach und der Ausgang der klassischen deutschen Philosophie* gemacht und sich notiert habe, was der Vorgang wurde, der ihr weiteres Leben ausfüllte: »An die Stelle des absterbenden Wirklichen tritt eine neue, lebensfähige Wirklichkeit.« (1971; Di I 431) Der Vergleich zur gerade durchlebten Erfahrung stellte sich unmittelbar her: »Wie einstmals Wirkliches allmählich unwirklich wird, von einer unheilbaren Krankheit ausgezehrt, der man leicht selbst mit verfiel.« (Ebd.)

Christa Wolf hatte sich, wie viele ihrer Generation, nur mit einem scharfen Schnitt von der Vergangenheit abgetrennt, dem Gefühl eigener Schuld und Verzweiflung entgegenarbeitend, in der unbedingten Bereitschaft, die neue Ordnung mit ihrem überzeugenden Versprechen auf gesellschaftliche Umwälzung von Grund auf nicht nur zu bejahen, sondern selbst mitzutragen. Eingeschlossen darin die Überzeugung notwendiger Überprüfung und Neubewertung aller bis dahin als gültig angesehenen Vorstellungen und Wertmuster. Das Bewußtsein, mit »falsche(r) Trauer, falsche(r) Liebe, falsche(m) Haß« (1965; Di I 8) groß geworden zu sein, konnte nur durch radikale Umkehr bewältigt werden.

Die Brüche und Risse, die die innere wie äußere Biografie in diesem Prozeß der generationstypischen Wandlung erfahren hat, wirkten zugleich als Antriebsmomente für die Entwicklung. Das Erlebnis, in einen allgemeinen, sich in kürzestem Zeitraum vollziehenden Vorgang des Umdenkens einbezogen zu sein, setzte Energien frei. Mit zwanzig Jahren wurde Christa Wolf Mitglied der SED und setzte mit dieser Entscheidung ein Zeichen auch gegen die nun als Pseudoideale verworfenen moralischen Grundnormen ihrer Kindheit und Jugend. Erst viel später gelang es, diesen Prozeß kritisch und selbstkritisch aufzuarbeiten, ihn als Erfahrung, als Erbe dadurch wieder neu überprüfbar zu machen, daß über ihn gesprochen werden konnte als von der eigenen Sache:

> »Das alte hypertrophe Selbstbewußtsein [...], verdientermaßen zerstört, war nicht einfach durch ein fertiges neues zu ersetzen. Um aber doch weiterleben zu können, griff man begierig auch nach nicht vollwertigen Ersatz-Teilen, einem neuen blinden Glaubenseifer zum Beispiel (in einer Zeit, die [...] gerade von Sozialisten ein dialektisches Denken gefordert hätte) und der anmaßenden Behauptung, ein für allemal im Mitbesitz der einzig richtigen, einzig funktionierenden Wahrheit zu sein.« (1973; Di I 51)

Mit dem schon sehr früh gefaßten Berufswunsch »Lehrerin« schrieb sie sich 1949 für die Studienfächer Deutsch und Geschichte an der Friedrich-Schiller-Universität Jena ein. Einer ihrer Mitstudenten war Gerhard Wolf, mit dem sie seit 1951 verheiratet ist. Bevor 1952 die Tochter Annette geboren wurde, übersiedelten die Wolfs nach Leipzig. Gerhard Wolf hatte dort eine Stelle als Rundfunkredakteur angeboten bekommen. Christa Wolf setzte ihr Studium an der Leipziger Universität fort, wo in jenen Jahren Wissenschaftler wie Hermann August Korff, Werner Krauss, Theodor Frings oder Ernst Bloch lehrten. Sie schrieb sich in Hans Mayers Seminar »Große Romane der Weltliteratur« ein. Bei dem Ordinarius für deutsche Literaturgeschichte, der an die verschütteten Traditionen in Geschichte und Literatur anknüpfte und auch die Tradition der Moderne nicht ausschloß, hielt sie ihr erstes Referat zu R. Rollands *Johann Christoph* und verteidigte ihre Diplomarbeit »Probleme des Realismus im Werk Hans Falladas«.

Literaturkritiken 1952 bis 1962

Die Vorstellung, als Lehrerin zu arbeiten, hatte Christa Wolf schon während des Studiums aufgegeben. Aber auch die sich schon bald eröffnende Möglichkeit einer akademischen Laufbahn blieb ihr fremd. Die meisten der zeitgenössischen Wissenschaftsdebatten, mit ihrer Tendenz, »Religionsgesprächen«[4] zu gleichen, produzierten Abwehr. Nach mehr als 35 Jahren erinnerte sie sich daran auch im Sinne einer Selbsterfahrung, mit der es umzugehen galt – trotz solcher Lehrer wie Hans Mayer, von dessen prägendem Einfluß sie in ihrer Rede zu seinem 80. Geburtstag sprach:

> »Es ging um den rechten Glauben an die reine Lehre, um die endlosen Auseinandersetzungen über Abweichungen und Abweichler, zu denen man nicht gerne gehören wollte, unter die man doch manchmal geriet, erneutes Bemühen um den ›richtigen Standpunkt‹, vergebliche Liebesmüh, viel Fremdheit und Zweifel, überdeckt durch Selbstquälerei und Rigorismus – nein: *Mein* Ort war das Leipzig der frühen fünfziger Jahre nicht, erneut wurde mir es klar, als ich Ihren bündigen Satz: ›Mein Ort war der Hörsaal 40 in Leipzig‹ mit Bewegung wiederlas.«[5]

Schließlich nahm die Absolventin im Herbst 1953 eine von KuBa vermittelte Stelle als wissenschaftliche Mitarbeiterin beim Deutschen Schriftstellerverband an, der 1950 gegründet worden war. Sie erhielt dort direkte Einblicke in die Auseinandersetzungen um Literatur und Politik: in inhaltliche, ästhetische oder ideologische Debatten um sozialistischen Realismus, um Für und Wider des kritischen Realismus, um

Im Gespräch mit Hans Mayer (1986)

Modernismus oder Dekadenz und um unterschiedliche Erbeauffassungen. Insofern war der Verband kein Ort außerhalb der bekannten Verhältnisse, aber in einer Hinsicht doch anders. Hier lernte sie aus den verschiedenen Exilländern zurückgekehrte Autoren wie Anna Seghers, Alex Wedding, F. C. Weiskopf, Willi Bredel, Bodo Uhse, Eduard Claudius persönlich kennen, erlebte, wie diese sich in die aktuellen Debatten einmischten beziehungsweise in Konfliktsituationen verhielten, und erfuhr vieles über geschichtliche Ereignisse und Zusammenhänge, das in den Lehrbüchern so nicht zu finden war. (1983; Di II 479) Gerade von den Schriftstellern gingen immer wieder sehr engagierte und auf Öffentlichkeit zielende Impulse aus, der jüngeren Generation beim Entwerfen neuer Lebensstrategien zu helfen. Mit Nachdruck machten sie auf Traditionen deutscher Geschichte und Literatur aufmerksam, die vom Nationalsozialismus über Jahre fast vollständig verschüttet worden waren. Louis Fürnberg, Otto Gotsche, Alfred Kurella und andere boten den Jüngeren ihre geistige Patenschaft an, Autoren wie Jeanne und Kurt Stern oder Stephan

Hermlin standen ihnen partnerschaftlich zur Seite, unterstützten nach Kräften den Elan, mit dem sich der politisch aktive Teil der jungen Generation am Aufbau der neuen Gesellschaft beteiligte. Keiner konnte sich zu diesem Zeitpunkt als »hineingeboren« empfinden, nichts war schon eingerichtet oder vorgezeichnet. Das Maß, an dem sich diese Jugend ausrichtete, war geprägt durch sich weitgehend identifikatorisch an einem idealisierten Sowjetunionbild ausrichtende Vorstellungen gesellschaftlicher Produktion und Reproduktion. Utopie und Illusion lagen zu dieser Zeit noch dicht beieinander. Das »Nein« zur Vergangenheit ließ sich relativ schnell formulieren: Was man nicht wollte, war klar. Weitaus schwieriger wurde es hingegen, das Neue zu konkretisieren, wieder »Ja« zu sagen:

> »[...] ein neues ›Ja‹, das sich auf Wissen gründet und nicht auf neue Fehlschlüsse und Illusionen; wieviel leichter, sich seines Volkes zu schämen, nachdem man die ganze Wahrheit wußte, als es wieder neu lieben zu lernen« (1965; Di I 8),

beschrieb sie später eines der generationsbestimmenden Grunderlebnisse.

Zu den wichtigsten Ereignissen dieser Jahre gehörte auch für Christa Wolf die Bekanntschaft mit Büchern von Autoren, die zur Revolutionierung ihres Denkens beitrugen, wie Gorki, Dostojewski, Tolstoi, Thomas und Heinrich Mann, Thomas Wolfe und Louis Aragon. Daneben jene, deren Wirken sie unmittelbar miterleben konnte, vor allen anderen Anna Seghers, deren Denkweise und Methode sie nachhaltig beeinflussen sollten. Zu den für sie wichtigsten und ihr Weltbild wesentlich mitformenden Büchern zählte Christa Wolf *Das siebte Kreuz*, das sie schon 1948 in die Hand bekommen hatte. Romane und Erzählungen wie *Transit* oder *Ausflug der toten Mädchen* halfen, neue Welten zu erschließen, sind Wegbegleiter geblieben und haben sie in verschiedenen Zeiten zu immer neuen Leseweisen angeregt.[6]

Eine andere, von vornherein durch Vorurteile belastete Erfahrung brachte die Begegnung mit Bertolt Brecht. 1950 gastierte das Berliner Ensemble mit der *Hofmeister*-Bearbeitung am Weimarer Theater, das auch die Jenenser Studenten, unter ihnen Christa Wolf, ausgerüstet mit dem Grundkurs-Wissen des ersten Studienjahres, besuchten. Fünfzehn Jahre später erinnerte sie sich der Aufführung und ihres Autors, der zusammen mit den Schauspielern nach Weimar gekommen war, um die Wirkung seines Theaters zu beobachten. Nicht ohne Selbstironie schilderte sie ihr Kunsterlebnis und dessen Begleitumstände:

> »An diesem Abend teilte ich meine Aufmerksamkeit zwischen der Bühne und Brecht, der wenige Meter von uns entfernt auf einem Eckplatz des ersten Rangs saß. Heute noch sehe ich Einzelheiten dieser Aufführung vor mir: den verzweifelten Schlittschuhlauf des noch nicht entmannten Hofmeisters, Gustchens übermütiges Füßeschnicken nach ihrer Rettung; aber ich sehe auch heute noch Brecht, wie er sich vor Lachen schüttelt. Sein Vergnügen an den oft gar nicht vergnüglichen Vorgängen im Rampenlicht provozierte und steigerte mein Vergnügen – weckte aber auch eine leichte Verwunderung.« (1966; Di I 83)

So sehr sie die Inszenierung auch fasziniert hatte, der nachhaltigste Eindruck war Ratlosigkeit, wenn nicht gar Ablehnung gegenüber Brechts vermeintlich respektlosem Umgang mit dem bürgerlichen Trauerspiel. Als begeisterte Anhängerin der »Sturm und Drang«-Konzeption des Germanisten Gerhard Scholz und dessen Mitarbeiterin Edith Braemer konnte sich die Studentin damals kaum mit Brechts dialektischer Methode und seinem Umgang mit dem klassischen Erbe anfreunden. Sein Konzept radikaler Bewußtseinsveränderungen, der allseitigen Erörterung bestehender Widersprüche hatte ohnehin nicht nur Begeisterung hervorgerufen.[7] Christa Wolf bestätigte Jahre danach den frühen Eindruck: Brecht habe damals schon »Appetit auf Entdeckungen« (1966; Di I 85) gemacht, Verständnis im Umgang mit seinem Werk aber habe sich erst Jahre später eingestellt.

Ihre erste Literaturkritik schrieb Christa Wolf noch während des Studiums in Leipzig, eine Besprechung von E. R. Greulichs *Das geheime Tagebuch* (1951). Die Rezensentin war 23 Jahre alt, als sie ihren Namen und das gewissenhaft vorgetragene Anliegen im »Neuen Deutschland« abgedruckt und damit natürlich auch bestätigt finden konnte. Deutlich äußerte sie ihr

Mißfallen an der Figurengestaltung, die jeden »wirklichen Konfliktstoff« von vornherein ausschlösse:

»Es löst sich alles immer überraschend schnell in Wohlgefallen auf. Spannung wird nur äußerlich erzeugt, mit Mitteln, die öfter an altes Unterhaltungsromanklischee erinnern.«[8]

Kaum ein Leser dürfte vermutet haben, daß die Verfasserin dieser Kritik zehn Jahre später zu den bedeutenden Schriftstellerinnen der DDR gezählt werden würde. Für Christa Wolf selbst war diese erste gedruckte Wortmeldung zu einem Werk der Gegenwartsliteratur Ermutigung, sich weiterhin literaturkritisch zu betätigen.[9]

Kurz nachdem sie ihre Arbeit im Schriftstellerverband aufgenommen hatte, erschien in »Neue Deutsche Literatur« ihre umfangreiche Besprechung zu Ehm Welks Roman über die deutsche Novemberrevolution von 1918, *Im Morgennebel* (1953). Der Aufsatz liest sich heute wie eine Probe angewendeten, im Studium erworbenen germanistischen Handwerkszeugs und weltanschaulicher Erkenntnisse. Die Maßstäbe der Kritik werden schon deutlich im programmatischen Titel: *Probleme des zeitgenössischen Gesellschaftsromans*. Ganz im Kanon der damaligen Realismusauffassung – mit der Favorisierung des »Typischen«, der Forderung nach »Totalität« widerzuspiegelnder Realität und einer Objektivität beanspruchenden Erzählweise – warf Christa Wolf dem Autor vor, »echte Handlung« durch eine »Kette ablaufender Ereignisse« ersetzt zu haben. Darin sei die Ursache für die fehlende Spannung des Buches zu suchen, sie nämlich könne nur »aus der allseitigen Entfaltung der Charaktere in der Handlung« erwachsen. Trotz stilistischen Könnens und des »unbestreitbaren Talents zur Menschengestaltung« sei Welk wegen fehlender Darstellung der historischen Perspektive sowie durch die vom Erzähler eingenommene Chronistenrolle kein guter, realistischer Roman gelungen, sondern eine in »revolutionäre Gewänder gehüllte Harlekinade«.[10] Das barsche Urteil der fünfundzwanzigjährigen Rezensentin und ihr Umgang mit den kanonisierten ästhetischen Kategorien gegenüber einer bestimmten literarischen Darstellung geschichtlicher Verläufe vermittelt – von heute aus betrachtet – eher Einsichten in kulturpolitische und ideologische Wertungskriterien der Zeit, als sie Aufschlüsse über das subjektive Vermögen der Kritikerin geben. Die Einwände wie der Ton der Polemik entsprachen einem verbreiteten Stil literaturwissenschaftlichen Argumentierens, wie aus verschiedenen Debatten nicht nur dieser Zeit bekannt. Zu den frühen Belegen der DDR-Literaturgeschichte zählt die Auseinandersetzung um Brechts *Mutter Courage*-Inszenierung von 1949, gegen die heftiger Einspruch erhoben wurde, weil die Figur keine Einsichten gewänne und das Stück den Zuschauer unbelehrt, gleichsam orientierungslos aus dem Theater entlasse.

Der siebzigjährige Ehm Welk wies die Kritik empört zurück. Sie sei ihm Beleg, schrieb er in seiner ebenfalls in »Neue Deutsche Literatur« erschienenen Replik, daß »selbst das Band der gleichen Weltanschauung und der gleichen Partei« nicht ausreichen, um in künstlerischen Dingen zu gleichen Urteilen kommen zu können. Einen solchen Versuch, seinen »›Morgennebel‹ zu durchleuchten«, lehne er entschieden ab. Das »verwendete Licht« sei »zu schwach« und die »rötliche Färbung unklar«.[11] Und seinerseits warf er nun der Literaturkritik vor, ihre »fragwürdigen Schlüsse«, die häufig in die Bücher hineingelegt erschienen, allzu vordergründig von außerliterarischen Kriterien abzuleiten. Welk spielte auf literaturtheoretisch begründete Vorstellungen an, nach denen von literarischen Figuren eine unmittelbare Repräsentanz der als gesetzmäßig erkannten oder als notwendig erachteten ideologischen Orientierungen erwartet wurden.

Unter dem Titel *Komplikationen, aber keine Konflikte* rezensierte Christa Wolf Werner Reinowskis unmittelbar nach der II. Parteikonferenz der SED geschriebenen Roman *Diese Welt muß unser sein* (1953), der die Gründung der ersten Landwirtschaftlichen Produktionsgenossenschaften schildert. Sie nahm das Buch, dem sie die »literarische Todsünde« der Langeweile bescheinigte, zum Anlaß, Probleme der Figuren- und Konfliktgestaltung zu erörtern. Indirekt bezog sie sich ein Jahr nach Stalins Tod – nachdem es in der Sowjetunion erste Kritik am Personenkult gegeben hatte – auf die Theorie der Konfliktlosigkeit, indem sie Reinowskis Roman als Beispiel für die künstlerische Praxis der Konfliktarmut bezeichnete, in der das Tragische, weil vermeintlich untypisch für den Sozialismus, keinen Platz habe. Jeder Mensch wisse doch aber, daß sich im Leben des einzelnen sehr viel Tragisches ereigne,

> »[...] daß in der Wirklichkeit sehr viel ›passiert‹. Unter anderem passieren auch menschliche Tragödien; unsere Literatur ignoriert sie, weil sie ›nicht typisch‹ seien; denn typisch sei nur das Positive!«[12]

In Reinowskis Buch sah sie einen paradigmatischen Fall für Konfliktschemata und wiederkehrende Figurentypen in der Gegenwartsprosa, die sie leicht ironisch als Standardkonstellationen gleichförmiger, an »unerläßliche Requisiten erinnernde(r) Figuren« beschrieb, die immer wieder auftreten, wie etwa

> »der Parteisekretär, der Bürgermeister, der Funktionär der Gegenseitigen Bauernhilfe (die beiden letzten spielen meist eine fragwürdige Rolle). Um sie herum gruppieren sich«, so in einem ansonsten seltenen sarkastischen Ton, »dann zwanglos ein fortschrittlicher Kleinbauer, ein schwankender Mittelbauer, ein reaktionärer Großbauer, der zu irgendwelchen drastischen Sabotageakten greift; dann gibt es noch ein Liebespaar (einer von beiden arbeitet auf der MTS) und als Kulisse einige klatschende Dorffrauen. Nun sage noch einer, die Vielfalt des Lebens sei nicht eingefangen!«[13]

Die Gründe für solchen Schematismus sah sie damals allerdings fast ausschließlich im subjektiven Bereich. Um »falsch« verstandener Definitionen willen oder »aus Angst vor genauso falsch orientierten Verlagslektoren« ließen die Autoren ihre Leser gerade dort allein, wo diese aus der Literatur erfahren wollten, »warum denn noch immer Menschen durch eigene oder fremde Schuld zugrunde gehen oder schwere Fehler einzelner Funktionäre großen Schaden anrichten könnten«.

Im Schriftstellerverband wurde Christa Wolf schon nach kurzer Zeit mit der Verantwortung für die Entwicklung und Förderung der jungen Literatur betraut. Sie hatte über eine Vielzahl eingesandter Exposés und Manuskripte zu entscheiden, die häufig widerspruchsnivellierende Fabeln und gleichförmige literarische Figuren enthielten. Autoren wie Kritiker mußten sich entsprechend der kulturpolitischen Orientierung gleichermaßen mit Gestaltungsproblemen und mit Erörterungen über zu bevorzugende Stoffe und Themen auseinandersetzen. Günther Deicke, damals Redakteur in »Neue Deutsche Literatur«, berichtet drei Jahrzehnte später über Wirkungsvorstellungen der literaturvermittelnd Tätigen:

> »[...] wir wollten das noch nicht Machbare, das nicht auf Anhieb Machbare: die sozialistiche Gegenwartsliteratur aus dem unmittelbaren Leben, die eingreifen sollte ins unmittelbare Leben. Wir holten die unfertigen Manuskripte aus den Verlagen oder direkt von den Autoren und stellten umfangreiche Passagen daraus zur Diskussion«.[14]

Christa Wolfs Literaturkritiken und Essays aus den fünfziger Jahren verraten viel über die materiellen und ideellen Rahmenbedingungen ihrer Entstehungszeit und geben zugleich ein plastisches Bild der Diskussionsatmosphäre um Fragen von Wirkungsmöglichkeiten, Funktion und Leistung von Gegenwartsliteratur. Sie bieten Einblicke in methodische Verfahren, Argumentationsrichtungen und Polemiken, die allerdings nur noch verständlich sind, wenn man sich die historische Situation vergegenwärtigt, in der sich die Erneuerung der politischen und sozialökonomischen Basis des gesellschaftlichen Lebens mit den ihr innewohnenden tiefgreifenden Widersprüchen und Konflikten vollzog.

Die Grundlagen der in Angriff genommenen sozialistischen Gesellschaftsentwicklung waren mit der Verstaatlichung der Industrie, mit dem Neuaufbau von Bildungs-, Gesundheits- und Sozialwesen sehr früh gelegt worden, dennoch brauchte es längere Zeit, um Kriegsfolgen und Disproportionen zu überwinden. Mitte der fünfziger Jahre waren einige Lebensmittel noch immer rationiert, ein großer Teil der Bevölkerung hatte Einschränkungen auf sich zu nehmen, die vor dem Hintergrund des sich mit amerikanischer Hilfe in der BRD vollziehenden »Wirtschaftswunders« besonders schwer zu verkraften waren. Zu den Standarderfahrungen im Alltagsleben der DDR gehörte es, daß die Nachfrage nach vielen Dingen des täglichen Bedarfs rascher stieg als das Angebot.[15]

In Auswertung der Ereignisse vom 17. Juni 1953 waren im

Zusammenhang mit dem Programm des »Neuen Kurses« verschiedene Maßnahmen zur Umgestaltung des öffentlichen Lebens getroffen worden. Zu ihnen gehörte eine Reihe von Überlegungen, wie dem vorhandenen Unterhaltungsbedürfnis vieler Menschen besser als bisher Rechnung zu tragen ist. Das literarische Angebot wurde allgemein als nicht befriedigend empfunden. »Krieg und Elend sind vorbei, wir wollen keine Elendsgeschichten mehr lesen, sondern etwas Optimistisches«,[16] hieß es in einer 1954 veröffentlichten Umfrage. Die Mehrzahl der befragten Leser favorisierten heiter-optimistische, »leichtfaßliche« Literatur »mit viel Handlung und wenig gedanklichen Betrachtungen«.[17] Zeitschriften wie »Magazin« und »Wochenpost« sowie das Berliner Kabarett »Die Distel« wurden gegründet. In dem 1955 in Vorbereitung auf den IV. Schriftstellerkongreß vom Bundesvorstand des FDGB initiierten »Nachterstedter Brief« verwiesen die Verfasser darauf, daß sie von der Gegenwartsliteratur mehr Reisebeschreibungen und spannende Erzählungen, Mädchenbücher und Romanbiografien erwarteten.[18]

Schon 1951 hatte die Redaktion der Zeitschrift »Aufbau« Nachwuchsautoren wie Heiner Müller, Paul Wiens oder Dieter Noll mit Reportagen über die Arbeit der Bibliotheken beauftragt. Sie machten Erhebungen über Art und Anzahl ausgeliehener Bücher in Betriebsbibliotheken kleinerer Städte und in dörflichen Bibliotheken, die sich in den Maschinenausleihstationen befanden. Sie kamen zu interessanten Aufschlüssen über das Leseverhalten verschiedener Leserschichten. Heiner Müller konstatierte in seiner Reportage eine Koexistenz zweier Lektüregruppen: die der »fortschrittliche(n)« Gegenwartsliteratur und die der Unterhaltungsliteratur. In der ersten Rubrik wurden Autoren wie Maxim Gorki, Michail Scholochow, Ilja Ehrenburg, Nikolai Ostrowski, Martin Andersen Nexö, Jorge Amado, Willi Bredel, Hans Marchwitza, Friedrich Wolf, Leonhard Frank, Anna Seghers mit *Das siebte Kreuz*, Heinrich Mann, Arnold Zweig mit seinem *Grischa*-Roman, Lion Feuchtwanger mit *Simone* und – seltener – Bertolt Brecht und Johannes R. Becher angeführt. An erster Stelle in der Lesergunst standen allerdings Bücher von Autoren aus der Sparte

Unterhaltungsliteratur: Ludwig Ganghofer, Johanna Spyri und John Knittel.[19]

Ähnliche Beobachtungen machte wenig später auch die Literaturkritikerin Christa Wolf während eines Krankenhausaufenthalts, wo das Bedürfnis nach leichter Unterhaltung durch Heimatromane oder Wildweststories gestillt wurde. In ihrem Aufsatz *Achtung, Rauschgifthandel!* reagierte sie zunächst vordergründig moralisierend auf den bekannten Tatbestand, daß »Stella«-Romane oder Comic-strips bei ihren Mitpatientinnen gefragter waren als »Gorkis ›Mutter‹, Scholochows ›Neuland unterm Pflug‹, ›Ditte Menschenkind‹ von Martin Andersen Nexö, ›Anna Karenina‹ von Leo Tolstoi,«[20] – Bücher, die oft als Prämien von den Betrieben vergeben wurden.

Christa Wolfs Überlegungen gipfeln im Entwurf eines Erziehungsprogramms, mit dem der offensichtlichen Diskrepanz von gewünschtem und tatsächlichem Literaturkonsum zu begegnen wäre. Sich auf Mao Zedong berufend, plädierte sie für eine Niveauhebung der Literatur – in der Annahme, daß Bücher imstande sind, den Gesichtskreis des »neuen Menschen« zu erweitern und dessen Gefühls- und Gedankenwelt zu bereichern, »sein Schönheitsempfinden zu entwickeln« und sein »moralisches Urteil« stärken zu helfen, kurz, entscheidenden Einfluß auf das Wirklichkeitsempfinden und Verhalten der Leser auszuüben. Den rege entwickelten Austausch von billigen Groschenheften verglich sie mit »Rauschgifthandel«, der mit allen Mitteln unterbunden werden müsse. Am 18. Mai 1955 hatte ein (symbolischer) öffentlicher Prozeß gegen Hersteller und Verkäufer von Comics und Gangsterliteratur stattgefunden und war zum Kampf gegen die »Vergiftung der Jugend« aufgerufen worden. Möglicherweise steht Christa Wolfs Aufforderung zum öffentlichen Austausch über diese Probleme, für den sie »Neue Deutsche Literatur« als Diskussionsforum anbot, damit in Zusammenhang. Daß Lamentieren gegen den bekannten Tatbestand verbreiteten Konsums von Kitschliteratur nichts auszurichten vermochte, wußte sie. Ihr zwar gut gemeinter, doch sehr naiv anmutender Patentvorschlag lautete:

> »Schriftsteller müssen interessante, menschliche Bücher schreiben, [...] die im Thema an die Interessen vieler Leser

anknüpfen [...] Wir sollten doch immer gleich für zehn Schmöker einen anständigen, unterhaltenden Roman auf den Tisch legen können.«[21]

Der zur Vorbereitung des IV. Deutschen Schriftellerkongresses geschriebene, an Anna Seghers orientierte Aufsatz *Popularität oder Volkstümlichkeit?* verdeutlicht das Funktionsverständnis der siebenundzwanzigjährigen Literaturkritikerin. Ihre Überlegungen konzentrieren sich vorrangig auf die Verantwortung der Literaturproduzenten, den von ihnen zu vermittelnden Wertorientierungen in der neuen Gesellschaft und die Art und Weise, wie sich fortschrittliche Literatur bei breiten Leserschichten größere Geltung verschaffen könnte. Maxim Gorki zitierend, führte sie aus:

»Ich glaube, wir machen einen Fehler, wenn wir nur immer nachweisen, daß bei uns heute die Kohlsuppe fetter ist als früher (sie ist es für die meisten wirklich, und trotzdem beharren sie auf ihrem Standpunkt, daß es in Westdeutschland eben mehr Autos und Kühlschränke gibt als bei uns und man sie leichter erwerben könne). Durch unsere einseitige Argumentation gewöhnen wir die Menschen daran, nach der vermeintlich noch fetteren Kohlsuppe zu schielen und eine Überschwemmung durch solche fette Kohlsuppe zu ersehnen«.[22]

Diese Polemik galt jedoch nicht nur westlichen Einflüssen, sondern auch Tendenzen in der DDR-Literatur, den im Aufbau befindlichen Sozialismus als eine Art Schlaraffenland zu schildern, das in kürzester Zeit erreicht werden würde.

»Sie [die Literatur; d. Verf.] müßte klarmachen, wie bei uns endlich das gesellschaftlich Notwendige sich in Übereinstimmung befindet mit der tiefen Sehnsucht der Menschen nach Vervollkommnung, nach allseitiger Ausbildung ihrer Persönlichkeit; welch ein starker, unerschöpflicher Kraftstrom der sozialistischen Welt durch die Möglichkeit zufließt, diese tiefe Sehnsucht der Menschen zu befriedigen. Hier, in dem Bewußtsein von der historischen Notwendigkeit, von der echten Menschlichkeit unseres Kampfes liegen die Quellen unserer Siegeszuversicht, nicht aber in winzigen, manchmal sogar zufälligen Teilerfolgen, wie manche Bücher uns glauben machen möchten.«[23]

Gemeint waren Bücher, in denen der Aufbau der neuen Gesellschaft als harmonischer, konfliktarmer Vorgang dargestellt war. Christa Wolf nannte sie »kleinbürgerlich«, dabei war ihr durchaus bewußt, daß solche Literatur wenig Chancen haben konnte, den Kampf gegen die massenhaft aus Westberlin und der BRD eingeschleuste und verbreitete Trivialliteratur aufzunehmen.

Es ist dieser Gestus des Selbstversprechens beziehungsweise Versprechens, über Literatur auf die Verhältnisse sowie auf die Verhaltensweisen der Menschen direkt verändernd wirken zu können, der alle ihre Wortmeldungen aus den fünfziger Jahren prägte und der auf heutige Leser hauptsächlich moralisierend wirkt. Das schon damals sichtbar werdende Interesse für wirkungsästhetische Fragestellungen steht damit in unmittelbarem Zusammenhang.

An Erwin Strittmatters 1954 erschienenem Roman *Tinko*, der ein lebhaftes Echo bei den Lesern und weitgehende Zustimmung von seiten der Literaturkritik fand, lobte sie in erster Linie die neuartige Konfliktgestaltung. Im Unterschied zu einigen Rezensenten (darunter Alex Wedding), die das Kinderbuch kritisierten, weil von dessen Protagonisten keine Vorbildwirkung ausginge, sprach Christa Wolf dem Buch eine hohe künstlerische Qualität zu, habe der Autor doch die Dynamik der wirklichen Verhältnisse erfaßt. Sie betonte, ein gelungenes, mutiges und optimistisches Buch gelesen zu haben. Insbesondere hob sie die psychologische Sorgfalt hervor, mit der Strittmatter auf die Wandlungen und Veränderungen von Menschen eingegangen sei. Einwände machte sie – übrigens ähnlich wie Uwe Berger und andere Kritiker – hinsichtlich der von Strittmatter gewählten »Gestaltungsmethode« geltend, konkret die Begrenzung der Erzählperspektive auf die Hauptfigur. Daß die Geschichte aus der Sicht des zehnjährigen Tinko erzählt wird, bringe Einbußen an realistischem Erzählen mit sich. Deshalb die wohl für künftige Arbeiten gedachte Empfehlung an den Autor, eine »objektivere« Erzählweise zu wählen. Das Buch würde, »in die dritte Person umgesetzt, nichts von seiner Wärme und Unmittelbarkeit verlieren müssen«.[24] Besonderes Lob zollte die Rezensentin der originellen

Sprache und dem Erzählstil, etwas, das wahrhaftig nicht allzu vielen Büchern aus jener Zeit zuzuschreiben war.

Im Umfeld der Debatten um den IV. Schriftstellerkongreß von 1956 führte sie das Buch noch einmal als beispielhaft an für eine gelungene Konfliktgestaltung. Strittmatters Verdienst

Im Schriftstellerheim Petzow (Oktober 1955)

sei es, das Tragische des Lebens an Menschen dargestellt zu haben, die physisch und moralisch zugrunde gehen, »weil sie sich nicht zum Verständnis ihrer Zeit heraufarbeiten können, die ihnen objektiv günstig ist«. Die Literatur müsse auch solche Schicksale darstellen, Individuen, die – wie Kraske – an »subjektiven Fehlern im eigenen Lager zerbrechen, mit oder ohne Schuld«.[25]

Dieses Plädoyer für das Tragische wurde von der zeitgenössischen Kritik, die sich überwiegend auf Johannes R. Bechers Orientierung stützte, das »Überdurchschnittliche als Vorbild«[26] darzustellen, durchaus nicht nur mit Wohlwollen aufgenommen. Bemerkenswert allerdings ist der Nachdruck, mit dem Christa Wolf hier – sich wiederum vor allem auf Anna Seghers beziehend – ihren Anspruch auf unbedingte Wahrhaftigkeit der künstlerischen Abbildung verteidigte. Die Bekenntnishaftigkeit, in die diese Überzeugung mündet, verweist neben dem deutlichen Zuwachs an Subjektivität des ästhetischen Urteils zugleich aber auch auf einen Widerspruch, der in den meisten literaturkritischen Äußerungen Christa Wolfs aus dieser Zeit erkennbar wird: auf den Gedanken vom notwendigen und gleichsam objektiv gesetzt angenommenen individuellen »Heraufarbeiten zum Verständnis der Zeit« als Voraussetzung für die grundsätzliche Lösbarkeit von nichtantagonistischen Widersprüchen.

Manche ihrer Prämissen muten wie Glaubensbekenntnisse an, etwa die wiederholt vorgetragene Überzeugung, das angestrebte Ideal der kommunistischen Gesellschaft könne in kürzester Zeit erreicht werden, wenn sich nur alle entsprechend ins Zeug legten. Verwundern kann diese Haltung kaum, vergegenwärtigt man sich die Ausgangsposition ihres gesellschaftlichen Engagements. Ihrer Generation, gerade noch zu den Erzogenen gehörend, hatte man innerhalb weniger Jahre Verantwortung zugewiesen. Christa Wolf zum Beispiel war im Alter von 27 Jahren mit dem Amt einer Cheflektorin betraut worden – eine Funktion, in der sie sich bei allem guten Willen auch überfordert fand. Die Erfahrung, aus den Reihen der Erzogenen nahezu übergangslos in die der Erzieher aufgenommen zu werden, prägte Verhaltensstrukturen und bestimmte die Vorstellungen von einem vehementen Entwicklungstempo der neuen Gesellschaft, die sich heute leicht als illusionär gegenüber dem widerspruchsvollen Gang der Geschichte erkennen lassen. Beredtes Zeugnis solcher euphorischer Sozialismusvorstellungen ist der 1959 geschriebene Aufsatz *Literatur und Zeitgenossenschaft*, in dem sie der Start der ersten bemannten Weltraumrakete als Anbruch eines neuen Zeitalters, als »Aufklang des Kommunismus« feiert, als

> »Vorgeschmack von dem, was die Menschheit vollbringen wird, wenn sie hier auf der Erde ihre Angelegenheiten menschenwürdig geordnet hat. Sie ist eine Mahnung daran, daß es, falls dies nicht gelänge, eines Tages keine hochentwickelte Technik, keine Weltraumforschung, sondern über

weite Strecken Atomverseuchung geben würde. Sie ist eine Verkörperung der Alternative, die heute vor uns steht, schärfer denn je: Kommunismus oder Barbarei.«[27]

In den Jahren nach der Geburt der zweiten Tochter Katrin (1956), steuerte Christa Wolf, sich auf ihre Kenntnis der Literaturszene stützend, eine Vielzahl von Wortmeldungen zu aktuellen kulturpolitischen und literarischen Ereignissen bei.

1958 wechselte sie in die von Henryk Keisch geleitete Redaktion der »Neuen Deutschen Literatur« über, zu der Helmut Hauptmann, Helmut Kaiser und Achim Roscher gehörten und in deren Beirat Autoren wie Willi Bredel, Wieland Herzfelde, Max Zimmering, Wolfgang Joho ebenso zu finden waren wie der Literaturwissenschaftler Hans Koch oder Eva Strittmatter, die zusammen mit ihren Kritikerkolleginnen Annemarie Auer, Irmtraud Morgner und Christa Wolf das Profil des Rezensionsteils der Zeitschrift wesentlich prägte.

Mit einer Reihe von Essays und Besprechungen zu neuen Büchern von Ruth Werner, Walter Kaufmann, Hildegard Maria Rauchfuß, Rudolf Bartsch sowie zu in der DDR erschienenen Büchern von BRD-Autoren wie Peter Bamm, Hans Erich Nossack und Karl Otten hatte sich Christa Wolf einen Ruf als prinzipienfeste Rezensentin erworben. Kritiken aus ihrer Feder waren bis zum Beginn der sechziger Jahre vor allem in »Neue Deutsche Literatur« und »Sonntag« zu lesen. Außerdem schrieb sie für die vielgelesene Studentenzeitschrift »Forum« und die Tageszeitungen »Neues Deutschland«, »Berliner Zeitung« sowie die Hallenser »Freiheit«.

Aus der Rückschau ist eines bemerkenswert: Die Handschrift Christa Wolfs hebt sich von der anderer Literaturkritiker ab. Stilistische Eigenheiten sind frühzeitig ausgebildet, die Tonlage ist von Beginn an unverwechselbar, das in die Texte eingeschriebene persönliche Engagement unüberhörbar. Häufig in ihren Arbeiten vorkommende Begriffe sind »Wahrheit«, »Ehrlichkeit«, »Offenheit«, »Objektivität« und vor allem immer wieder »Öffentlichkeit«. Sie dokumentieren die moralische Grundhaltung ebenso wie sie Richtungssuche und Bemühen um Eingriffsmöglichkeiten im Verständigungsprozeß der Gesellschaft über sich selbst anzeigen. Die Art und Weise des

Umgangs mit diesen Kategorien gibt zugleich interessante Aufschlüsse über die allgemeinen ideologischen und historischen Bedingungen der fünfziger Jahre, aus denen die politischen wie ästhetischen Maßstäbe abgeleitet waren. Das schon in den frühen Texten vorhandene Eingeständnis eigener Betroffenheit, mit dem sie ihre Leser vor allem für moralische Fragen und Belange, für die Veränderung und Wandlung des einzelnen in der neuen Gesellschaft zu interessieren suchte, heben ihre Literaturkritiken gleichfalls von anderen ab.

Ende der fünfziger Jahre rückten eine Reihe neuer Themenbereiche in das Zentrum literaturtheoretischen und -kritischen Interesses. In ihrem Diskussionsbeitrag während eines internationalen Schriftstellerkolloquiums in Berlin, auf dem Autoren und Literaturwissenschaftler sich über Tendenzen der zeitgenössischen deutschen Literatur verständigten, artikulierte sie – mit Bezug auf die voranschreitende wissenschaftlich-technische Revolution – Vorstellungen zur weiteren Gestaltung der sozialistischen Gesellschaft. Deutlich wird ein Problembewußtsein hinsichtlich der Rolle der Wissenschaft in diesem Prozeß, ausgehend von einer gemeinsam wahrzunehmenden Verantwortung dafür, daß über Politik und Ökonomie nicht das Ziel der Bemühungen, der Mensch, aus dem Auge verloren werde (1964; Di I 406). Zwar gehörte Christa Wolf nicht zu denen, die, wie beispielsweise Günter Kunert, schon früh vor allem die Negativaspekte der Technikentwicklung betonten[28], jedoch verbarg auch sie Besorgnis nicht, indem sie fragte, was für einen »Menschentyp« die sozialistische Gesellschaft hervorbringen, »was für Menschen [...] die automatischen Anlagen bedienen werden« (Di I 406 f.). Dieser Frage habe sich vor allem die Literatur zu widmen, die sich der Erkundung von Gefühlen und Gedanken, von psychischen Strukturen der Individuen im wissenschaftlichen Zeitalter zuwenden müsse.

Mit dem 1957 geschriebenen Aufsatz *Vom Standpunkt des Schriftstellers und von der Form der Kunst*[29] hatte sich Christa Wolf erstmals dem Thema Faschismus und Krieg zugewandt, das sie noch lange beschäftigen sollte. Der auf dem IV. Schriftstellerkongreß vor allem von Anna Seghers und Ludwig Renn erneut angesprochene Sachverhalt, daß die in der ersten Hälfte der fünfziger Jahre an die Schriftsteller ergangene Aufforderung, sich vorrangig der Darstellung des inneren und äußeren Aufbaus der Gesellschaft zu widmen, sich in Hinblick auf die Auseinandersetzung mit der jüngsten nationalen Vergangenheit als »Lücke [...] im Bewußtsein der Menschen«[30] bemerkbar mache, hatte in der Folgezeit zu einer verstärkten öffentlichen Diskussion über diesen Gegenstandsbereich geführt. Im Oktober 1957 berief der Schriftstellerverband eine Konferenz zum Thema »Widerspiegelung des zweiten Weltkrieges in der DDR-Literatur« ein, auf der eine erste Bilanz gezogen wurde.[31]

Brechts schon 1953 geäußerte Mahnung: »Wir haben allzu früh der unmittelbaren Vergangenheit den Rücken gekehrt, begierig, uns der Zukunft zuzuwenden. Die Zukunft aber wird abhängen von der Erledigung der Vergangenheit«,[32] indirekt zitierend, gehörte Christa Wolf zu denen, die ihre Erwartungen auf jene Autoren richteten, deren Bücher imstande sein müßten,

> »ehrlich gegen sich zu sein, mit sich ins Gericht zu gehen und die eigene, die unheilvolle Rolle unseres Volkes im letzten Krieg zu begreifen und zuzugeben«.[33]

Bezugnehmend auf die gleich nach der Zerschlagung des NS-Regimes entstandenen Wandlungsromane junger, häufig selbst noch als Soldaten am Krieg beteiligter Schriftsteller, deren literarische Helden meist geläutert aus der – zumeist sowjetischen – Kriegsgefangenschaft zurückkehrten und sich unverzüglich, quasi als Sühneakt, an die friedliche Aufbauarbeit machten, verwies sie darauf, daß die Leser in vielen Kriegsbüchern die eigenen Erfahrungen lediglich bestätigt fänden. Die meisten der weitestgehend an den Erlebnishorizont ihrer Autoren gebundenen literarischen Entwürfe offenbarten deren ästhetische und weltanschauliche Überforderung. Einen deutlichen Neuansatz erfuhr die literarische Auseinandersetzung mit Krieg und Faschismus zu Beginn der sechziger Jahre durch Bücher wie Dieter Nolls *Die Abenteuer des Werner Holt* (1960) oder Max Walter Schulz' *Wir sind nicht Staub im Wind* (1962). Vor dem Hintergrund anderer Wirklichkeitserfahrungen wurde der erörterte Problemzusammenhang in größere Räume gestellt. Die literarischen Helden durchlaufen nun verschiedene Stadien weltanschaulicher Entwicklung. Da die Wirkungsstrategie der Autoren aber auf Identifikation mit dem literarischen Helden gerichtet war, galt die erzählerische Aufmerksamkeit vor allem dem breit dargestellten Weg einzelner Figuren, deren Lebenslauf – nach dem Muster des klassischen bürgerlichen Entwicklungsromans – repräsentativ für eine ganze soziale Gruppe sein sollte, wie es Günter de Bruyn in Hinblick auf seinen Roman *Der Hohlweg* (1963) unter dem Titel *Der Holzweg*[34] sehr anschaulich beschrieb.

Christa Wolf beteiligte sich mit umfangreichen Rezensionen an der öffentlich geführten Debatte über diese Bücher, denen sie zubilligte, an den Nerv der Leser gerührt zu haben, da sie erneut ins Bewußtsein brächten, wie sehr die Vergangenheit noch immer in die Gegenwart hineinreiche. In *Schicksal einer deutschen Kriegsgeneration* heißt es dazu:

> »Gerade wir Deutschen haben keinen Grund, die jüngste Vergangenheit als erledigt anzusehen. Nicht nur, daß sie in Westdeutschland, gefährlich und auf neu geputzt, wieder Staatsdoktrin ist: Auch bei uns kann, wer die Augen offenhält, beobachten, in wie vielerlei Gestalt die politisch überwundene Vergangenheit in das heutige Dasein der Menschen hineinspielt. Sie in allen Schichten des Bewußtseins zu überwinden, sich von ihr zu befreien, braucht Zeit, Geduld, Unnachgiebigkeit, Sachkenntnis und ein aktives, selbständiges Verhältnis zur Gegenwart.«[35]

Im Sinne eigener Überlegungen zur literarischen Verarbeitung dieses Themas fühlte sie sich besonders von der Schreibweise Max Walter Schulz‘ angesprochen, dem es in *Wir sind nicht Staub im Wind* gelungen sei, die »unsichtbaren Quellen menschlicher Handlungen aufzudecken«, indem er »der inneren Welt seiner Figuren« und der »ganz persönlichen Vergangenheit« verstärkt Aufmerksamkeit geschenkt habe.[36]

Die Rezension zu diesem Roman ist eine von Christa Wolfs letzten literaturkritischen Wortmeldungen zu zeitgenössischen Büchern. Als sie geschrieben wurde, war die Arbeit an *Moskauer Novelle*, ihrem Prosadebüt, schon abgeschlossen. Die Frage nach der Vereinbarkeit von literaturkritischer Tätigkeit und dem Wunsch, selbst schriftstellerisch wirksam zu werden, muß sich für Christa Wolf schon Mitte der fünfziger Jahre gestellt haben. Louis Fürnberg, Mentor vieler junger Autoren, hatte ein Gespür für ihre literarischen Ambitionen, als er sie 1956 ermunterte, den Schritt in die Schriftstellerexistenz unverzüglich zu wagen: »Selber schreiben möchtest Du können und wüßtest vielleicht sogar, was? Christa!! Ja, wer soll denn schreiben können, wenn nicht Du? So schreib doch!! So versuchs doch einmal! [...] Kritiken kannst Du ja nebenher schreiben! [...] Auch Shaw schrieb ein Leben lang Kritiken (bis ins vierzigste Jahr, denke ich), und plötzlich fing es an! Schreib Christa!«[37]

Auf ihre journalistischen beziehungsweise literaturkritischen Arbeiten sah Christa Wolf später sehr selbstkritisch zurück:

> »Ich habe früher Texte geschrieben, die ich heute anders schreiben würde, denn ich habe auf Grund anderer Erfahrungen eine andere Einstellung zu dem Gegenstand. Es handelt sich weniger um literarische Arbeiten, die sowieso abhängig sind vom Reifeprozeß des Autors, sondern mehr um Artikel und Rezensionen, die von einer gewissen, damals verbreiteten Einstellung zur Literatur ausgingen, von einer unschöpferischen, rein ideologisierenden Germanistik. Das sind natürlich Aufsätze, die ich heute nicht wieder gedruckt sehen möchte, aber ich will und kann sie nicht verleugnen, sie gehören zu meiner Entwicklung. Entscheidend ist, daß man es zu der Zeit ehrlich gemeint hat, daß es sich um einen ehrlichen Irrtum gehandelt hat (der dadurch nicht gerechtfertigt ist) und nicht um Produkte des Opportunismus.« (1972; Di II 310)

»Moskauer Novelle«

Folgte man der Autorin, sollte ihrem literarischen Debüt, wenn überhaupt, dann allenfalls periphere Aufmerksamkeit zukommen. Auf den Begriff »Erstlingswerk« wollte sie sich nur ungern festlegen:

»Übrigens gibt es das überhaupt nicht. Immer noch frühere Versuche in immer noch jüngeren Jahren fallen einem ein, von halb und dreiviertel ausgeführten Roman- und Dramenplänen über Tagebücher, politische und private Gelegenheitsdichtungen, gefühlsgesättigte Briefwechsel mit Freundinnen bis hin zu den kindlichen Märchenerfindungen, Rache- und anderen Phantasien, Tag- und Nachtträumen und dreisten Lügengeschichten für den praktischen Gebrauch – jene lebenswichtigen Vorformen naiver Kunstausübung, deren Entzug für das Kind verheerende Folgen hätte und aus denen das Bedürfnis wachsen kann, sich schreibend auszudrücken.« (1973; Di I 43)

All diese ›Schreibanfänge‹, von denen hier die Rede ist, sind allerdings der Selbstzensur zum Opfer gefallen. Der erste literarische Versuch, zu dem sich die dreißigjährige Christa Wolf bekannte, war *Moskauer Novelle*, ein im Sommer 1959 abgeschlossener Text, den der Mitteldeutsche Verlag nach einem Vorabdruck in »Junge Kunst« 1961 als Buch herausbrachte.[38]

Als äußeren Rahmen für ihre Geschichte hatte Christa Wolf das in der Literatur der fünfziger Jahre häufiger anzutreffende Sujet der Wiederbegegnung gewählt. Der Handlungskern der Novelle konzentriert sich auf eine Liebesgeschichte: Im Juni 1959 reist die Kinderärztin Vera Brauer als Mitglied einer Delegation der Berliner Medizinischen Fakultät zu einem Studienaufenthalt in die Sowjetunion. In Moskau angekommen, erkennt sie in dem Dolmetscher Pawel Koschkin jenen russischen Soldaten wieder, dem sie vierzehn Jahre zuvor im mecklenburgischen Fanselow begegnet war. Das Zusammentreffen läßt die – damals uneingestandene – Zuneigung der beiden aufleben, über die zugleich ein Schatten fällt. Der Soldat hatte das als Schreibhilfe beim Bürgermeister arbeitende Flüchtlingsmädchen zum Medizinstudium ermuntert. Bei Löscharbeiten eines von faschistischen Wehrwölfen in Brand gesteckten Magazins der sowjetischen Armee wurde er verletzt. Vera hatte ihn nicht gewarnt, obwohl sie von dem Sabotageplan wußte. Ihrer Mitschuld wird sie sich erst in der ganzen Tragweite bewußt, als sie erfährt, daß Pawel aufgrund von Sehstörungen, die er dabei davongetragen hatte, seinen Wunsch, Chirurg zu werden, aufgeben mußte. Veras Liebe wird von empfundener Schuld überlagert. Ihre Gefühle sublimiert sie durch vernunftorientiertes Handeln. Das Problem wird rational bewältigt: Die Mitschuld von einst kann durch lauteres Handeln in der Gegenwart gesühnt werden. Vera bricht ihren Studienaufenthalt vorzeitig ab und fliegt nach Berlin zurück. Pawel geht mit seiner Familie nach Sibirien, wo sich ihm neue berufliche Perspektiven eröffnen.

Mit ihrem ersten schriftstellerischen Versuch, nationale Vergangenheit und Gegenwart am Verhältnis der Deutschen zu ihren Nachbarn im Osten zu befragen, befand sich Christa Wolf in Gemeinschaft mit anderen Autoren, die sich zu Beginn der sechziger Jahre ebenfalls mit dem Anteil des einzelnen am historischen Geschehen befaßten. Die Frage nach Wiedergutmachung gegenüber den Nachbarn in Polen, der ČSSR oder der Sowjetunion spielte in der Literatur der frühen sechziger Jahre eine wichtige Rolle. Genannt seien Johannes Bobrowskis Gedichtband *Sarmatische Zeit* und Günter de Bruyns Erzählung *Renata*, beide, wie Christa Wolfs Buch, 1961 erschienen, sowie Franz Fühmanns Erzählung *Böhmen am Meer* (1962).

Die Beziehungen der Deutschen zu ihren nach dem Sieg über den deutschen Faschismus durch politische und weltanschauliche Interessengleichheit im Bündnis zusammengeschlossenen osteuropäischen Nachbarn, zu ungleichen Verwandten allzumal, in deren Gemeinschaft sich zu den »Siegern der Geschichte« zu rechnen, nicht allen so selbstverständlich war, wie es die schwer geprüften Schöpfer dieser mit Blick auf die Zukunft propagierten Losung im Sinn hatten, stehen im Mittelpunkt des literarischen Entwurfs vor allem bei jüngeren Autoren. Komponiert nach dem Prinzip der doppelten Begegnung, handeln beispielsweise auch de Bruyn und Fühmann in ihren Geschichten von mehr oder weniger schuldhaften Verstrickungen. Die von seiten der Deutschen belasteten Wiederbegegnungen werden zehn Jahre nach Kriegsende zum Prüfstein neuer Verhaltensweisen. Bei Günter de Bruyn steht das Zusammentreffen des Lehrers Michael Schwarz und der polnischen Krankenschwester unter ähnlichen Vorzeichen wie in

Christa Wolfs Novelle. Erinnerte Vergangenheit schiebt sich in die Gegenwart hinein, noch einmal werden Bilder von Schuld und Versagen beschworen. Die ehemalige Feindschaft kann nicht umstandslos in Miteinander aufgehoben werden. In Franz Fühmanns Erzählung erkennt ein Schriftsteller während eines Erholungsurlaubs an der Ostsee in seiner an schweren Depressionen leidenden Gastgeberin ein ehemaliges Dienstmädchen aus seinem böhmischen Heimatdorf. Vom Baron geschwängert, wollte sie sich damals das Leben nehmen. Erst jetzt, viele Jahre später, sieht er sich wieder mit der Schuld seiner Landsleute konfrontiert und verspürt ein Gefühl der Mitverantwortung für das Schicksal der betroffenen Frau.

In allen drei Geschichten haben die handlungstragenden Figuren – eine Ärztin, ein Lehrer und ein Schriftsteller – eines gemeinsam: Sie gehören zu den Kindern der Vätergeneration, die sich unmittelbar nach dem Krieg mit dem Kriegsgeschehen auseinandergesetzt hatte.[39] Fünfzehn Jahre nach Kriegsende bringen die nunmehr erwachsenen Töchter und Söhne, damals zu jung, um direkt schuldhaft verstrickt gewesen zu sein, die Beteiligung am historischen Fall wieder ins Gespräch. Ihre Mitverantwortung erkennend, übernehmen sie die Last der Väter und versuchen, diese in der Gegenwart positiv aufzuarbeiten. Alle drei Autoren geben ihren Hauptfiguren die Chance zur späten Erkenntnis früherer Schuld und zur Wiedergutmachung. Die Figurenentwicklung spiegelt in allen Geschichten den erreichten »Reifegrad an moralischer und politischer Gesinnung«[40] vor dem Hintergrund der neuen gesellschaftlichen Bedingungen, in denen die Jüngeren leben. Gegensätzliches Verhalten der Hauptfiguren in Vergangenheit und Gegenwart verdeutlicht die Größe des Konflikts und die gewonnene Fähigkeit, sich ihm bewußt zu stellen.

Bei Christa Wolf ist das angeschlagene Thema erkennbar autobiografisch geprägt, ablesbar an äußeren Lebensumständen wie damals abgegebenen Erläuterungen. Als Mitglied im Vorstand des Schriftstellerverbandes war sie nach Abschluß des Staatsvertrages zwischen der UdSSR und der DDR seit 1955 mehrmals in die Sowjetunion gereist. In einem Interview für die Zeitschrift »Frau von heute« sprach sie vom Schicksal eines sowjetischen Frontsoldaten, dessen Geschichte den Ausschlag gegeben hätte, das längst vorhandene Bedürfnis nach schriftstellerischer Verarbeitung eigener Erfahrungen zu realisieren.[41] Der Stoff hatte ihr den entscheidenden Impuls vermittelt, sich schreibend mit dem kompliziert verlaufenden Wandlungsprozeß ihrer Generation auseinanderzusetzen, deren Erlebnishorizont vor allem durch Nationalsozialismus und Krieg geprägt war und die nun begann, den historischen Umbruch intellektuell zu verarbeiten. Als aktuelle Motive und Beweggründe für das Entstehen der *Moskauer Novelle* machte die Autorin 1959 zusätzlich geltend:

> »Ich beobachtete immer wieder, daß tüchtige Menschen, die ihre ganze Arbeitskraft für den Aufbau des Sozialismus einsetzen, sich in persönlichen Dingen – in der Ehe beispielsweise – nicht zurechtfinden [...] Ich wollte nun zeigen, wie ein Mensch unserer Zeit Probleme dieser ganz persönlichen Art löst, menschlich, möchte ich sagen, sozialistisch löst, denn sozialistisch sein bedeutet ja nicht, gefeit sein gegen überholte Auffassungen und Gewohnheiten – es muß aber heißen, diesen Fragen mit Ernst zu begegnen, sich darum zu mühen, sie richtig, aus unserem neuen Lebensgefühl heraus zu klären.[42]

Franz Fühmanns Erkenntnis, über »Auschwitz zum Sozialismus«[43] gekommen zu sein, traf auf Christa Wolf nicht zu. Der Prozeß bewußter Verarbeitung des Geschehenen verlief bei der sieben Jahre Jüngeren anders. Sowohl in ihrer Prosa wie auch in einigen Essays zitiert sie mehrfach Gustav Schwabs Bild vom Reiter über den Bodensee: Der Reiter bricht zusammen, als ihm rückschauend bewußt wird, was ihm eigentlich hätte passiert sein können.

> »Da ist wohl damit zu rechnen, daß eine tiefe Unsicherheit, ein fast unausrottbares, wenn auch häufig unbewußtes und durch rastlose Tätigkeit überdecktes Mißtrauen gegen sich selbst in vielen Angehörigen dieser Generation zurückgeblieben ist, das sich in ihrem gesellschaftlichen Verhalten – darunter in ihrer Literatur – ausdrücken muß.« (1973; Di I 50)

Anzuschreiben gegen Verdrängen und Vergessen, Erinnerung abzurufen zur Klärung eigener Haltungen, das mitbefördern zu helfen, was über Alexander Mitscherlich als »Trauerarbeit« in unseren Sprachgebrauch eingegangen ist, gehört sicherlich zu den prägendsten Schreibmotivationen Christa Wolfs. Ihr erster Ansatz, Erfahrungsdruck sprachlich zu verarbeiten, legt den Selbstverständigungsprozeß offen, den die Autorin durchlief.

Die Hauptstadt des ersten sozialistischen Staates – zugleich Metapher für antizipatorische Zukunftsentwürfe – ist nicht zufällig der beziehungsvolle Hintergrund für die Rechenschaftslegung. Der historische Horizont des Erzählens verdeutlicht sich in der künstlerischen Gestaltung des Hauptkonflikts: Daß sich die Liebe zwischen Vera und Pawel neu belebt, kann als Ausdruck einer tiefen Sehnsucht nach Harmonie zwischen den Völkern gedeutet werden. Die vorhandene emotionale Empfindungsfähigkeit wird allerdings von Beginn an durch das von Vera entwickelte Schuldbewußtsein überschattet. Den entscheidenden Ausschlag, Pawels erneutem Werben nicht nachzugeben, gibt nicht die Tatsache, daß Bindungen an andere Partner existieren und beide inzwischen Familie haben, sondern Veras Erkenntnis, daß sie an Pawels Schicksal mitschuldig ist. Hinzu kommt ein verinnerlichter Moralkodex, der Erfüllung einer solchen Liebe von vornherein ausschließt. Neue Schuld kann die alte nicht aufheben. Durch rationale Einsicht in übergeordnete Interessen verdrängt und sublimiert Vera ihre Gefühle, ohne dabei politische oder ethische Gründe zu reflektieren. Ein Ausbrechen aus den vorgezeichneten Bahnen wird nicht erwogen, Spontaneität, subjektive Ängste, eventuell zu treffende Lebensentscheidungen werden nicht ins Auge gefaßt. So verliert der Konflikt zwischen der Deutschen und dem Russen seine Schärfe.

Um der Einzelgeschichte historische Bedeutsamkeit zu geben, eine möglichst umfassende Sicht zu vermitteln, läßt Christa Wolf in ihrer Novelle unterschiedliche Generationen aufeinandertreffen, deren Erfahrungswelten sich grundsätzlich voneinander unterscheiden. Ältere, erfahrene Menschen helfen den jüngeren über die Klippen emotionaler Unentschiedenheit hinweg, erleichtern ihnen die Entscheidungsfindung zugunsten gesellschaftlicher Interessen. In einer Rezension zu

Karl-Heinz Jakobs' vieldiskutiertem Roman *Beschreibung eines Sommers*, ebenfalls 1961 erschienen, hatte Christa Wolf geschrieben, daß ihr der Held Tom Breitsprecher besonders deshalb so gut gefallen habe, weil er sich wohltuend von jenen häufig in Gegenwartsbüchern anzutreffenden »generationslosen Einheitsmenschen«[44] abhebe. Wie aber löste sie nun selber dieses Problem? Vera ist Repräsentantin jener im Krieg aufgewachsenen jungen Generation, der nun, etwa fünfzehn Jahre nach dem Krieg, sozusagen nach dem Stafettenprinzip, von den Älteren die Verantwortung für den weiteren Aufbau der neuen Gesellschaft übergeben wurde. Mit Hilfe von Genossen aus dem antifaschistischen Widerstand hatte sie sich zu einer neuen Weltsicht durchgearbeitet, von ihnen hatte sie die Maßstäbe für ihr Denken und Handeln bezogen. In dieser Hinsicht ist Vera dem Werner Holt Dieter Nolls und anderen Wandlungsfiguren der Literatur zu Beginn der sechziger Jahre durchaus verwandt, deren subjektive, bewußte Entwicklung synchron zu der der sozialistischen Gesellschaft verlief und denen dabei ältere, erfahrene Menschen zur Seite standen. Ihr Gespräch mit dem als Vaterfigur agierenden alten Genossen offenbart andeutungsweise ein Problembewußtsein, das über den individuellen Konfliktfall hinausweist:

> »Ja, ihr! Ihr habt alles hinter euch und kennt keine Zweifel und wißt jede Antwort und macht uns ganz mutlos mit eurer Vollkommenheit. Aber es langweilt mich, hörst du, es hängt mir zum Halse heraus, immer nur brav zu sein. Das ist ja nicht mehr menschlich, was ihr verlangt!« (MN 76)

Christa Wolf läßt ihre Geschichte in freundschaftlichem Miteinander von Vera, Pawel und dessen Frau enden. Aus der Erkenntnis, moralisch gehandelt zu haben, erwächst nicht einmal das Gefühl von Trauer über die verlorene Liebe. Vera verkörpert das Prinzip einer vermeintlich emanzipierten Ethik, die durch Askese verklärt wird. Am Ende hat das Pflichtbewußtsein über die Gefühle gesiegt, und es bleibt noch nicht einmal der Nachgeschmack von Bedauern. Als eine Art Heilige kehrt Vera nach Berlin zurück. Die gewählte Erzählform verrät das Bemühen der Autorin, auch die inneren Vorgänge der Figuren zu erfassen und dabei gleichzeitig gesellschaftlich Repräsentatives darzustellen. Da Vera diejenige ist, die sich erinnert, werden die Geschehnisse durch ihre Optik gesehen und entsprechend gewertet. Auf diese Weise wird jedoch auch die individuelle Sicht stark betont. Die Zeitebenen sind ineinander verschränkt. Die Vorgeschichte der Figuren wird durch Retrospektive noch einmal lebendig. Das rückschauende Erinnern dient im Erzählvorgang der Vorbereitung und Motivation kommender Ereignisse.

Die im ganzen chronikhafte und eher schlicht gehaltene Erzählweise wirkt zuweilen mit sinnbildhaften Gestaltungselementen beziehungsweise mit symbolischen Bildern überfrachtet, vor allem dort, wo der individuelle Fall für gesellschaftlich Repräsentatives steht, oder auch dann, wenn der zentrale Konflikt zugunsten reportageartiger Beschreibungen beziehungsweise lyrisch aufgeladener Bilder zurücktritt:

> »Moskau ist eine auf sieben Hügel gebaute, weitläufige Stadt, die sich übergangslos aus dem unendlich hingebreiteten Land erhebt. Von der neuen Universität aus hat man sie zu Füßen liegen, summend vor Lebensfreude und Schaffensdrang, von spitztürmigen Kirchen, Zwiebelkuppeln, bunten Klöstern und den mächtigen weißen Hochhäusern überragt. Vera bekam nicht genug von dieser Stadt [...] Am meisten erregten und fesselten sie die Menschen, zu jeder Stunde in Massen auf der Straße, und doch alles andere als Masse. Die Gelassenheit, gepaart mit Energie, die von ihnen ausging, packte Vera.« (MN 20)

Lichtsymbole und leitmotivisch mit dem Himmel verbundene Gedankenbilder haben einen zentralen emotionalen Stellenwert, wenn der Moskauer Himmel – als besonders hoch und weit empfunden – im Text eine sinnbildhafte Überhöhung erfährt: »Mit einem riesigen Hammer, dachte sie, könnte man ihn zum Klingen bringen«. (MN 30) Sogar die Dunkelheit bleibt in Moskau noch anheimelnd: »Sterne sprangen am tintenblauen Himmel auf, einer nach dem anderen, und brüderlich antworteten ihnen auf dem Wasser die Lichter der Dampfer.« (MN 32) Mensch und Universum schmelzen bei so viel Harmonie in einem Bild zusammen. Als Ausdruck und Bekenntnis zur neuen Gesellschaft, deren Perspektive klar vorgezeichnet zu sein scheint, wird in *Moskauer Novelle* ungewöhnlich viel gelacht. Lachen ist Ausdruck und gleichzeitig auch Symbol für ein neues Lebensgefühl. So etwa, wenn Vera, kaum angekommen, den Stadtverkehr wie »eine Brandung, die sich an den hohen Hotelmauern brach und jeden einzelnen Laut – Motoren und Lachen und Rufen – in sich« (MN 11) aufsog. Da zerplatzen »Kaskaden von Gelächter [...] an der Decke« (MN 27), und ständig lächeln oder lachen auch die Figuren. »Vera horchte seinem Lachen nach«, oder Pawel bittet lachend: »Lachen Sie noch einmal bitte«, bis endlich »alle lachten« (MN 27).

Tatsächlich Gesehenes und Erlebtes mischt sich mit einer voluntaristisch überhöhten und spürbar konstruiert wirkenden Alltagswelt, in der sich die gesellschaftlich antizipierten Ideale ausnehmen wie aus dem Bilderbuch entnommen. Ausschmükkende Adjektive verstärken diesen Leseeindruck. Idylle und Wunschwirklichkeit sind allzu nahe an die realen Verhältnisse gerückt. So nimmt etwa der Besuch der Delegation aus der DDR in einem Kiewer Kolchos paradiesische Dimensionen an:

> »Veras Nachbarin, ein blondzöpfiges Mädchen, nahm glühend rot aus der Hand des Vorsitzenden eine Medaille entgegen. [...] Die Mädchen verloren ihre letzte Fremdheit und nahmen Vera in ihren Kreis, als sei sie eine von ihnen. [...] Weißbeschürzte Frauen schleppten Kessel mit dampfender, würzig duftender Suppe herbei und stellten Schalen mit eisgekühlter saurer Sahne auf die Tische [...]. Nicht das winzigste Wölkchen zeigte sich am Himmel.« (MN 68)

Die kommunistische Utopie scheint bereits mit Händen greifbar:

> »Eines Tages wachen wir auf, [...] und die Welt ist sozialistisch. Die Atombomben sind im Meer versenkt und der letzte Kapitalist hat freiwillig auf sein Aktienpaket verzichtet.« (MN 53)

Zwar wird dieser Wachtraum im Erzählkontext liebevoll als Illusion belächelt, dennoch besteht Vera auf der Notwendigkeit und Legitimität solcher Zukunftsentwürfe, die das Leben der Menschen begleiten und ihm auch einen konkreten Sinn verleihen. Der voluntaristische Blick der Autorin stand durchaus im Einklang mit den gesellschaftspolitischen und sozialökonomischen Projektionen, die die Dauer des Übergangs vom Sozialismus zum Kommunismus recht kurz veranschlagt hatten. 1959 war auf dem XXI. (außerordentlichen) Parteitag der KPdSU der Sieg des Sozialismus in der Sowjetunion verkündet worden. Der im selben Jahr einberufene III. Sowjetische Schriftstellerkongreß orientierte die Literatur – drei Jahre nach dem XX. Parteitag – auf Unterstützung des laufenden Siebenjahrplans. Christa Wolf berichtete im »Neuen Deutschland« geradezu enthusiastisch von diesem Kongreß, an dem sie als Delegierte teilgenommen hatte. Ausgehend von der Annahme, daß sich die Überlegenheit des sozialistischen Weltsystems auch in der materiellen Produktion, der entscheidenden Sphäre menschlicher Tätigkeit, bis 1965 endgültig erwiesen haben werde, teilte Christa Wolf ihren Lesern in der DDR mit, daß die Bürger der Sowjetunion dann wahrscheinlich keine Steuern mehr zu zahlen hätten. Die Literatur, so ihre mit Festigkeit vorgetragene Überzeugung, wisse um ihre Aufgabe in diesem Prozeß,

> »sie soll dem Leben der Menschen etwas hinzufügen, was keine andere Form der Ideologie ihm geben kann, sie soll den Leser reicher machen, bewußter und empfindsamer«, nicht mehr und nicht weniger als »ein Gefühl für die Tiefe und den Sinn des Lebens in ihm wecken, soll ihn erschüttern und voranreißen, auf die Höhe seiner Zeit heben. [...] außer Kraft gesetzt wird bei uns die schuldhaft-tragische Verstrickung eines Adrian Leverkühn aus Thomas Manns ›Doktor Faustus‹, der an der Volksfremdheit der spätbürgerlichen Kunst zerbricht«.[45]

Die Orientierungen der Ersten Bitterfelder Konferenz aufnehmend, richtet sie ihren Blick auf die Entwicklung in der DDR:

> »Wir sind dabei, die Mauer zwischen Kunst und Volk, welche die kapitalistische Gesellschaft aufgerichtet hat, einzureißen. Die sozialistische Massenkultur, die wir systematisch entwikkeln und die jedem etwas gibt, weil jeder zu ihr beiträgt, wird uns helfen, den Kapitalismus da zu überwinden, wo er am tiefsten sitzt und sich am zähesten hält. In den persönli-

chen Beziehungen der Menschen zueinander, in ihren Lebensgewohnheiten und in ihrer Lebensweise.«[46]

Christa Wolf gehörte später, übrigens ähnlich wie Günter de Bruyn und Irmtraud Morgner, zu den strengsten Kritikern ihres literarischen Debüts, über dem sie am liebsten den »Mantel der Nächstenliebe« gesehen hätte. Im Nachhinein monierte sie allerdings weniger den

> »für jedermann offenliegenden Mangel an formalem Können, [...] ungeschickte Sätze, verunglückte Bilder, hölzerne Dialoge, naturalistische Beschreibungen« als den »Zug zur Geschlossenheit und Perfektion in der formalen Grundstruktur, in der Verquickung der Charaktere mit einem Handlungsablauf, der an das Abschnurren eines aufgezogenen Uhrwerks erinnert«. (1973; Di I 46)

Herausgekommen sei ein »Traktat im Sinne der Verbreitung frommer Ansichten« (ebd.). Die Konfliktkonstellation der Novelle repräsentierte für sie nun den Typ eines Scheinkonflikts:

> »Verzicht soll ja gar nicht beschimpft werden, nur müßte man ihn nicht moralisch motivieren, wenn die geltenden Gesetze – wir schreiben das Jahr 1959 – ihn sowieso erzwingen. [...] Und es kann nicht mal einer Liebesgeschichte erlaubt sein, von einem Ereignis, wie es zum Beispiel der 20. Parteitag war, nur ein paar Reflexe in einer Idylle aufzufangen.« (1973; Di I 49)

Dem ist kaum etwas hinzuzufügen. Dennoch: So verständlich die Absage an ihr Erstlingswerk sein mag, auf dem Wege der Schriftstellerin Christa Wolf bleibt es der notwendige erste Schritt, Voraussetzung für spätere Arbeiten.

Thema und Sujet, Ansätze eines erkennbar assoziativen Erzählgestus, die Verwendung bestimmter wiederkehrender Symbole gehören zu den Eigenheiten ihres Erzählens und werden sich in den folgenden Werken ausprägen. Ein Gedanke, der als Sinnzentrum der Novelle von Bestand geblieben ist, äußert sich in der Frage nach den wichtigsten Eigenschaften zukünftiger Menschen, die in den Kosmos fliegen werden, ohne »Roboter« oder »perfektionierte Ungetüme« zu sein. Pawel beantwortet sie mit »Brüderlichkeit«:

> »Mit offenem Visier leben können. Dem anderen nicht miß-

> trauen müssen. Ihm den Erfolg nicht neiden, den Mißerfolg tragen helfen. Seine Schwächen nicht verstecken müssen. Die Wahrheit sagen können. Arglosigkeit, Naivität, Weichheit sind keine Schimpfwörter mehr. Lebenstüchtigkeit heißt nicht mehr: heucheln können.« (MN 55)

Das der *Moskauer Novelle* entgegengebrachte öffentliche Interesse war keinesfalls so gering, wie später oft behauptet,[47] sondern außerordentlich lebhaft und – bis auf wenige Einwände – im Tenor positiv. Nachdem der Rundfunk schon im Herbst 1960 einen längeren Auszug gesendet hatte,[48] brachten die Zeitschrift »Frau von heute« und sechs weitere Tageszeitungen[49] die Geschichte um Schuld und Sühne, um Liebe und Entsagung, um individuelle und gesellschaftliche Verantwortung und Moral in Fortsetzungen. Thema, Personnage und Erzählweise der Novelle wurden als »Qualitätssteigerung unserer Gegenwartsliteratur«[50] empfunden. Walter Victor machte allerdings Einwände gegenüber der literarischen Technik der Retrospektive geltend, der Konflikt würde »mit ein wenig zu komplizierten Rückblicken auf 1945«[51] unnötig belastet. Die Mehrzahl der Kritiker schloß sich Alfred Kurella an, der Christa Wolfs literarischen Erstling als »kleines Meisterwerk der Novellistik« gepriesen hatte, dessen literarische Vorbilder sich in den Novellen Leonhard Franks oder Arnold Zweigs ausmachen ließen.[52] Vor allem aber war sie ihm Beleg für das Auftreten einer neuen Schriftstellergeneration. Bücher wie Brigitte Reimanns *Ankunft im Alltag*, Franz Fühmanns *Kabelkran und Blauer Peter*, Karl-Heinz Jakobs‘ *Beschreibung eines Sommers*, Erik Neutschs *Bitterfelder Geschichten* oder Helmut Baierls Drama *Frau Flinz* (alle 1961) bestätigen auch aus der historischen Sicht diese Einschätzung. Alfred Kurella sprach, Christa Wolfs Erzählung einschließend, mit Bezug auf André Malraux überschwenglich von einem Beispiel für die »Verschiebung der Empfindsamkeitswerte«, die sich als »Verschiebung in den Werten des Lebensgefühls« zeigten.[53]

Wenn es schon schwerfällt, diesem Urteil noch zu folgen – die Schlichtheit der Fabel und der Figurenzeichnung könnte sicher Veranlassung genug sein, das Werk schnell beiseite zu legen. Allerdings würde man damit weder der Autorin noch ihrem literarischen Debüt gerecht. Immerhin hatte sich hier erstmals eine Stimme artikuliert, deren unverwechselbare Tonlage in Ansätzen schon auszumachen ist. Sowohl die Erzählweise als auch die Art, Motive anzuschlagen, werden später weitergeführt. Darüber hinaus wird schon etwas deutlich, was später die Stimme Christa Wolfs im Panorama der Gegenwartsliteratur immer wieder exponieren wird: ein Gefühl für brisante, den Zeitnerv treffende Stoffe.

»Der geteilte Himmel«

Im Herbst 1959 übersiedelte die Familie Wolf nach Halle. Der Mitteldeutsche Verlag, zu deren Autoren sich Christa Wolf nun zählen konnte, hatte Gerhard Wolf die Stelle eines Außenlektors und ihr die sporadische Mitarbeit im Lektorat angeboten.

Das Industriegebiet Halle-Leuna-Bitterfeld war Anfang der sechziger Jahre zu einem der größten industriellen Ballungsgebiete der DDR herangewachsen. Maschinenbau und vor allem Chemie bildeten den Lebenshintergrund für die meisten der dort ansässigen Menschen, zugleich bot sich Raum für vielfältige kulturelle Aktivitäten. Hier lebten und arbeiteten Schriftsteller wie Sarah und Rainer Kirsch, Werner Bräunig, Erik Neutsch und andere, deren Arbeiten zunehmendes Interesse fanden. Der Maler Willi Sitte und die von ihm geprägte Hallenser Schule wurden in dieser Zeit zum Begriff für eine eigene Konturen ausbildende Malerei. Vom Landestheater Halle, an dem sich Gerhard Wolfram und Horst Schönemann durch originelle Inszenierungen zeitgenössischer Gegenwartsdramatik einen Namen machten, gingen wenig später wesentliche Impulse für die Theaterszene des Landes aus.

So war es kein Zufall, daß der kulturpolitische Auftrag an die Schriftsteller, den Gesellschaftsprozeß durch intensivere Hinwendung zu Gegenwartsproblemen zu unterstützen, gerade von hier aus formuliert wurde. Unter der – von Heiner Müller in seinem Stück *Der Bau* aufgegriffenen – Losung

»Chemie bringt Brot, Wohlstand und Schönheit« hatten einige Betriebe der chemischen Industrie in Zusammenarbeit mit dem Zentralvorstand der Gewerkschaft Chemie und der Bezirkszeitung der SED, »Freiheit«, sowie dem Leipziger Musikverlag schon im November 1958 eine Kulturkonferenz organisiert, in deren Ergebnis das im selben Jahr beschlossene Chemieprogramm von Künstlern tatkräftig unterstützt werden sollte. Die als »Bitterfelder Weg« in die Geschichtsbücher eingegangene kulturpolitische Orientierung wurde hier vorbereitet. Wenig später, im April 1959, folgten 150 Schriftsteller und 300 schreibende Arbeiter der Einladung des Mitteldeutschen Verlages und des Elektrochemischen Kombinats Bitterfeld zu einer Autorenkonferenz unter dem Thema »Greif zur Feder, Kumpel! Die sozialistische Nationalkultur braucht dich!« Die Schriftsteller wurden aufgerufen, sich gemeinsam mit den schreibenden Arbeitern an einer massenkünstlerischen Initiative zu beteiligen, von der wesentliche Impulse für die in Angriff genommenen Neustrukturierungen des gesamten wirtschaftlichen und kulturellen Lebens erhofft wurden. In seiner Eigenschaft als Sekretär des Schriftstellerverbandes berichtete Erwin Strittmatter über Erfahrungen und vielfältige kulturpolitische Bemühungen, die bestehende Kluft zwischen Künstlern und den in der materiellen Produktion Arbeitenden zu überwinden. So konnte er 20 Autoren nennen, die auf verschiedenen Bauplätzen der Republik zu finden waren; 30 Schriftsteller hatten inzwischen direkte Beziehungen zu »Brigaden der sozialistischen Arbeit« in verschiedenen Betrieben aufgenommen, um sich durch die Teilnahme am Arbeitsprozeß ein authentisches Bild von den Bedingungen und Problemen der Menschen zu verschaffen.[54]

Auch die Wolfs folgten dieser Orientierung. Christa Wolf übernahm 1960/61 die Betreuung eines Zirkels schreibender Arbeiter im Waggonwerk Ammendorf und wurde Mitglied einer Brigade. Hier fand sie den Stoff für eine neue Erzählung, deren Fabel zunächst um eine traditionelle Dreiecksgeschichte organisiert war: Ein auf dem Lande groß gewordenes Mädchen liebt einen Chemiker, der sie am Ende nicht bekommt; der dritte ist ein junger Meister, zur »Bewährung« in die Brigade geschickt, in der das Mädchen, nunmehr Studentin, ein Praktikum macht.

Nach Durchsicht der verschiedenen Manuskriptanfänge stellte sich bald ein Gefühl der Unzufriedenheit ein:

> »Die Langwierigkeit des Vorgangs, den man schreiben nennt, erbittert mich. Aus der reinen Brigadegeschichte haben sich schon ein paar Gesichter herausgehoben, Leute, die ich besser kenne und zu einer Geschichte miteinander verknüpft habe, die, wie ich deutlich sehe, noch viel zu simpel ist. [...] Es ist merkwürdig, daß diese banalen Vorgänge, ›dem Leben abgelauscht‹, auf den Seiten eines Manuskripts ihre Banalität bis zur Unerträglichkeit steigern. Ich weiß, daß die wirkliche Arbeit erst beginnen wird, wenn die Überidee gefunden ist, die den banalen Stoff erzählbar und erzählenswert macht.«[55]

Das schrieb Christa Wolf im Herbst 1960, erkennend, daß weder der Stoff allein noch genauere Kenntnis von Schauplatz und Milieu eine tragfähige Geschichte garantieren. Während ihrer Arbeit im Waggonwerk hatte sie festgestellt, wie empfindlich der Mechanismus der modernen Gesellschaft auf jede Verletzung der ihm zugrunde liegenden ökonomischen Gesetze reagiert und wie direkt manchmal ökonomische Fehler, Versäumnisse oder einfach unbekannte Prozesse zu menschlichen Konflikten führen, die abzubilden und zu gestalten sich als äußerst schwierig erwies. Guter Wille allein reichte nicht aus.

Schaffenspsychologische Probleme und die Frage, wie empirisch gewonnene Eindrücke literarisch umzusetzen seien, hatte Christa Wolf schon 1959 in ihrem ersten Interview mit Anna Seghers angesprochen (Di I 255). Auch die Rezension zu deren Roman *Die Entscheidung* (1959) dokumentiert das besondere Interesse der Nachwuchsautorin an methodischen und gestaltungstechnischen Aspekten im Umgang mit Gegenwartsstoffen:

> »Wer des Ausgangs der wirren Zeitläufte so sicher ist, der hat Zeit und kann als Erzähler seinen Gestalten Zeit geben zu wachsen, zu versagen, sich schließlich doch zu bewähren oder endgültig abzufallen – ihr wahres Gesicht zu offenbaren.«[56]

Die Auseinandersetzung mit Fragen des Schreibens – ein wesentliches Thema ihrer Prosa und Essayistik – setzte ein mit Überlegungen dazu, in welchem Maße ein Autor seine Erfahrungen organisieren könne.

Zunächst noch nicht so prononciert wie Franz Fühmann, dennoch dieselbe Richtung einschlagend, begann sie neu über die Aufgaben des Schriftstellers nachzudenken. Fühmann hatte, seine Zeit auf der Rostocker Warnow-Werft erinnernd, in Vorbereitung der Zweiten Bitterfelder Konferenz (1964) in einem Brief an den Kulturminister die kulturpolitischen Maßgaben problematisiert. Für ihn hatte sich herausgestellt, daß er, um einen künstlerisch befriedigenden Roman mit einem Stoff aus der Arbeitswelt schreiben zu können, über Erfahrungen verfügen müsse, die er nicht hatte und die auch durch einen Aufenthalt in einem Werk nicht nachzuholen waren.[57] Christa Wolf schrieb:

> »Ob es einem aber frei steht, beliebige, vielleicht vom sozialen Standpunkt wünschenswerte Erfahrungen zu machen, für die man durch Herkunft und Charakterstruktur ungeeignet ist? Kennenlernen kann man vieles, natürlich. Aber *erfahren*?«[58]

Ihre Suche nach einem festen Punkt, nach einer »Überidee«, von der aus sie ihre Geschichte erzählen beziehungsweise sich mit ihren eigenen Erfahrungen einschalten konnte, erledigte sich ein halbes Jahr nach der essayistischen Notiz über deren Fehlen von selbst. Die Grenzsicherungsmaßnahmen vom 13. August 1961 hatten neue Realitäten geschaffen, die tief in das Leben vieler Menschen eingreifen sollten. Da sie von Anfang an die unmittelbare Gegenwart, die Jahre 1959 bis 1961, als zeitliche Bezugsebene ihrer Geschichte gewählt hatte, lagen die neuen Aspekte für Handlungsführung und Fabel, Figurenwahl und Figurenentwicklung sozusagen auf der Hand. Die grundsätzliche Veränderung der nationalen Situation brachte die konfliktentscheidende Dimension. Der ursprünglich reportagehaft gebaute Bericht um Lebens- und Produktionserfahrungen von Menschen in dem Teil Deutschlands, der sich angeschickt hatte, eine neue Gesellschaftsordnung aufzubauen, verwandelte sich vor dem Horizont politischer Tatsachen und folgenschwerer Entscheidungen zu einer Geschichte um die auch äußerlich besiegelte Teilung Deutschlands in zwei selbständige Staaten mit unterschiedlichen Gesellschaftssystemen. Das poetische Zentrum der Fabel konzentriert sich nun auf den schmerzvoll erfahrenen Verlust eines Menschen vor dem Hintergrund eines widerspruchsorientierten Lebensentwurfs innerhalb dieser Gesellschaft.

Die Geschichte beginnt mit einer dem Erzählgeschehen als Prolog vorangestellten, allgemeine Atmosphäre vermittelnden Situationsschilderung. Die Rede ist von einem außergewöhnlichen, jedoch nicht näher erklärten Ereignis, von abgewendeten Gefahren und von wiederaufgenommenen Gesprächen, von der Zuwendung der Menschen zu alltäglichen Freuden und Ärgernissen:

> »Ein Schatten war über die Stadt gefallen, nun war sie wieder heiß und lebendig, sie gebar und begrub, sie gab Leben und forderte Leben, täglich [...] Wir gewöhnen uns wieder, ruhig zu schlafen«. (GH 7)

Es erfolgt ein plötzlicher Umschlag von beschreibendem Erzählen und wertender Beobachtung, ausgedrückt durch den Übergang zum Präsens. Ein direkter, den Leser ansprechender Redegestus wird mit dem Gebrauch des »wir« angekündigt und zugleich auf eine Verknüpfung verschiedener Erzählebenen hingedeutet. Dieser erzählerischen Eigenheit wird man bei Christa Wolf immer wieder begegnen. Dem Gebrauch des kollektiven »wir« liegt die Annahme gleicher Interessen bei Autor und Leser zugrunde; von einem gemeinsam erlebten und bewerteten historischen Erlebnishintergrund ausgehend, macht sich die Erzählerin (und mit ihr die Autorin) den Leser durch die Art der Ansprache zum Verbündeten.

> »Wir gewöhnen uns wieder, ruhig zu schlafen. Wir leben aus dem vollen, als gäbe es übergenug von diesem seltsamen Stoff Leben, als könnte er nie zu Ende gehen« (GH 7),

heißt es jeweils am Ende von Prolog und Epilog, die die Erzähl- und Erinnerungshandlung einrahmen und zugleich verdeutlichen: Hier wird aus dem Bewußtsein eines überstandenen Konflikts erzählt. Die Erlebnisebene erscheint ideologisch eindeutig vorbestimmt, durch den Geschichtsverlauf bestätigt und authentisch belegt. Die allgemeine Atmosphäre einer spannungsgeladenen Zeit als Handlungshintergrund verweist indirekt auf die Stimmung um den 13. August 1961. Angst und Furcht sind nach evozierter Bedrohung abgebaut worden, existentielle Schwierigkeiten gemeistert. Die Menschen können wieder zum Alltag zurückkehren; die Erzählerin richtet die Aufmerksamkeit auf den Hergang, das Wie der Konfliktbewältigung.

In einem Interview nach der literarischen Tradition befragt, in der sie sich sieht, nannte Christa Wolf nach Anna Seghers

> »Büchner, Kleist als Prosaautoren, Thomas Mann. Dann eine Zeitlang Aragon [in einem anderen Zusammenhang bezog sie sich insbesondere auf *Die Karwoche*; d. Verf.] Thomas Wolfe. Die Südamerikaner. Sehr wichtig für mich ein Autor wie Bulgakow: ›Der Meister und Margarita‹. Tolstoi. Dostojewksi: ›Brüder Karamasow.‹« (1983; Di II 479)

Für die Zeit, in der *Der geteilte Himmel* konzipiert wurde und speziell auch für die Entstehungsgeschichte der Erzählung selbst wären Bücher und Autoren hinzuzufügen, die einer Reihe von Schriftstellern besonders aus der jüngeren Generation wichtige Anregungen gegeben haben. Es handelt sich dabei um jene nach dem XX. Parteitag der KPdSU entstandenen und Ende der fünfziger, Anfang der sechziger Jahre in deutsch erschienenen, das Subjektive favorisierenden Romane sowjetischer Gegenwartsautoren. Zu nennen wären Valentin Owetschkins *Frühlingsstürme*,[59] Galina Nikolajewas *Schlacht unterwegs* oder auch Tschingis Aitmatows von Louis Aragon als eine der schönsten Liebesgeschichten der Weltliteratur bezeichnete Erzählung *Djamila*. Im Zusammenhang mit der Arbeit an *Der geteilte Himmel* war es insbesondere Ilja Ehrenburgs Revolutionsroman *Der zweite Tag* (1932/33, dt.1959), der einen stimulierenden Effekt für das eigene erzählerische Vorhaben gehabt hat. Die biblische Metaphorik im Titel, mehr noch aber der epische Rhythmus des Erzähleinstiegs, die im ersten Absatz angeschlagene Tonart, mit der ein historischer Horizont für das folgende Individualgeschehen vorgegeben wird, hatten wichtige Impulse vermittelt. Die Atmosphäre am Beginn ihrer Erzählung – von der zeitgenössischen Kritik auch mit der

Machart von Arnold Zweigs Prolog in *Der Streit um den Sergeanten Grischa* verglichen[60] – ist dem Duktus Ehrenburgs sehr verwandt, vergleicht man die Art und Weise, wie bei Erzählbeginn Natur und Individuen, Makro- und Mikrokosmos in einem bestimmten historischen Augenblick zusammengeschlossen werden, um sich zu einer exemplarischen Geschichte zu verdichten.

Die Umstände, unter denen die Hauptfigur Rita Seidel in die Erzählhandlung eingeführt wird, geben dem Erzählverfahren eine bestimmte, auf erinnernde Reflexion hinweisende Richtung und verweisen schon zu Erzählbeginn auf verschiedene Erzählebenen. Der erste Handlungsort, an dem der Leser ihr begegnet, ist ein Krankenzimmer. Physisch gesund, wird sie zur weiteren Behandlung in ein Sanatorium entlassen, um hier alles Erlebte, ihre »banale« (GH 11) Geschichte, in einem gleichsam therapeutischen Vorgang noch einmal zu erinnern, den Erfahrungsdruck nach durchlebter Krise im Prozeß der Selbsterforschung gedanklich zu verarbeiten. »Was noch zu bewältigen wäre, ist dieses aufdringliche Gefühl: Die zielen genau auf mich« (GH 11), heißt es am Ende des ersten Kapitels. Es folgt die teils monologisch erinnerte, teils von einer Erzählerfigur wiedergegebene Geschichte vom Scheitern einer großen Liebe, von Versagen, Trennung und Bewährung.

Mit dem entscheidenden Einfall, die Entwicklungsgeschichte ihrer Hauptfigur auf zwei Ebenen vorzustellen, hatte Christa Wolf eine Erzählstrategie gefunden, die es ihr erlaubte, den Werdegang unter den verschiedensten Aspekten zu beleuchten, in unterschiedliche Bezüge zu Menschen und Zeitereignissen zu stellen. Ein Entwicklungsroman im herkömmlichen Sinne wird nicht geboten. Im Vordergrund des Erzählvorgangs stehen nicht die einzelnen Bildungsstationen, sondern die retrospektiv aufgerufenen, nach verschiedenen Seiten hin erörterten Bewußtseinsprozesse. Aus dem montageartig verknüpften Doppelvorgang erinnernder Reflexion und erzählter Vergangenheit wächst die geistige Spannung der Erzählung.

Die an den Leser gerichtete Einladung zum Mitvollzug reflektierender Erinnerung erfolgt zu einem Zeitpunkt, da die

Ereignisse abgeschlossen sind und die Fähigkeit zur Reflexion des Geschehenen schon eingesetzt hat. Die Katharsis der Heldin hat einen sinnstiftenden Charakter. Der individuelle Genesungsprozeß läßt sich als Gleichnis von gesellschaftlicher Relevanz rekonstruieren.

Nach dem einleitenden, einem Präludium vergleichbaren Teil wird die Aufmerksamkeit auf das innere Erleben der Heldin gelenkt, deren Gedankenfluß von einer sich einschaltenden objektivierenden Erzählerfigur unvermittelt unterbrochen wird – Verweis auf eine fiktive Erzählwirklichkeit. Personale und auktoriale Erzählperspektive wechseln. Die durch direkte Rede aufgelockerte, mit dem Monolog verknüpfte Erlebnisebene verläuft parallel zu den Reflexionen. Die erzählte Geschichte erscheint nicht als Abfolge von Aktion und Reaktion, sondern als Mosaik aus Handlung und Erinnerung, deren chronologische Abfolge durch Vor- und Rückblenden aus der subjektiv gebrochenen Sicht von handelnden und reflektierenden Figuren dargestellt ist.

Manfred Herrfurth wird durch Rita eingeführt:

> »Als er damals vor zwei Jahren in unser Dorf kam, fiel er mir sofort auf. [...] Er wohnte bei einer Verwandten, die vor niemandem Geheimnisse hatte. Da wußte ich bald so gut wie jeder andere, daß der junge Mann ein studierter Chemiker war und daß er sich im Dorf erholen wollte. Vor seiner Doktorarbeit, unter der dann stand: ›Mit Auszeichnung‹. Ich hab's selbst gesehen. Aber das kommt später.« (GH 11)

Rita Seidel ist zunächst als Persönlichkeit kaum konturiert. Während des Krieges geboren, wuchs sie in der Geborgenheit überschaubarer sozialer Strukturen auf:

> »Sie war zufrieden mit ihrem Dorf: Rotdächrige Häuser in kleinen Gruppen, dazu Wald und Wiese und Feld und Himmel in dem richtigen Gleichgewicht.« (GH 11)

Das Leben verläuft denkbar eintönig. Tagsüber die Arbeit im Büro, »abends las sie Romane, und ein Gefühl der Verlorenheit breitete sich in ihr aus« (GH 16). Der zehn Jahre ältere Manfred tritt als eine Art Märchenprinz auf den Plan, der sie aus ihrem Dornröschenschlaf erweckt. In einem an »Frauenromane« erinnernden Erzählstil heißt es:

»Die ganzen neunzehn Jahre, Wünsche, Taten, Gedanken, Träume, waren zu nichts anderem dagewesen, als sie gerade für diesen Augenblick [...] vorzubereiten.« (GH 13)

Vor allem in den Liebesszenen häufen sich klischeeartige Wendungen, wie etwa »Sein Blick hatte sie getroffen wie ein Stoß« (GH 18); hinzu kommt die häufige Verwendung von Epitheta. Über weite Strecken erscheint die sprachliche Gestaltung unbeholfen, so, wenn Rita rot wird »bis an die braunen Haarwurzeln« (GH 14) oder wenn das Zimmer von Rita und Manfred in der ersten Liebesnacht zur »Gondel einer riesigen Schaukel« wird, die »irgendwo in der blauschwarzen Himmelskuppel festgemacht war« (GH 29).

Der aus kleinbürgerlichem Elternhaus stammende Manfred hat im Gegensatz zu Rita eine genauer durchforschte und von der Autorin plastisch vergegenwärtigte, mit Detail- und Milieukenntnis geschilderte Biografie. (Die Geschichte seiner Herkunft werden aufmerksame Leser in modifizierter Form später in *Kindheitsmuster* und noch einmal in dem Essay *Krankheit und Liebesentzug* (1984)[61] wiederfinden.) Er gehört der Generation an, deren Kindheit und frühe Jugend durch Nationalsozialismus und Krieg geprägt worden ist, die die NS-Ideologie »mit dieser tödlichen Gleichgültigkeit infiziert hat, die man so schwer wieder los wird« (GH 44), und die nach Kriegsende ansehen mußte, daß Mitläufer Mitläufer blieben. Skepsis und (später) Zynismus sind das Ergebnis erfahrener Desillusionierung, die sich als gespaltenes Lebensgefühl der neuen Gesellschaft gegenüber äußert. Enttäuschungen im Studium manifestieren den Hang zur Abkapselung von der Außenwelt. Bis zu seiner Bekanntschaft mit Rita lebte er ausschließlich seiner wissenschaftlichen Arbeit. Die Liebesbeziehung ist für beide zunächst eine Bereicherung, aus der schließlich die unterschiedlichen Lebenskonsequenzen erwachsen. Symbolhaft erscheint die Situation der Liebenden im Bild eines Traumes. Sie schaukeln in einem zerbrechlichen Kahn auf den Wellen einer untergegangenen Stadt. Ihre Zeichen werden nicht gehört. »Neun Monate später war das Boot untergegangen. Sie standen an verschiedenen Ufern« (GH 105), heißt es zu Beginn des 16. Kapitels, in der Mitte der Erzählung, deren Wende in diesem Bild schon enthalten ist.

Warum sind sie untergegangen? Welches sind die verschiedenen Ufer, und warum hat keiner ihre Hilferufe gehört? Dem Leser wird nahegelegt, das Sinnzentrum der Erzählung in der Beantwortung dieser Fragen zu finden. Seine Aufmerksamkeit wird besonders auf beider unterschiedliche Erlebniswelten und soziale Beziehungsfelder gelenkt. Indem sich Rita beim Lehrerstudium und während des Praktikums im Waggonwerk emanzipiert, ihre Persönlichkeit ausprägen kann, weil sie in ihrer Brigade gefordert wird, gelingt es ihr vorübergehend, Manfred aus der Pose des intellektuellen Skeptikers herauszuholen. Sie kann ihm das wichtige Gefühl vermitteln, gebraucht zu werden. Hier ist ein in Christa Wolfs Prosa wiederkehrendes Motiv erstmals angeschlagen.

Doch bald schon setzt Entfremdung voneinander ein, zu sehr sind sie in unterschiedliche Rollensituationen eingebunden. Zunächst äußert sich dies in der wachsenden Unfähigkeit, miteinander zu sprechen:

> »Wenn man es recht nimmt, gab es allmählich zu viele Dinge, über die sie nicht gründlich und rückhaltlos sprachen.« (GH 151)

Nach und nach werden Konflikte erinnert und deren Ursachen nachgeforscht, Handlungsmotivationen einzelner Figuren auf ihre sozialen und subjektiven Bedingungen hin befragt. Viele Handlungselemente kreisen um Fragen des Umgangs mit und der Bewertung von Verhaltensweisen. Welchen Spielraum hat der einzelne, seine Identität zu finden, Möglichkeiten für Selbstverwirklichung zu erproben? Wie wird er in gesellschaftliche Entscheidungsfindungen einbezogen? Manfred gilt am Ende als erwiesen, daß seine Arbeit keine Wertschätzung erfährt.

> »Sie brauchten ihn nicht. Da gab es irgendwelche Leute, die konnten große Hoffnungen eines Menschen mit einem Federstrich vernichten.« (GH 145)

Ein wesentliches Wirkungspotential der Erzählung liegt in der Nachhaltigkeit, mit der die Lebensansprüche des einzelnen und reale Möglichkeiten, sie zu realisieren, ins Verhältnis gesetzt werden. Ein Motiv, das hier anklingt und in *Nachdenken über Christa T.* im Mittelpunkt steht.

Die Aufbruchstimmung der frühen sechziger Jahre wird über weite Strecken mehr über Dialoge als über Handlungen der Figuren vermittelt. »Moral in diese Welt bringen, das wollt ihr doch, nicht wahr?« fragt Manfred den Betriebsleiter Wendland, der ihm antwortet: »Es ist eine Existenzfrage der Menschheit.« (GH 196)

Um moralisches Versagen oder Bestehen geht es auch im Konflikt zwischen Rita und Manfred. Enttäuscht von bürokratischem und engstirnigem Verhalten gibt Manfred schließlich den Kampf um die Anerkennung seiner Erfindung auf und verläßt die DDR. Vor die Entscheidung gestellt, dem Geliebten in eine fremde Welt zu folgen oder sich auf die Qualitäten zu besinnen, die letztlich den Sinn ihres Lebens ausmachen, unterzieht sich Rita einer letzten Prüfung. Sie fährt nach Westberlin und erlebt den fremd gewordenen Manfred in einer Umwelt, deren Wohlstandsorientiertheit sie abstößt. An dem Punkt erscheint seine Flucht wie ein Sinnbild persönlichen Scheiterns, des Unvermögens auch, mit sich selbst fertig zu werden. Jedoch verbleibt die Autorin nicht bei der Beschreibung moralischer Defizite. Sie versucht vielmehr, den Hintergründen und Antrieben für Manfreds Entscheidung auf die Spur zu kommen. Mit der Darstellung unterschiedlicher Handlungsweisen beziehungsweise handlungsauslösender Motivationen arbeitet sie bloßer moralischer Verurteilung entgegen. Die Tatsache, daß Manfreds Weggang als ein Verlust beschrieben ist, an dem Rita fast zerbricht, bekommt paradigmatische Bedeutung.

Rufen wir uns das historische Bezugsfeld der Erzählhandlung, die Jahre 1959 bis 1961, in Erinnerung. Die Zeitungen sind voll von Zeugnissen einer deutlichen Eskalation des kalten Krieges, dessen Auswirkungen sich vor allem durch Wirtschaftsboykotte empfindlich bemerkbar machten. Das Konzept ökonomischer und demographischer Schwächung der DDR schien am Ende dieses Jahrzehnts aufzugehen. Täglich verließ eine wachsende Zahl von Facharbeitern, Lehrern, Ärzten das Land. Gründe dafür gab es viele. Sie reichten von der gezielten

Abwerbung bis zu vordergründig auf Konsum orientierte Erwartungen an ein Leben im ›goldenen Westen‹. Sozialismusinterne Konflikte und Entwicklungswidersprüche, Verstöße gegen die sozialistische Demokratie trugen nicht unwesentlich dazu bei, daß sich die Gesamtzahl der Beschäftigten durch Republikflucht von 1950 bis 1960 um nahezu 1,1 Millionen verringert hatte. Am 30. September 1960 lag sie um etwa 30000 unter der Vergleichszahl vom Jahresende 1959.[62] Im September 1960 hatte die Adenauer-Regierung das Handelsabkommen zwischen beiden deutschen Staaten zum Jahresende gekündigt. Obwohl es dann doch wieder in Kraft gesetzt wurde, war die Lage so destabilisiert, daß Sicherheit und Integrität der DDR nicht mehr gewährleistet schienen. Damit zeichnete sich eine Situation ab, die das durch die Ergebnisse des zweiten Weltkrieges konsolidierte politische Gleichgewicht in Europa ernsthaft zu gefährden drohte. Mit der Sicherung der Staatsgrenze der DDR war schließlich eine Entscheidung zur Verhinderung neuerlicher Kriegsgefahr getroffen, mit deren Hilfe sich die Politik der friedlichen Koexistenz weiterführen ließ. Durch sie waren neue Tatsachen und Voraussetzungen für die souveräne Weiterentwicklung des sozialistischen deutschen Staates geschaffen worden. Der subjektiven Tragödien eingedenk, die sich damit verbanden, wurde die Mauer durch Berlin von vielen als notwendige Voraussetzung einer erhofften »störfreien« Entwicklung akzeptiert.

Christa Wolf gehörte zu denen, die ihrer Hoffnung auf eine nunmehr beschleunigt durchzusetzende sozialistische Demokratisierung bei verschiedenen Gelegenheiten öffentlich Ausdruck verliehen und ihre Entschlossenheit bekundeten, diesen Prozeß nach Kräften zu unterstützen. In einem Brief an Gerti Tetzner, die sich ratsuchend an sie gewandt hatte, spricht Christa Wolf von der historisch herangereiften Chance einer »schnell fortschreitenden echten Demokratisierung« (1965; Di I 112). Und in einer Rede von 1962 heißt es:

> »Wir stehen augenblicklich auf einem Punkt, wo es die Entwicklung fordert, die Grenzen, die dem Humanismus in bestimmten Klassensituationen gesetzt sind, gesetzt sein müssen, zu erweitern – in weit höherem Maße als wir das bisher

glaubten, tun zu können. Der 13. August ermöglichte es uns, die Grenzen in unserem eigenen Lande, in unserem Innern, in der Diskussion mit unseren Menschen, in der Arbeit mit ihnen, auszudehnen.«[63]

Dieser Blick in die Innenräume der Gesellschaft verbindet sich in neuer Weise mit der Konzentration auf die innere Lebenszeit der Individuen und darauf, wie die Gesellschaft auf den einzelnen einzugehen vermag.

Republikflucht und Entscheidung für den sozialistischen deutschen Staat gehören zu den in der Geschichte der DDR-Literatur häufig behandelten Motiven. »Darf auch nur ein Mensch/ Verlorengehen? /Hier?« lautet die an den Leser gerichtete Frage in Volker Brauns Gedicht *Einer* von 1963.[64]

Da Literatur immer auf bereits vorhandene Literatur reagiert, resultiert auch Christa Wolfs Zuwendung zu diesem Themenbereich nicht nur aus unmittelbaren Wirklichkeitserfahrungen, sondern auch aus dem von ihr als allzu eingleisig empfundenen literarischen Umgang mit dem Thema nationaler Identitätsfindung. Anna Seghers' programmatisch betitelter Roman *Die Entscheidung* (1959) und Brigitte Reimanns Erzählung *Die Geschwister* (1963) lagen vor, als sie ihre Arbeit an *Der geteilte Himmel* aufnahm.

Das vielzitierte Entscheidungsmotiv ist bei ihr nicht allein auf die Wahl zwischen konträren Welten bezogen, sondern weitergeführt zur Frage nach den Entfaltungsmöglichkeiten des einzelnen. Die Verantwortung für Scheitern wird erstmals nicht allein nach außen verlagert, sondern auch festgemacht an den Möglichkeiten, den Spielräumen, die der einzelne in der Gesellschaft hat. Abwerbung oder Konsumdenken spielen eine untergeordnete Rolle. Trauer über versäumte Lebenschancen, über gescheiterte Liebe, über »unverstandenen Schmerz, ungekannte Freude und eine nie gesehene Sonne über fremdem Land« (GH 121) werden auch angesichts der gewaltigen gesellschaftlich zu lösenden Aufgaben nicht als unangemessen denunziert.

Keine der Figuren ist von der Art eines Vorbilds ohne Fehl und Tadel. Der Gefahr, die Helden in ein Wunschkorsett zu pressen und sie längst gesicherte »Auch-Wahrheiten« lösen zu lassen, auf die Anna Seghers mit Blick auf die Literatur der fünfziger Jahre in ihrer Rede auf dem IV. Schriftstellerkongreß nachdrücklich aufmerksam machte, begegnete Christa Wolf, indem sie auch die ›positiven‹ Figuren mit einer Fülle von (zumeist im Privatleben auftauchenden) Widersprüchen und Problemen ausstattete. Niemand ist vollkommen oder glänzt durch Makellosigkeit. Keiner muß ein Held sein, um sein Leben zu meistern. Die von den Figuren durchschrittene Erlebniswelt wirkt immer dann am überzeugendsten, wenn die Akteure der Geschehnisse Menschen mit durchschnittlichen Eigenschaften und Fähigkeiten sind. Figuren wie der Lehrer Schwarzenbach und der Arbeiter mit der »rückläufigen Kaderentwicklung« Meternagel oder der Betriebsleiter Wendland sind in ein psychosoziales Umfeld gestellt, innerhalb dessen sie als widerspruchsvolle und deshalb interessante Persönlichkeiten erscheinen. Sie sind die Sympathieträger der Erzählung, weil sie sich bewähren müssen und auch versagen. Mit ihrem Anliegen, »Moral in diese Welt (zu) bringen« (GH 196), verkörpern sie Lebensgrundsätze, die auf widerspruchsreichen Wirklichkeitserfahrungen gründen. Wenn der Konflikt zwischen Rita und Manfred sich letztlich auf der Ebene gegensätzlicher Gesellschaftskonzepte und deren weltanschaulichen Prämissen entscheidet, so geht er doch auch mitten durch die Figuren und ihre Lebensprinzipien hindurch.

Die negativ bewerteten Figuren hingegen wirken eher wie Beispiele verurteilungswürdiger Haltungen, Manfreds Eltern etwa, die bis in die geschilderten Äußerlichkeiten der Lebensweise als Prototypen heuchlerischen und hinterhältigen Kleinbürgertums erkennbar sind, oder der Dogmatiker Mangold, der unfähig ist, sich in die realen Konflikte der Menschen hineinzudenken und im Selbstbewußtsein eines ›Rechtgläubigen‹ nach abstrakten Lehrsätzen handelt. Die Intellektuellen, repräsentiert durch Manfreds Professor und dessen Assistenten, tragen Masken, hinter denen sie ihre wirkliche Haltung verbergen. Sie wirken in ihren Rollenklischees kolportagehaft.

Bemerkenswert ist die Unmittelbarkeit, mit der sich die Autorin über ihre Figuren zu den brennenden Zeitproblemen in Beziehung setzt:

»Jawohl, wir haben eine besondere Lage. Zum erstenmal sind wir reif, der Wahrheit ins Gesicht zu sehen. Das Schwere nicht in leicht umdeuten, das Dunkle nicht in hell. Vertrauen nicht mißbrauchen. Es ist das Kostbarste, was wir uns erworben haben. Taktik – gewiß. Aber doch nur Taktik, die zur Wahrheit hinführt.

Sozialismus – das ist doch keine magische Zauberformel. Manchmal glauben wir, etwas zu verändern, indem wir es neu benennen [...] Die reine nackte Wahrheit, und nur sie, ist auf die Dauer der Schlüssel zum Menschen. Warum sollen wir unseren entscheidenden Vorteil freiwillig aus der Hand legen?« (GH 249)

Wie schon in *Moskauer Novelle* arbeitet Christa Wolf auch in dieser Erzählung mit einer Fülle von Motiven und Symbolen, die Emotionen ausdrücken. Gleichnishaft verwendete Naturbilder wirken wie gemalte Stimmungen sinnlicher Wahrnehmungen, wenn zum Beispiel metaphorisch eingesetzte Farbschattierungen als Sinnbild für den Zusammenhang von Jahreszeiten und Wetterverhältnissen in ihren Auswirkungen auf die Befindlichkeit der Menschen fungieren. Mit Grautönen herbstlicher Bilder verbinden sich Traurigkeit und Schwermut. In ihrer einfühlsamen, über weite Strecken lyrisch und emotional wirkenden Sprache liegt eine wesentliche Wirkungspotenz der Erzählung, in der im übrigen im Gegensatz zu *Moskauer Novelle* mehr geweint als gelacht, allenfalls gelächelt wird:

»Sie tauchten mit aus der Nacht auf. Sie sahen sich an und lächelten.

[...] Blieb das Lächeln? War es nicht allzu gefährdet? Wurde es nicht dem grellen Lachen geopfert, dem Zeichen unüberbrückbarer Einsamkeit?

Das Lächeln blieb, lange, auch hinter leichtem Tränenschleier. Es blieb zwischen uns als geheimes, wunderbares Signal«. (GH 30)

Über die Himmelsmetapher erhalten die verschiedensten Lebensbereiche ihre symbolgeladene Bewertung. Für Rita und Manfred verbindet sich mit dem Himmel je nach emotionaler Befindlichkeit Schutz oder Bedrohung, Harmonie oder Zwiespalt. Im beziehungsreichen Titel ist die Aussage vorwegge-

Szenenfoto
aus dem DEFA-Film
»Der geteilte Himmel«
(1964,
Regie: Konrad Wolf)

nommen, mit der gegen Ende der Erzählung die gesamte Handlung noch einmal zusammengefaßt erscheint. Als Gleichnis für die reale geschichtliche und nationale Situation wird der Himmel zum Sinnbild unterschiedlicher Wertvorstellungen:

»›Den Himmel wenigstens können sie nicht zerteilen‹, sagte Manfred spöttisch.

Den Himmel? Dieses ganze Gewölbe von Hoffnung und Sehnsucht, von Liebe und Trauer? ›Doch‹, sagte sie leise. ›Der Himmel teilt sich zuallererst.‹« (GH 250)

Die Teilung der Welt setzt sich in der Teilung des Himmels fort – und das nicht nur im politischen Sinne.

Mit den sich gerade erst abzeichnenden realen Möglichkeiten, das Weltall zu friedlichen Zwecken zu nutzen – am 12. April 1961 war das erste bemannte Raumschiff in Baikonur gestartet worden –, verbindet sich das Vertrauen auf Entfaltung menschlicher Schöpferkraft in bisher ungeahnten, allenfalls als Utopie entworfenen Dimensionen. Die geradezu hymnisch gefeierte »Nachricht« von der Eroberung des Himmels durch den Menschen, und einen sowjetischen dazu, beinhaltet Stolz auf die revolutionierende technische Leistung. Sie ist Quelle des Optimismus. Juri Gagarins Flug ins Weltall wird als lebendiger Beweis für die Stärke der sozialistischen Gesellschaft, als Aufklang des Kommunismus gewertet. Der Kontrast zu den auf der Erde nicht bewältigten Aufgaben und Problemen ist offensichtlich, aber er entmutigt nicht. Wenn etwa die Probefahrt der Waggonbauer mit dem neuen Wagen mißglückt, steht der irdische Versuch dennoch unter dem günstigen künstlichen Stern, der Zuversicht vermittelt und zugleich das vorhandene Bewußtsein über die Länge des noch zurückzulegenden Weges.

Dieser Himmel, dem mit dem Sputnik die Zeichen der Zukunft schon eingeschrieben sind, ist der alles bindende Rahmen für die Mühen und Freuden der Menschen, die sich der Unvollkommenheit ihrer Lebenssituation mehr oder weniger bewußt sind. So werden die Begleiterscheinungen der modernen Industrieproduktion durchaus registriert, jedoch als normal, gleichsam naturgegeben hingenommen:

> »Jedes Kind konnte hier die Richtung des Windes nach dem vorherrschenden Geruch bestimmen: Chemie oder Malzkaffee oder Braunkohle. Über allem diese Dunstglocke, Industrieabgase, die sich schwer atmen. Die Himmelsrichtungen bestimmte man hier nach den Schornsteinsilhouetten der großen Chemiebetriebe, die wie Festungen im Vorfeld der Stadt lagen.« (GH 33)

Umweltverschmutzung erscheint als ein vom Kapitalismus übernommenes, notwendiges Übel wissenschaftlich-technischer Entwicklung:

> »Das alles ist noch nicht alt, keine hundert Jahre. Nicht mal das zerstreute, durch Dreck und Ruß gefilterte Licht über dieser Landschaft ist alt: Ein, zwei Generationen vielleicht.« (GH 33)

Schilderungen umweltgefährdender moderner Industrieproduktion wirken eher wie ein nicht zu vermeidender Tribut der Natur an eine moderne Gesellschaft. Zwar wird konstatiert, daß der Fluß, »nützlicher und unfreundlicher geworden«,

> »watteweißen Schaum mit sich (führte), der übel roch und

vom Chemiewerk bis weit hinter die Stadt den Fisch vergiftete«, daß die »Kinder von heute [...] nicht daran denken (konnten), hier schwimmen zu lernen«, dennoch hatte der »Fluß nicht verlernt, Menschengesichter zu spiegeln, wenn sie sich an einer ruhigen Stelle weit genug über ihn beugten, den Atem anhielten und in das fließende Wasser blickten, lange.« (GH 34 f.)

Die Stadt steht zunächst für Kontaktarmut, Vereinzelung und Entfremdung. Rita sieht in hunderttausend Gesichter, und sie empfindet, unter den hundert in ihrem Dorf nie so allein gewesen zu sein. Das Dorf in harmonischer Landschaft ist eine Stätte der Zuflucht, in deren im reinen Wortsinn natürlicher Umgebung sich seelische Krisen leichter überstehen lassen. Dieses Bild findet sich in späteren Werken Christa Wolfs immer wieder. Folgen der Industrialisierung in diesem Bereich waren noch nicht abzusehen. Als sie die Arbeit an *Der geteilte Himmel* aufnahm, war die sozialistische Umgestaltung der Landwirtschaft noch nicht abgeschlossen. Mit wenigen Sätzen und aussagekräftigen Bildern erfaßt sie diesen außerordentlich widerspruchs- und konfliktreich verlaufenen Prozeß:

»Die Leute, die sie unterwegs traf, steckten voller Neuigkeiten. [...] Allmählich entdeckte sie neue Linien im Gesicht der Landschaft. Ackerflächen, deren Grenzen in einem anderen Winkel zum Horizont verliefen als die uralten Grabenrunzeln der Erde in früherer Zeit. So schnell prägten die neuen Züge sich nicht in die Gesichter der Menschen. Aber Rita spürte fast körperlich ihre Unruhe, ihre Angst vor Verlust, ihre noch unsichere Hoffnung auf Gewinn.« (GH 168)

Die im Prolog angedeutete Gewißheit, eine tiefe Krise überstanden zu haben, kann nach sorgfältiger Prüfung alles Erinnerten am Ende des Epilogs bestätigt werden:

»Daß wir uns gewöhnen, ruhig zu schlafen. Daß wir aus dem vollen leben, als gäbe es übergenug von diesem seltsamen Stoff Leben. Als könnte er nie zu Ende gehen.« (GH 266)

Ritas Hoffnung auf die jeden Abend neu hervorzubringende »Freundlichkeit, die tagsüber verbraucht wurde« (ebd.), weist in die Richtung eines weiteren Lebens ohne Illusionen, das nicht ohne Antizipationen verlaufen will.

Christa Wolfs Buch vermittelt Einblicke in ein Stück DDR-Geschichte, die sich als ein von den Handlungen der Menschen beeinflußter Prozeß darstellt. Fritz Cremers Mitte der sechziger Jahre entstandener Entwurf der später mehrfach bearbeiteten Figur vom Aufsteigenden, dem man Mühe, Last, Entschlossenheit und Spannkraft zugleich ansieht, bietet sich als aus demselben Zeitgeist entstandenes bildnerisches Pendant an.

Ritas Entscheidung zu einem konfliktbewußten Leben wird durch die Gewißheit, gebraucht zu werden, wesentlich beeinflußt. Die Aussage ist unüberlesbar: Geschichte verläuft nicht unabhängig vom Tun jedes einzelnen Menschen. Sie setzt sich als Fortschritt nur durch, wenn widerspruchsorientiertes Handeln selbstverständlich geworden ist und der einzelne Handlungsräume ausschreiten kann.

In der Rezeptionsgeschichte ist auf die Parallelität von *Der geteilte Himmel* und Uwe Johnsons 1959 im Suhrkamp-Verlag Frankfurt/M. erschienenem Roman *Mutmaßungen über Jakob* hingewiesen worden.[65] In der Tat sind stoffliche Verwandtschaft, gewisse Übereinstimmungen in Fabelführung und erzählerischer Grundkonzeption unübersehbar. Auch Johnsons Eisenbahner Jakob Abs war seiner Geliebten in den Westen nachgereist; wieder zurückgekehrt, wird er auf den Gleisen überfahren – ob Unfall, Selbstmord oder Mord, bleibt offen. Der grundlegende Unterschied liegt darin, daß Rita gerettet wird und als Figur selbst ihre Stimme geltend machen kann. Ihr wird Gelegenheit gegeben, sich reflektierend und damit aktiv zur Vergangenheit zu verhalten. Das Bild Jakobs, welches sich aus den »Mutmaßungen« anderer über ihn ergibt, bleibt verschwommen. Johnsons Hauptfigur war einsam. Christa Wolf dagegen stellt ihrer Protagonistin eine Reihe von Figuren zur Seite, die ihr helfen, den individuellen Konflikt zu bewältigen, ohne daß der Schmerz über den erlittenen Verlust damit nivelliert wird. Johnson läßt Jakobs Geschichte von einem um objektive und nüchterne Schilderung bemühten Berichterstatter wiedergeben. Christa Wolf dagegen betont ihre emotionale Beteiligung, indem sie Betroffenheit und Bereitschaft zum Mitleiden und zur Parteinahme in ihren Text hineinschreibt. Die durch Fragen und Vermutungen aufgelockerte Erzählstruktur erhält bei ihr den auf den Leser gerichteten Gestus der Verständigung unter Gleichgesinnten.

Die Aussage der Erzählung, daß die Durchsetzung neuer gesellschaftlicher Beziehungen einen Preis hat – individuell wie gesellschaftlich –, sorgte in der kritischen Öffentlichkeit für erhebliche Aufregung. Das nach Vorabdrucken in »Forum« und »Neue Deutsche Literatur« im Verlauf eines Jahres in 160000 Exemplaren erschienene Buch löste Debatten aus, wie man sie in solcher Breite und Heftigkeit bisher nicht erlebt hatte. »Es gibt kaum eine Publikation im Gesamt der Gegenwartsliteratur – Erwin Strittmatters ›Ole Bienkopp‹ inbegriffen –, die bisher so widerspruchsvolle Meinungsäußerungen ausgelöst hat. Es gibt aber auch wenig Werke, die so einhellig begrüßt und bejaht worden sind wie ›Der geteilte Himmel‹, die im Westen so aufmerksam beachtet und als Zeugnis ›kommunistischer Naivität‹ für besonders gefährlich angesehen werden. Es dürfte jedoch ganz wenige Bücher geben, über die einzelne Kritiker ein ebenso hartes wie ungerechtfertigtes Verdikt gefällt haben wie über die Erzählung von Christa Wolf«,[66] schrieb der Herausgeber Martin Reso in der Vorbemerkung zu dem Sammelband *»Der geteilte Himmel« und seine Kritiker* (1965). An der Debatte beteiligten sich Arbeiter, Techniker, Studenten, Kulturfunktionäre und Schriftsteller. Die Fronten verliefen quer durch die Gesellschaft. Schon die Überschriften der Rezensionen lesen sich wie vorangestellte Bekenntnisse ideologischer Grundüberzeugungen: »Sicher auf dem neuen Ufer«[67], »Den Blick zum klaren Horizont gewonnen«[68], »Tragische Erlebnisse in optimistischer Sicht«[69], »Prüfung unserer Menschlichkeit«[70], »Menschen mitten unter uns«[71] oder »Wagnisse«[72].

Während die einen aus Christa Wolfs Buch jene »Lebensbejahung neuer Art, wie man sie selber geahnt und erträumt hat oder vielleicht auch schon lange teilt«,[73] herauslasen, fanden die anderen das für sie zeitgemäße Lebensgefühl keinesfalls ausreichend widergespiegelt. Nicht wenigen Rezensenten fehlten vor allem die Orientierungsmöglichkeiten in den Handlungen der literarischen Helden. Was hier zur Debatte stand, waren keineswegs nur Gestaltungsfragen. Das Buch wurde von vielen als Beitrag zur grundsätzlichen Auseinandersetzung um die nationale Frage aufgefaßt. Es stand stellvertretend für eine als notwendig erkannte und zu wenig öffentlich geführte Selbstverständigung über durchaus kontroverse Einschätzungen und Wertungen. Während die einen kritisierten, die Autorin habe offengelassen, »daß die Spaltung Deutschlands und nicht das Wiedererstehen des deutschen Imperialismus ein Unglück«[74] darstelle, sahen die anderen den besonderen Wert des Buches darin, daß es sich realitätsbezogen und beispielgebend mit der Verabschiedung der »Illusion« von persönlichen und geschichtlichen »Hoffnungen«[75] auf einen ungeteilten Himmel auseinandersetze. Als sich die Kritiker der Hallenser »Freiheit« sogar dazu verstiegen, der Autorin eine »dekadente Lebensauffassung«[76] vorzuwerfen, drohte die Diskussion um das Buch, die als Streit zwischen Verbündeten begonnen hatte, in Verdächtigungen und ideologischen Zerrbildern zu erstarren.

Im Verlaufe der scharfen und teilweise unsachlich geführten Debatte mußte die von der Akademie der Künste für ihre Erzählung mit dem Heinrich-Mann-Preis ausgezeichnete Autorin schließlich als Person und Genossin vor Argumenten in Schutz genommen werden, die dort an politische Verdächtigungen heranreichten, wo ihr poetischer Text als Provokation einer politischen Grundaussage gewertet wurde. Die Auszeichnung mit dem Nationalpreis setzte gewissermaßen den Schlußpunkt unter die Debatte.

Christa Wolf hatte mit dieser Erzählung, die schon bald ins Rumänische, Serbische, Polnische, Kroatische, Bulgarische, Ungarische, Tschechische und Russische, ins Englische, Französische, Spanische, Finnische und Japanische übersetzt wurde, ihr eigenständiges Erzähltalent unter Beweis gestellt. Die 1962 getroffene Entscheidung, als freischaffende Schriftstellerin zu arbeiten, Schreiben als Mittel zu begreifen, »sich mit der Zeit zu verschmelzen« (1968; Di II 32), war nun endgültig gefallen.

III.
Die poetische Kraft des Nachdenkens

Die kontroverse Debatte war gerade abgeklungen, als der unter der Regie von Konrad Wolf entstandene DEFA-Film *Der geteilte Himmel* 1964 in die Kinos kam (Drehbuch Christa, Gerhard und Konrad Wolf, W. Brückner, Kurt Barthel).

Christa Wolf war es nicht leichtgefallen, den extrem auseinanderlaufenden politischen, strategischen und ästhetischen Wertungen zu ihrem zweiten Buch gelassen zu begegnen. In ihrer 1964 auf einer Plenartagung der Akademie der Künste gehaltenen Rede nahm sie noch einmal darauf Bezug:

> »Man muß sich zwingen, sich damit zu konfrontieren, daß es eben verschiedene Auffassungen darüber gibt, was Kunst ist, was Kunst heute bedeutet und welche Funktion sie in unserer Gesellschaft hat. Das muß man dann auch in der Diskussion sagen, und man darf keinen Schritt zurückweichen, auch wenn man selbst - das ist die große Schwierigkeit dabei - im Laufe der Zeit sieht, was alles wirklich zu kritisieren wäre. Aber diese Kritik kommt nicht, sondern es kommt die Kritik, gegen die man sich nicht nur um seiner selbst willen bis zuletzt verteidigen muß, und zwar, indem man den Kampf aufnimmt: nicht, indem man sagt: Freunde beruhigt euch; es ist alles da, es ist alles parteilich, es ist alles positiv. Man muß im Gegenteil sagen: Nein, es ist etwas anderes da, als ihr wollt, weil wir über Parteilichkeit und das Positive und über das Glück und andere Dinge verschiedener Meinung sind.«[77]

Diese Rede ist in mehrerer Hinsicht aufschlußreich, denn in ihr dokumentiert sich das aus dem Streit gewonnene und von verschiedenen Seiten durchaus auch bestärkte, qualitativ neue Selbstbewußtsein einer Autorin, deren schriftstellerischer Werdegang eng mit den Höhen und Tiefen der Entwicklung dieses Landes verbunden ist. Die Entschlossenheit, mit der sie ihre Position vortrug, zeugt von in der Auseinandersetzung gewonnenem Zuwachs an Erfahrungen, der sich auch in den Funktions- und Wirkungsvorstellungen von Literatur niederschlug.

Publizistik und Essayistik in den Zeiten des Umbruchs

Christa Wolfs Anteil an der sich seit Beginn der sechziger Jahre vollziehenden, später als Wende zur sozialismusinternen Auseinandersetzung[78] bezeichneten Umorientierung war kein geringer. Ihre Stimme hatte innerhalb der öffentlichen Erörterung gesellschaftlicher und künstlerischer Angelegenheiten an Gewicht gewonnen.

Die Reden und Aufsätze aus den frühen sechziger Jahren geben Aufschlüsse über die geschichtliche und ideologische Situation der Zeit. In ihrem pädagogischen Gestus dokumentieren sie darüber hinaus eine spezifische Art praktisch wahrgenommener politischer Verantwortung. Ein Beispiel ist die 1963 in der vielgelesenen Studentenzeitung »Forum« abgedruckte politische Standortbestimmung unter dem Titel *Wo liegt unsere »Terra incognita«?*. Max Frischs Tagebucheintragung vom Januar 1948 zitierend, in der es heißt: »[...] eine ganze Welt aber, eine entscheidend andere, eine Terra incognita, die unser Weltbild wesentlich verändern könnte, haben unsere Epiker nicht mehr abzugeben«,[79] appelliert die Autorin, das kollektive, vertrauenssichere »wir« der Anrede benutzend, an die Jugend, mehr Verantwortung für die Lösung gesellschaftlicher Aufgaben zu übernehmen, sozialismuseigene Widersprüche nicht nur als Hindernisse zu beklagen, sondern gegen sie anzugehen:

»[...] Vertrauen erzeugt Vertrauen und alles andere, was auf diesem gelockerten Boden wachsen kann. Ehrlichkeit, Freimut, Menschlichkeit in den Beziehungen untereinander. Das Hauptproblem vieler junger Menschen ist (und wird bleiben) die Spannung zwischen Ideal und Wirklichkeit, zwischen Glückserwartung und Glückserfüllung; der Widerspruch zwischen den ökonomischen, gesellschaftlichen, politischen Möglichkeiten, die wir schon haben, und ihrer oft unvollkommenen Verwirklichung durch uns alle. Gerade in ihrer Unzufriedenheit mit unseren Widersprüchen (hat nicht mancher von uns sich schon ganz bequem in der Unvermeidlichkeit immer neuer Widersprüche eingerichtet?) liegt eine ihrem Alter und unseren Verhältnissen angemessene Art der politischen Stellungnahme.«[80]

Die Betonung der Notwendigkeit, die sich bietenden Möglichkeiten zur Mitarbeit besser zu nutzen, gehört zu den wiederkehrenden, bei verschiedensten Gelegenheiten vorgetragenen Grundanliegen Christa Wolfs.

Ihr Diskussionsbeitrag auf der Zweiten Bitterfelder Konferenz 1964 ist ein wichtiger Beleg solchen Plädoyers, vorgetragen in der Zuversicht, verändernd auf die Wirklichkeit einwirken zu können. – Christa Wolf war, so ist zu vermuten, nicht nur wegen ihres kritischen und zugleich bekennenden Engagements eine gefragte Rednerin auf Konferenzen und Foren. Sie war es auch als Prototyp einer emanzipierten und gut aussehenden jungen Frau, die die gesetzlich verankerte, in der Praxis jedoch noch längst nicht überall durchgesetzte Gleichberechtigung der Frau in den verschiedenen Sphären gesellschaftlicher Tätigkeit zu demonstrieren imstande war. Die Zahl der sich in der Öffentlichkeit artikulierenden jungen Frauen war damals noch relativ gering, so daß die wenigen, die sich nach vorn wagten, entsprechend umworben wurden. – In ihrer Rede vor schreibenden Arbeitern, Schriftstellern, Kulturfunktionären und -politikern geht sie nach einem in ihren publizistischen Äußerungen häufig anzutreffenden Schema vor. Beginnend mit der Schilderung von Alltagsepisoden und persönlichen Erlebnissen, sucht sie ihren Lesern oder Zuhörern das ›eigentliche‹ Anliegen so anschaulich wie möglich nahezubringen. Auch in dieser Rede sind es Schilderungen von Eindrücken, die sie während ihrer Reisen in die BRD gemacht hat, mit denen die Besonderheit der Situation im eigenen Lande plastisch und konfrontativ herausgestellt wird. Sie sieht die Welt aus der Optik der Repräsentantin eines deutschen Staates, dessen Eigenständigkeit durch den »Alleinvertretungsanspruch« der Adenauer-Regierung entweder nicht zur Kenntnis genommen oder bestritten wurde. Beobachtete gesellschaftliche Widersprüche mitteilend, spricht sie über Wirtschaftswunder, Ostermarschbewegung und eine Aufführung von Rolf Hochhuths *Stellvertreter*, bevor sie zu Ingmar Bergmans Film *Das Schweigen* kommt, dessen Kunstverständnis Beklommenheit auslöste, Beleg für eine Kunst, die, auf Deutung der Welt verzichtend, den Menschen allein lasse, ihm die Relativität aller moralischen Werte suggeriere und dazu angetan sei, »letzten Endes auch wehrlos zu machen gegen Auschwitz« (1964; Di I 388).

Dagegen führt sie häufig noch ungenutzte Möglichkeiten der Kunstpraxis in der DDR ins Feld. Ausgehend von der grundsätzlichen Übereinstimmung der Kunst mit den gesellschaftlichen Entwicklungsgesetzen und den objektiven Interessen der Menschen, verweist sie auf ein vorhandenes Defizit: den mangelnden öffentlichen Diskurs über gesellschaftliche und inviduelle Probleme. Mit Authentischem operierend, wendet sie sich gegen die öffentliche Verbreitung von Harmonie, wo es eigentlich darum ginge, bestehende Widersprüche zu diskutieren. Eine Literaturkritik, der Franz Fühmann schon bescheinigt hatte, sie werfe einer »grünen Bank« vor, »daß sie kein blauer Tisch sei«,[81] war auch der ehemaligen Kritikerin Christa Wolf ein Dorn im Auge. Sie habe den Eindruck, so die inzwischen erfolgreiche Prosaautorin,

> »daß viele Kritiken nicht für die Leute geschrieben werden, die sie lesen sollen, und auch nicht für den Autor, sondern für irgendwelche in der Einbildung vorhandenen höheren Instanzen, die sich dazu freundlich äußern sollen. Da schwingt noch die Tendenz zu großer Vorsicht und eventu-

ell sogar der Angst aus einer Zeit mit, in der selbständiges Denken und Verantwortungsbewußtsein noch nicht so selbstverständlich waren wie heute«. (1964; Di I 394)

Dieser Diskussionsbeitrag auf der für die weitere kulturpolitische Orientierung so wichtigen Konferenz stellt sich im Nachhinein als eine Art Nahtstelle dar, denn hier klingen zum erstenmal Gedanken und theoretische Erörterungen an, die Christa Wolf später vertieft und ausbaut. Zum anderen ist diese Rede Beleg für ihr eingreifendes Funktionsverständnis von Literatur, innerhalb dessen sie den publizistischen Formen einen wichtigen Platz zuwies.

Befragt nach dem Sinn der Anstrengungen, ihres Einsatzes für Verhältnisse, in denen sich die Konflikte in der Konsequenz »moralischer, das heißt menschlicher« gestalten, kommt sie auf die Grunderfahrung ihrer Generation zurück:

»In diesem Teil Deutschlands, der vor zwanzig Jahren noch von Faschisten beherrscht und von verbitterten, verwirrten, haßerfüllten Leuten bewohnt wurde, ist der Grund gelegt zu einem vernünftigen Zusammenleben der Menschen. Die Vernunft – wir nennen es Sozialismus – ist in den Alltag eingedrungen. Sie ist das Maß, nach dem hier gemessen, das Ideal, in dessen Namen hier gelobt oder getadelt wird.« (1964; Di I 398).

Ihr operatives, auf Eingriffsmöglichkeiten in Entwicklungsprozesse ausgehendes Verhältnis zur Gesellschaft wurde anerkannt: Auf dem VI. Parteitag 1963 als Kandidatin des ZK der SED bestätigt, übte sie diese Funktion bis zum VII. Parteitag 1967 aus. 1965 wurde sie Mitglied des PEN-Zentrums der DDR.

Seit 1960 unternahm Christa Wolf mehrfach Lese- und Studienreisen in die BRD, nach Finnland, in die Sowjetunion und in europäische sozialistische Länder, wo das Interesse für die Erzählung *Der geteilte Himmel* groß war. Die Öffnung zur Welt brachte zugleich auch eine intensivere Kenntnisnahme internationaler Kunsttrends und Theoriebildung mit sich. Und es bahnten sich neue Freundschaften an, etwa zu Peter Weiss, der Christa Wolf neben Stephan Hermlin in seinen *Notizbüchern* zu den ihm wichigsten und vertrautesten Menschen in

Mit Peter Weiss und Gunilla Palmstierna-Weiss nach einer Lesung im DDR-Kulturzentrum Stockholm (1969)

der DDR zählte.[82] Sie selbst nannte später den aus Stuttgart stammenden proletarischen Schriftsteller Friedrich Schlotterbeck als einen ihrer wichtigsten Freunde. Der aufrechte Antifaschist, der für sie zum Vorbild wurde, war – aus der Schweizer Emigration in die DDR zurückgekehrt – in den fünfziger Jahren »›unter falschen Anschuldigungen‹, wie es später hieß« (1985; Di I 248) inhaftiert worden.

> »Seine höchste Lust war die Lust am Widerspruch, und eines der Wunder dieser Existenz war es für mich, daß ihm diese Lust nicht verging – auch dann nicht, wenn er selbst immer wieder zwischen die Mahlsteine gefährlichster Widersprüche geriet.« (Di I 243)

In den sechziger Jahren stellten sich für Christa Wolf ebenso wie für viele andere ihrer Generation die Weichen für ein sich veränderndes Welt- und Kunstverständnis. Die sozialistische Gesellschaft hatte sich zu Beginn des Jahrzehnts konsolidiert und gleichzeitig wurden neue Widersprüche offenbar. Der Zeitgeist war – vor allem in der ersten Hälfte des Jahrzehnts – deutlich von einer Aufbruchstimmung geprägt. In den Künsten entwickelte sich ein qualitativ neues Selbstbewußtsein. Dieses Dezennium erscheint in einem vielfarbigen Licht. Innovationen zeichnen sich ebenso ab wie schematische Positionen der fünfziger Jahre zu behaupten gesucht wurden.[83]

Erste Anzeichen eines sich ändernden poetischen Selbstverständnisses finden sich bei Christa Wolf in dem für den Rundfunk geschriebenen Aufsatz *Tagebuch – Arbeitsmittel und Gedächtnis* (1964):

> »Wir sind mißtrauisch geworden gegen Erfindungen über das Innenleben unserer Mitmenschen. Außerdem: die Wirklichkeit hat sich als unübertrefflich gezeigt. Wenn auch nicht als unübertrefflich schön.« (Di I 14)

Der polemische Seitenhieb auf eine literarische Praxis, die Geschichte als gesetzmäßig ablaufenden Prozeß zu betrachten, in dem sich die Individuen lediglich einzurichten hätten, ist unüberhörbar. Ein solches abstraktes und theoretisches Herangehen ziele an den Bedürfnissen der Leser und deren Erwartungen vorbei, die sie bewegenden Lebenstatsachen in der Literatur behandelt zu finden. Aufgabe der Literatur sei es vielmehr, Geschichte in ihren Auswirkungen auf die in ihr lebenden und arbeitenden, von ihr betroffenen Individuen zu befragen. Stephan Hermlin zitierend, formuliert Christa Wolf hier erstmals eine Vorstellung von Prosa-Schreiben, die sich deutlich von traditionellen Auffassungen abhebt:

> »›Die Zeit der Wunder ist vorbei.‹
> Wir lesen Akten, Briefsammlungen, Memoiren, Biographien. Und: Tagebücher. Wir wollen Authentizität. Nicht belehrt – unterrichtet wünscht man zu sein« (Di I 14),

lautet der Anspruch des selbstgestellten Auftrags, mit fortschreitender Gesellschaftsentwicklung notwendig auch über Funktions- und Wirkungsvorstellungen einer Literatur nachzudenken, die zur Synthese menschlicher Verhaltensweisen aufgerufen wird.

Mit der auf dem VI. Parteitag der SED formulierten Aufgabe, den umfassenden Aufbau des Sozialismus als Ziel anzugehen, waren gesamtgesellschaftliche Grundstrategien ausgearbeitet worden, innerhalb derer sich auch die Bedingungen kulturell-künstlerischer Produktion modifizierten beziehungsweise einen Umbau erfuhren.[84] Die von vielen Künstlern begonnene Suche nach künstlerischen Formen, die den öffentlichen Austausch über gesellschaftliche Fragen stimulieren (und provozieren), korrespondierte mit einer vermehrten Aufmerksamkeit für die Entwicklung der Persönlichkeit und der Suche nach adäquaten Möglichkeiten der Einflußnahme.

Das große Teile der Gesellschaft erfassende intensive Nachdenken über Erfahrungen und Lebensweisen, über den weiteren Fortgang der Gesellschaft korrespondierte mit internationalen Debatten um Strategie und Taktik des Gesellschaftskonzepts. Christa Wolfs Überzeugung, daß das Subjekt zunehmend selbstbewußter und souveräner zu leben lernt in »einer Gesellschaft, die es als sein Werk empfindet« (1966; Di I 35), bestimmte zuerst die Akzentsetzungen in den essayistischen Arbeiten und schlug sich zunächst in der Erprobung neuer ästhetischer Ausdrucksmöglichkeiten nieder, die auf Integration des Alltags aus waren und sich den Namenlosen und Unscheinbaren zuwandten. Brigitte Reimanns Tagebucheintragung aus dem Jahre 1963 vermittelt sehr plastisch die historischen Bedingungen, vor denen sich die Standortbestimmung vollzog: »Und wissen Sie, was mir den Rest von schlechtem Gewissen genommen hat? (Sie kennen die zerstörerischen Zweifel: wie, eine private Geschichte angesichts der großen Probleme, die unsere Welt erschüttern?) Ich las den Brief der KPdSU zur Auseinandersetzung mit China, und [...] auf einmal begann ich zu begreifen: Das Leben geht weiter, unter dem Himmel der Revolution wird gegessen, getrunken, geschlafen, gestritten, man hat seine Alltagssorgen, sucht nach Erfüllung seiner Wünsche, man liebt, kämpft, arbeitet.«[85] – Die Veränderungen in den internationalen Beziehungen wirkten sich auf die sozialismusinternen Debatten in der DDR ebenso aus wie auf das Verhältnis der beiden deutschen Staaten zueinander. Das Konzept des kalten Krieges war mit der Ära Adenauer gescheitert. »Wandel durch Annäherung«[86] lautete die neue Strategie mit der in ihr enthaltenen Vorstellung von der Konvergenz entwickelter Industrieländer. Durch sie wurde auch wesentlich das Profil der ideologischen Auseinandersetzungen zwischen beiden deutschen Staaten bestimmt. Themen und Tonart der innersozialistischen Auseinandersetzungen und

Debatten, sei es um Kunstwerke oder um ästhetische Konzepte, blieben davon nicht unberührt.

Die Jahre, in denen die ökonomischen Grundlagen für eine reale Selbstverwirklichung der Individuen unter sozialistischen Produktionsverhältnissen gelegt wurden, waren vorüber. Nunmehr war es an der Zeit,

> »daß man um jeden Preis versuchen muß, den Kreis dessen, was wir über uns selbst wissen oder zu wissen glauben, zu durchbrechen und zu überschreiten«. (1966; Di I 35).

Denn daß die Welt auch unter sozialistischen Produktionsverhältnissen vom einzelnen nicht automatisch als weniger entfremdet erfahren wurde, war und ist eigentlich nicht zu leugnen. Wie aber sind Auskünfte über die inneren Vorgänge der Menschen im technischen Zeitalter zu bekommen? Wieviel Schichten hat die Zeit und wie gelingt es der Kunst, eine »uns gemäße Ordnung [...] in die Sturzflut der sogenannten Fakten« (1964; Di I 14) zu bringen? lautete die Fragestellung vor dem Hintergrund einer sich seit Beginn der sechziger Jahre spürbar entwickelnden wissenschaftlich-technischen Revolution.

Die Befürchtung, daß über Politik und Ökonomie das Ziel der Anstrengungen, der Mensch, vergessen werden könnte, stand in engem Zusammenhang mit der Polemik gegen die kulturpolitische Favorisierung einer »Königsebene« der alles überschauenden Planer und Leiter, die das »große Ganze« ständig im Auge behalten. Christa Wolf gehörte zu jenen, die frühzeitig ihre Stimme für eine Wahrung der Proportionen erhoben und die sich gegen eine Instrumentalisierung der Literatur zu utilitaristischen Zwecken aussprachen. Viele Überlegungen konzentrierten sich auf die Möglichkeiten, wie Literatur unter den neuen Bedingungen der wissenschaftlich-technischen Revolution gezielter daran arbeiten könne, den widersprüchlichen Wirklichkeitserfahrungen auch ästhetisch genauer und damit wirkungsvoller beizukommen. Angesichts der Tatsache, daß sich die moderne Welt für den einzelnen offensichtlich nicht nur unter kapitalistischen Lebensverhältnissen zunehmend undurchschaubarer und komplizierter gestaltete, artikulierte sich ein kritisches Bewußtsein darüber auch in den Äußerungen der unter sozialistischen Gesellschaftsverhältnissen lebenden Autoren. Besonders jüngere Schriftstellerinnen und Schriftsteller wie Irmtraud Morgner, Heiner Müller, Günter de Bruyn, Peter Gosse, Günter Kunert, Fritz Rudolf Fries oder Hermann Kant, deren Eintritt in das literarische Leben – wie im Falle Christa Wolfs – sich entscheidend seit Beginn der sechziger Jahre vollzogen hatte, begannen dabei, auch formästhetisch neue Wege zu gehen. In der Prosa etwa wurde das weitgehend bestimmend gewesene und nicht selten normativ verstandene »einlinige« und »einzeitige« Erzählen immer mehr aufgebrochen, so Karl Mickel 1979 in seiner Laudatio auf F. R. Fries.[87]

Diese Suche nach neuen literarischen Methoden und Strukturen korrespondierte mit innovativen Vorstößen in anderen Kunstbereichen. Seit Anfang der sechziger Jahre hatte sich vor allem in der bildenden Kunst ein deutlicher Umbruch in Seh- und Darstellungsweisen angekündigt. Mit der Entdeckung neuer inhaltlicher Elemente ging die Erprobung unkonventioneller Gestaltungsmittel einher.[88] Aus Anlaß der V. Deutschen Kunstausstellung von 1962 gab es noch programmatisch formulierte Abgrenzungen gegen solche, mit dem pejorativ gebrauchten Etikett »Modernismus« versehenen Gestaltungsmittel. Inzwischen experimentierten viele Maler der jüngeren Generation – wie Harald Metzkes (geb. 1929), Horst Zickelbein (geb. 1926), Ronald Paris (geb. 1933), Hans Vent (geb. 1934), Horst Sagert (geb. 1934) und andere – auf der Suche nach angemessenen bildkünstlerischen Lösungen für eine zeitgemäße Wirklichkeitsdarstellung längst mit neuen malerischen Stilmitteln. Wurde 1962 Walter Womackas (geb. 1925) populäres Gemälde *Am Strand* von den einen noch als »Markstein in der Entwicklung der bildenden Kunst zu einem realistischen Menschenbild« empfunden,[89] das dargestellte Paar als gültige malerische Erfassung individuellen Glücks verstanden, wandten sich andere schon vehement gegen eine nach ihrer Ansicht mit diesem Bild repräsentierte allzu glatte und plakative Sicht auf die Wirklichkeit. Willi Neuberts (geb. 1920) *Schachspieler*, 1964 entstanden, sorgte erneut für Diskussionen. Auch bei diesem Bild ging es weniger um formale Lösungen als darum, daß die vor einem Schachbrett sitzende nachdenkliche Arbeiterfigur nicht in der gewohnten Produktionssphäre plaziert war, Selbstverwirklichung sozusagen außerhalb der Arbeit stattfindet. Bilder wie Willi Sittes (geb. 1921) *Leuna 1921*, Bernhard Heisigs (geb. 1925) *Pariser Commune* oder Werner Tübkes (geb. 1925) *Lebenserinnerungen des Dr. jur. Schulz* belegen, daß mit expressiven Bildelementen, mit der Montage von Bildteilen oder Zitaten auf deskriptive, widerspruchsnivellierende Malweisen reagiert und deutlich nach neuartigen Antworten auf ein sich veränderndes Lebensgefühl gesucht wurde. In der zweiten Hälfte der sechziger Jahre wurden sie zu Signalbildern am Beginn eines Prozesses, in dessen Verlauf sich traditionelle Sehgewohnheiten und Aneignungsweisen veränderten.

Selbstverständigung und Standortbestimmung

Ein zunehmendes Interesse an fragmentarischen beziehungsweise zur offenen Form tendierenden literarischen Darstellungsweisen, die das Unabgeschlossene des Geschichtsprozesses, die »offenen Enden [...] der Geschichte«[90], wie Volker Braun es nannte, erfassen, ist auch bei Christa Wolf zu verzeichnen. Das sich als Subjekt der Geschichte begreifende Individuum zu ermuntern, an der Umgestaltung gesellschaftlicher Verhältnisse mitzuwirken – das war die Maxime einer sich in der ersten Hälfte der sechziger Jahre verbreitet durchsetzenden Funktionsauffassung, nach der Literatur, wie Christa Wolf formulierte, imstande sein müsse, die

> »toten Seelen zum Leben zu erwecken, ihnen Mut zu sich selbst zu machen, zu ihren oft unbewußten Träumen, Sehnsüchten und Fähigkeiten« (1965; Di I 12).

Eine an den realen Lebensbedingungen der Menschen vorbeigehende Funktionsvorstellung attackierend, plädiert sie aus der Haltung politischer und moralischer Integrität für ein umfassendes Verantwortungsgefühl, das nur durch die Entfaltung von Individualität und Kreativität erreicht werden könne. Statt typisierte Figuren zu gestalten, die sich in vorgegebenen soziologischen Bahnen bewegen, müsse sich die Literatur der Unruhigen und Empfindsamen annehmen. Literatur könne zum Gesellschaftsfortschritt beitragen, indem sie sich vor allem den Interessen des einzelnen zuwendet und dessen Entscheidungsfähigkeit und -bereitschaft fördert.

Resignation und Mystizismus erklärte sie für ebenso untauglich wie jedwede Apologie des Bestehenden, die immer nur provinzielle Selbstzufriedenheit und Enge produzieren könnten. Mit der ihr eigenen Beharrlichkeit befragte sie das Verhältnis von Literatur und Gesellschaft aus der Sicherheit des Wissens um die Produktivität von neuartigen Konflikten. Und Nachdenken über das Schreiben verband sich ebenso mit der Frage nach der Wahrheit in der Kunst. Daß Wahrheitssuche und deren künstlerischer Ausdruck jedoch auch leicht in Konflikt mit herrschenden Vorstellungen über die Funktionssicherheit von Kunst geraten und zu handfesten ideologischen Auseinandersetzungen führen konnten, erfuhr Christa Wolf zusammen mit einer Reihe von Autoren im Umfeld von Einschätzungen und Entscheidungen, die mit dem 11. Plenum der SED im Dezember 1965 getroffen worden waren.

Der Part, den Christa Wolf als eine im Licht der Öffentlichkeit stehende Persönlichkeit ganz bewußt übernommen hatte, brachte ihr nicht nur Anerkennung oder Kritik, sondern verhalf ihr auch zu einem Lernprozeß, der sich wenige Jahre später als Zugewinn an Reife in ihrer Prosa niederschlagen sollte.

Die auf dem Plenum vorgelegte erste Bilanz von Ergebnissen des seit dem VI. Parteitag von 1963 in Angriff genommenen neuen ökonomischen Systems, mit dem der Übergang von der extensiv zur intensiv erweiterten Reproduktion begonnen wurde, fiel positiv aus. Vor dem Hintergrund sich zuspitzender internationaler Widersprüche – erinnert sei nur an die Kuba-Krise, die Auseinanderentwicklung der beiden größten sozialistischen Länder Sowjetunion und China, die Konvergenztheorie – erhielten die innersozialistischen Debatten und nicht zuletzt auch die Diskussion um ästhetische und künstlerische Strategien einen besonderen Stellenwert. Ausgesprochen negative Bewertungen gab es für Künstler und Kunstwerke, deren Widerspruchsverständnis als pessimistisch beziehungsweise »skeptizistisch« interpretiert wurde, in dem Sinne, daß sie das kritische Element verabsolutierten. Es kam zu vorschnellen und überspitzten Urteilen über Werke wie beispielsweise Heiner Müllers Stück *Der Bau* (1963/64)[91], die in einem lange währenden Auseinandersetzungsprozeß teilweise revidiert wurden[92].

In ihrer im »Neuen Deutschland« nicht vollständig abgedruckten Rede auf diesem Plenum sprach sich Christa Wolf gegen die verbreitete Ansicht aus, daß Kunst in Ideologie aufzugehen habe. Eine solche Denkweise, darauf hatte auch Franz Fühmann schon verwiesen, müsse notwendig dazu führen, daß von der Kunst vor allem die Darstellung bereits gelöster gesellschaftlicher Probleme erwartet werde oder daß sie wenigstens die Lösungsmethoden anzubieten habe.[93]

Nun gehörte Christa Wolf keineswegs zu denen, die Einwände gegen die didaktische Funktion von Literatur erhoben. Nur die Ausschließlichkeit dieses Anspruchs zog sie in Zweifel, denn sie sah die hauptsächliche Aufgabe der Kunst in ihrer Entdeckerfunktion, ja, in der Pflicht zum Aufwerfen neuer Fragen, auch wenn nicht sofort Lösungsmöglichkeiten parat wären.

In diesem Zusammenhang brachte sie die gegen Werner Bräunig erhobenen Anschuldigungen zur Sprache, dessen in der Zeitschrift »Neue deutsche Literatur« auszugsweise abgedruckter Roman *Rummelplatz* Gegenstand scharfer Kritik gewesen war. Dem Autor waren antisozialistische Positionen vorgeworfen und die Absicht unterstellt worden, mit seiner Kritik an bestimmten Wirklichkeitserscheinungen auf eine Veröffentlichung in der BRD hingeschrieben zu haben. Christa Wolf wandte sich gegen solcherart »haltlose Verdächtigungen« und nutzte ihrerseits die Gelegenheit, vor dem Rückfall in überholte Wertungsweisen zu warnen und auf Folgen aufmerksam zu machen, die daraus für den künstlerischen Produktionsprozeß entstehen. Mit einer warnenden Bitte um Verständnis beendete sie ihren durch Zwischenrufe zusätzlich emotional aufgeladenen Diskussionsbeitrag:

»Aber es ist so, daß die Psychologie des Schreibens ein kompliziertes Ding ist und daß man vielleicht für eine gewisse Zeit, wenn auch nicht gut und nicht leicht, meinetwegen einen Betrieb leiten kann, vielleicht sogar ein halbes Kulturministerium, wenn man sich in einem tiefen Konflikt befindet, aber schreiben kann man dann nicht.«[94]

Mit Konrad Wolf nach einer Sondervorführung des Films »Der geteilte Himmel« in München (1964)

Ein Gegenwartsfilm um den Aufbau des Berliner Stadtzentrums, zu dem Christa und Gerhard Wolf 1965 unter dem Titel *Fräulein Schmetterling* das Drehbuch geschrieben hatten, kam nicht an die Öffentlichkeit, ein gemeinsam mit Konrad Wolf begonnenes Filmprojekt um die Geschichte eines Mannes, der Mitte der fünfziger Jahre aus der Sowjetunion in die DDR kommt, wurde nicht weitergeführt.

Wolfgang Kohlhaases Einschätzung der damaligen ideologischen Auseinandersetzungen trifft ziemlich genau die Situation, in der sich auch Christa Wolf befunden hat: »Heute meine ich, daß eine aus komplexen Gründen erfolgte politische Standortbestimmung im Kostüm einer Kunstdiskussion auftrat. Es wurde etwas an Beispielen zu beweisen versucht, auf die nicht zutraf, was gesagt werden sollte, jedenfalls nicht in so schlichter Rigorosität. So konnten Frage und Antwort sich kaum begegnen. Es ist, für eine sensible Sache, mehr Maßstab verloren als gewonnen worden. Vor allem eine bestimmte Generation in den Künsten, zu der ich gehöre, geriet in Konflikte, die, wie mir scheint, nicht mehr in ein gemeinsames Verständnis gebracht worden sind. Ich will nur von mir reden: Ich hatte ein rundes Jahr Arbeit verloren, das war erträgliches Unglück. Allmählich bemerkte ich, daß es ernster war, ich mußte die Möglichkeiten meines Schreibens, meiner poetischen Beziehung zur Realität, neu überlegen.«[95]

Dies mußte auch Christa Wolf tun. Nach der Genesung von einer Herzattacke wandte sie sich zunächst den Vorstudien für ein neues Prosaprojekt zu, das nach dieser einschneidenden Wirklichkeitserfahrung erweitert und verändert wurde und langsam Konturen annahm. Neben diesen Entwürfen konzentrierte sie sich jedoch vor allem auf die Lektüre zeitgenössischer Weltliteratur und fand in einem Prozeß intensiver Auseinandersetzung neue Zugänge zu unterschiedlichsten Denkweisen und Schreibarten. Ihre großen Essays über Max Frisch, Ingeborg Bachmann, Juri Kasakow oder Vera Inber und vor allem zu Anna Seghers sind in den Jahren 1966 bis 1968 entstanden. Die Werke dieser Autoren beeinflußten deutlich – sei es in Aneignung oder Polemik – ihre poetologischen Überlegungen. Schritt für Schritt löste sie sich von verinnerlichten literarischen Normen, die sie zunehmend als einengend empfand.

Am nachhaltigsten sollte sich die Begegnung mit dem Werk der nur wenige Jahre älteren österreichischen Autorin Ingeborg Bachmann erweisen, das den schriftstellerischen Weg Christa Wolfs von nun an kontinuierlich begleitete. Die erste Beschäftigung mit der Bachmann, die Christa Wolf nie persönlich kennengelernt hat, fand ihren Niederschlag in dem umfangreichen Essay *Die zumutbare Wahrheit* (1966), in dem die

Wolf Ergriffenheit als Ergebnis aufwühlender Lektüre nicht verschweigt und gleichzeitig den gefundenen Ansatzpunkt für die eigene Arbeit benennt:

»Man soll, im Begriff, diese Prosa zu lesen, nicht mit Geschichten rechnen, mit der Beschreibung von Handlungen. Informationen über Ereignisse sind nicht zu erwarten, Gestalten im landläufigen Sinn sowenig wie harthörige Behauptungen. Eine Stimme wird man hören: kühn und klagend. Eine Stimme, wahrheitsgemäß, das heißt: nach eigener Erfahrung sich äußernd, über Gewisses und Ungewisses. Und wahrheitsgemäß schweigend, wenn die Stimme versagt.« (1966; Di I 86)

In den Gedichten, Essays und in der Prosa Ingeborg Bachmanns, die »am Starkstrom der Gegenwart« (1966; Di I 92) hing, fand Christa Wolf ein Paradigma zeitgemäßen Schreibens. Die gewonnenen Leseerfahrungen sind am Ende das, was sich als Fundus eigenen ästhetischen Vorgehens niedergeschlagen hat:

»Durch den Filter dieser Erfahrungen lesen wir die Prosa der Ingeborg Bachmann. Vielleicht gewinnt sie so, da sie ernst und echt ist, noch eine Dimension, die die Autorin selbst nicht voraussehen konnte, denn jeder Leser arbeitet an dem Buch mit, das er liest. Und Ingeborg Bachmann gehört zu den Autoren, die sich ausdrücklich von der Mitarbeit ihrer Leser abhängig machen. Sie erhebt und erfüllt den Anspruch auf Zeitgenossenschaft.« (1966; Di I 99 f.)

Der Bachmann billigte sie zu, was sie für sich in Anspruch nimmt: Sich als eine an der Geschichte beteiligte und betroffene Zeitzeugin zu erkennen zu geben, die die mit persönlichem Erleben autorisierte Fähigkeit entwickelt hat, Geschichte als Raum für die Lebenszeit von Individuen kenntlich und damit nachvollziehbar zu machen.

»Juninachmittag«

Mit der 1965 entstandenen und 1967 veröffentlichten Geschichte vom Ablauf eines Familiennachmittags im Juni kündigte sich ein ästhetischer Wendepunkt, eine erzählerische Zäsur im Schaffen Christa Wolfs an. Günter de Bruyn lobte vor allem den »schwebenden« Ton der Erzählung und sprach von einer Prosa, die »weiser geworden« sei, »nachdenklicher, zum Nachdenken auffordernd«.[96] Seither ist der ›eigentliche‹ Beginn modernen Erzählens in der DDR-Literatur des öfteren mit dieser Erzählung in Verbindung gebracht worden.[97] In der Tat sind die sich mit *Juninachmittag* abzeichnenden Veränderungen im Erzählkonzept der Autorin unübersehbar. Welche Eigenheiten zeichnen den nur 20 Seiten umfassenden Text aus und verleihen ihm einen solchen Status? Zunächst einmal fällt die Erzählweise ins Auge. Die Geschichte beginnt mit einer Frage, deren polemischer Unterton unüberhörbar ist.

> »Eine Geschichte? Etwas Festes, Greifbares, wie ein Topf mit zwei Henkeln, zum Anfassen und Daraus-Trinken?« (J 34)

Der Hinweis ist deutlich: Eine traditionell gebaute Geschichte mit chronologisch ablaufender Handlung, Schürzung des Knotens und Lösung des Konflikts kann nicht erwartet werden, keine Erzählung, der eine unerhörte Begebenheit zugrunde liegt, die sich durch spannende Handlung auszeichnet oder durch die Darstellung eines außergewöhnlichen Schicksals besticht. Der Eindruck, daß sich Erzählweise, Diktion und erzählerischer Gestus von einer traditionell gebauten Geschichte unterscheiden, bestätigt sich mit dem zweiten Satz: »Eine Vision vielleicht, falls Sie verstehen, was ich damit meine.« (J 34) Der mit »Sie« angesprochene Leser wird von einer nicht näher bezeichneten Ich-Erzählerinstanz ins Vertrauen gezogen. Das von Christa Wolf hier erstmals verwendete Wort »Vision« ist deutlich nicht im Sinne von Täuschung oder Einbildung gebraucht, es bezeichnet vielmehr die Absicht der Erzählenden, eine subjektive Wirklichkeitssicht zur Kenntnis zu geben und ihrer Phantasie freien Lauf zu lassen. »Vision« ist der Impuls, der den Blick auf die Realität verfremdet – »Obwohl der Garten nie wirklicher war als dieses Jahr« (J 36), setzt die zunächst nicht näher bezeichnete Erzählerinstanz unvermittelt fort. Sie gibt zu erkennen, daß sie handelnde und erzählende Figur in einem ist.

Der Garten bietet den räumlichen Hintergrund für ein Handlungsgeschehen, in dem sich eine reiche Metaphernwelt entfalten kann, Anspielungen, Bezüglichkeiten und Motive eingeflochten sind. Er ist die als üppig blühend beschriebene Kulisse einer Szene, in der sich verschiedene, zu einer Familie gehörende Personen bewegen und ihren Tätigkeiten nachgehen. Die Erzählerin gibt sich als Mutter und Ehefrau zu erkennen, die als Beobachtende und am Geschehen beteiligte Person erzählt, kommentiert, reflektiert und die Verhaltensweisen der anderen bewertet. Sie führt als handelnde und zugleich erzählende Figur eine Doppelexistenz, ist Subjekt und Objekt der Erzählung. Als handelnde Figur kann sie den zur Zeit der Handlung einsehbaren Kreis nicht überschreiten, den sie als erzählendes Ich von einem späteren Zeitpunkt aus überblickt. Für die Darbietung entstehen also verschiedene Möglichkeiten: Die Erzählerfigur kann, das in der Vergangenheit Geschehene nacherlebend, von einer wissenden Position aus erzählen, oder sie vermischt das Erzählte mit den gegenwärtigen, zum Zeitpunkt der Niederschrift gemachten Erfahrungen und Eindrücken des erlebenden und erzählenden Ich. Auf epische Allwissenheit wird verzichtet, »Typisches« nicht beansprucht, vielmehr der Sonderfall betrachtet. »Dem eenen sin Ul is dem annern sin Nachtigall« (J 34), lautet das mundartliche Bild dafür.

Alltägliche Beschäftigungen wie Gartenarbeit, Lesen, Spiele, Rätselraten, Träumen füllen die Zeit dieses Nachmittags. Die Erzählerin verwendet viel Aufmerksamkeit auf die detailreiche Vermittlung von Empfindungen und Gefühlen. Sie artikuliert Sehnsüchte und gibt Träume wieder, die als wichtiger Teil subjektiver Wirklichkeitssicht kenntlich gemacht sind.

Dieser persönliche, von Reflexionen unterbrochene Erzählstil mitteilenden und wertenden Beobachtens ist dem des literarischen Tagebuchs sehr ähnlich, mit dessen Ausdrucksmöglichkeiten sich Christa Wolf seit Beginn der sechziger Jahre auseinandergesetzt hat. Ihre Überlegungen zum Umgang mit unterschiedlichen literarischen Instrumentarien, die wirksam schienen, Erfahrungen des Subjekts nicht mehr nur einschichtig auf die »gültigen zeitgenössischen Geschichts- und Zeitinterpretationen der die Zeit repräsentierenden Klasse«[98] zu reduzieren, sondern mögliche Bewegungsrichtungen der Gesellschaft und vor allem individuelle Moralität durch Subjektivieren des Erzählens darzustellen, haben hier ihren Kontext. Der Johannes R. Bechers Tagebuch *Auf andere Art so große Hoffnung* entnommene Gedanke, daß der Mensch noch immer nicht zu sich selber gekommen sei und die Prosa als intimes literarisches Ausdrucksmittel nutzbar gemacht werden müßte, das allgemeine Bedürfnis nach Artikulation authentischen Lebensgefühls zu befriedigen, taucht erstmals auf in ihrem Essay *Tagebuch – Arbeitsmittel und Gedächtnis*. Becher zitierend, heißt es:

> »Geben wir dem Menschen, was des Menschen ist: eine Geschichte der Unscheinbaren und Namenlosen, und wir werden die alle unsere Erwartungen und unsere kühnste Phantasie übertreffende Entdeckung machen, welch eine abgründige und abenteuerliche, welch eine reichhaltige und widerspruchsvolle Geschichte jeder einzelne Mensch hat, und gerade auch der geringe, den wir als unbedeutend und langweilig abzutun gewohnt sind und unter die graue Masse der Namenlosen einzureihen uns anmaßen ...« (1964; Di I 18)

Sie nimmt auch auf Max Frisch Bezug, dessen Fähigkeit, den Zeitwiderspruch auszudrücken, erzählerisch zu durchdringen und faßbar zu machen, wichtige weiterführende Anregungen vermittelt hat, wie man unter anderem in dem Essay *Max Frisch, beim Wiederlesen oder: Vom Schreiben in der Ich-Form* (1975; Di I 166 f.) nachlesen kann. Das literarische Tagebuch mit seinem subjektiv gehaltenen und bekenntnishaften Charakter, geeignet als Mittel zur Selbstgestaltung und Selbsterziehung, bot sich zunächst als Alternative zu den kanonisierten ästhetischen Regeln von Erzählung oder Roman an. Als nicht durchgeformtes Gebilde, sondern als offener Text, steht in dessen Mittelpunkt immer der subjektiv gestaltete Ausdruck eines Bewußtseinszustands. Für ein Erzähl- und Wirkungskonzept, das die Komplexität von Wirklichkeitsbeziehungen darstellen will, bietet es Raum für Reflexionen über scheinbar weit auseinanderliegende Gegenstände und Themen, ohne daß der Schreibende dem Gesetz von chronologischer Abfolge unterworfen ist. Alltagsvorkommnisse und deren Wirkung auf individuelles Befinden, zum Leben gehörende Nebensächlichkeiten sind unvermittelt in Beziehung zu weltbewegenden Ereignissen diskutier- und darstellbar. Mit der Betonung des Unvollendeten, schon in der romantischen Literatur ein häufig verwendetes Ausdrucksmittel, verweist das Tagebuch auf den Fragmentcharakter des literarischen Entwurfs. Das Skizzenhafte – in der Malerei längst akzeptiertes künstlerisches Mittel – und Offene dieser Form, das sich gegen jede Vorstellung hermetisch geschlossener Weltbilder sträubt, erweitert die Dimension modernen Erzählens und hat seit Mitte der sechziger Jahre zunehmend Eingang in die DDR-Literatur gefunden.

Die erste veröffentlichte, an Tagebucheintragungen erinnernde Erzählung Christa Wolfs ist *Dienstag, der 27. September 1960*[99]. Nach dem Prinzip eines gewöhnlichen Tagesablaufs mit seiner Alltagsroutine – Haushalt, Krankheit der Kinder, Ereignisse des Familienlebens – strukturiert, läßt sie zugleich Raum für Überlegungen zur großen Politik. Alltägliche Beobachtungen sind mit kompositorischem Geschick in geschichtlich bedeutsame Vorgänge eingebunden. Die Wahrnehmung kleiner Lebensgenüsse gehört zur Meisterung existentieller Lebensprobleme. Dabei bekommt das Erzählte Entwurfscharakter, ja, das fragmentarische Vorgehen wird geradezu betont und auf vom Leser mit eigenen Erfahrungen zu besetzende Leerstellen verwiesen. Die Schreibende gibt sich als eine am Zeitgeschehen beteiligte und betroffene Zeitgenossin deutlich zu erkennen. Dieses Erzählmuster wird uns in der Prosa Christa Wolfs, wenn auch modifiziert, in allen Schaffensperioden, bis hin zu *Störfall* (1987), immer wieder begegnen: Ein äußerlich undramatisch ablaufender Tag im Leben einer Ich-Erzählerin bietet Erzählraum für die Erörterung aktueller Lebensprobleme, für erzählerisches und essayistisches Reflektieren beobachteter und erfahrener Besonderheiten.

Juninachmittag gehört in die Reihe solcher Tagesbeschreibungen, die zumeist zwischen größeren Arbeiten entstanden.

Karikatur
von H. Kretzschmar (1972)

Während *Dienstag, der 27. September* als eine Art Vorarbeit mit Selbstverständigungscharakter zu *Der geteilte Himmel* gelten kann, steht *Juninachmittag* in engem Zusammenhang mit dem fast zeitgleich entstandenen Text *Nachdenken über Christa T.*

Das Spektrum der in *Juninachmittag* ausschnitthaft betrachteten Lebensbereiche erscheint auf den ersten Blick relativ beschränkt, denn gesamtgesellschaftliche Belange sind durch die vordergründige Schilderung eines bewußt privat gehaltenen Ausschnitts in den Hintergrund gerückt. Viele äußerliche Indizien und Daten deuten auf einen direkten Bezug zur Lebenssituation der Autorin, denn erkennbar Authentizität zu vermitteln, liegt durchaus in ihrer Absicht. Zeit und Ort sind höchst real, weitestgehend deckungsgleich mit konkreten Lebensumständen Christa Wolfs. Das Alter der eigenen Kinder stimmt mit dem des achtjährigen »Kindes« und der vier Jahre älteren »Tochter« in der Erzählung überein. Der Garten befindet sich in der Nähe der Staatsgrenze zu Berlin (West). Unschwer läßt sich der Ort bestimmen, an dem Christa Wolf seit 1962 wohnte. Es ist Kleinmachnow, ein Villenort am Rande Berlins. Wenn auch der autobiografische Erfahrungshintergrund des Erzählten die Wirkungsintention der Autorin bestärkt, will und kann sie nicht mit der Ich-Erzählerin gleichgesetzt werden. Wiederholt verweist sie auf die Rolle, die sie schreibend einnimmt, wenn sie über individuelle Lebenskonzepte in einer konkreten Zeit und Umwelt nachdenkt.

Die Idylle des Familiennachmittags gibt ein Stück Alltag, wie ihn jedermann erlebt. Ein Geflecht von Motiven und Bildern bietet vielfältigste Anknüpfungspunkte, gesellschaftliche Erfahrung und eigene Lebenspraxis zum Erzählten ins Verhältnis zu setzen. Es ist gerade die Durchschnittlichkeit und relative Belanglosigkeit des dargestellten Familiengeschehens, die den Leser zum Vergleich anregen. Dieses Wirkungskonzept geht vor allem immer dann auf, wenn die Autorin ihre Erzählerin aus der Szene heraustreten und den Leser direkt ansprechen läßt oder wenn sie ihre Absicht zum dialogischen Austausch zu erkennen gibt, indem sie sich mit Fragen unmittelbar an ihn richtet:

> »Du, sagte meine Tochter. Was möchtest du lieber sein, schön oder klug?
> Kennen Sie das Gefühl, wenn eine Frage in Ihnen einschlägt? Ich wußte sofort, daß dies die Frage aller Fragen war und daß sie mich in ein unlösbares Dilemma brachte. Ich redete ein langes und breites [...] Wie sie mir ähnlich wird, wenn sie es bloß noch nicht merkt!, und laut sagte ich plötzlich: Also hör mal zu.« (J 47)

Wiederholt fordert sie zum Mitvollziehen beziehungsweise Weiterdenken angeschnittener Fragen auf, vor allem aber regt sie an, geltende Vorstellungen, Ansichten und Handlungen immer wieder zu überprüfen.

Über weite Strecken ist die Geschichte auf die Wiedergabe dessen gerichtet, wie die Ich-Erzählerin Weltsicht gewinnt und diese als eine von möglichen anbietet. Die Gedankenexperimente, die sie beim Spiel mit den Kindern, beim Lesen der Zeitung, bei Gesprächen mit den Nachbarn unternimmt, entwerfen Muster reflektierenden Wirklichkeitsbetrachtens. Es werden Varianten von Wirklichkeitssichten durchgespielt, in denen Phantasien und Wunschvorstellungen fester Bestandteil individueller Äußerungsformen sind.

In *Juninachmittag* treffen wir erstmals auf eine Erzählerfigur, deren Nähe zum Blickwinkel der Autorin nicht verborgen wird. Es ist eine betont auf Subjektivität der Sichtweise bedachte Ich-Erzählerfigur, deren Gedankengänge und Vorstellungen, deren Erlebniswelt, Phantasien, Träume, Beunruhigungen und Ängste sich dem Leser relativ unmittelbar mitteilen.

Der aus der Figurenperspektive geschilderte Alltagsausschnitt könnte leicht in ein belangloses Familienidyll abgleiten, wären nicht Sperren gegen solche Lesart in den Erzählvorgang eingebaut. Da keine Begebenheit bis zu einem logischen Ende geführt wird, entsteht zuweilen der Eindruck einer eher aphoristischen Betrachtungsweise. Um dem Eindruck von Idylle weiter entgegenzuarbeiten, wird zufälliges Tagesgeschehen mit Übergreifendem untersetzt. Optische und akustische Zeichen von außen erweitern das Bild, brechen die Gartenabgeschiedenheit der privaten Familienszene auf und bringen ein Stück ›Welt‹ ins Erzählgeschehen. Die »Himmelslandschaften«, soeben noch Auslöser für phantasiereiche Deutungen bizarrer Wolkengebilde, werden plötzlich durch Flugzeuge verschiedenster Art verändert. Bei ihren Kontrollflügen entlang der nahe gelegenen Grenze überfliegen Hubschrauber den Garten. Passagierflugzeuge in den Luftkorridoren zur BRD geben Anlaß zu Mutmaßungen über deren Insassen. Der Überschallknall eines Düsenjägers bringt jäh das Nebeneinander von friedlichem Leben und kriegerischer Bedrohung ins Bewußtsein. Immer wird Alltägliches auf diese kontrastierende Weise mit Außergewöhnlichem untersetzt. Die ständige Gegenwart des Todes ist in der Beschaulichkeit nachmittäglichen familiären Tuns noch auf andere Weise vergegenwärtigt: Eine Nachbarin kommt mit der Nachricht vom Zugunglück, bei dem eine gemeinsame Bekannte ums Leben gekommen ist. Betroffenheit und Anteilnahme der Erzählerin teilen sich unmittelbar mit. Das Bewußtsein über die Unersetzbarkeit eines konkreten Menschen wird aufgerufen. Zugleich lenkt sie das Augenmerk auf die notwendige Aufmerksamkeit für die Lebenden, die mit der sinnlichen Erfahrung von der Endlichkeit individueller Existenz ebenso wächst wie die Sensibilität für die realen Entfaltungsmöglichkeiten des einzelnen. Plötzlich kulminiert der ganze Nachmittag in dieser einen Minute. Ein häufig auf Trauerfeiern zitiertes biblisches Motiv abwandelnd, heißt es:

»Hundert Jahre sind wie ein Tag. Ein Tag ist wie hundert Jahre. Der sinkende Tag, sagt man ja. Warum soll man nicht spüren können, wie er sinkt: vorbei an der Sonne, die schon in die Fliederbüsche eingetaucht, vorbei an dem kleinen Aprikosenbaum, an den heftigen Schreien der Kinder, auch an der Rose vorbei, die nur heute und morgen noch außen gelb und innen rosa ist. Aber man kriegt Angst, wenn immer noch kein Boden kommt, man wirft Ballast ab, dieses und jenes, um nur wieder aufzusteigen. Wer sagt denn, daß der Arm schon unaufhaltsam ausgeholt hat zu dem Schlag, der einem die Hände aus allem herausreißt? Wer sagt denn, daß diesmal wir gemeint sind? Daß das Spiel ohne uns weiterginge?« (J 55)

Ein Motiv, das in *Der geteilte Himmel* anklang, wird aufgenommen und vertieft: der behauptete Anspruch des einzelnen auf umfassende Realisierungsmöglichkeiten in der ihm zur Verfügung stehenden Zeit schärft die Sinne für moralische und ethische Fragen menschlichen Zusammenlebens – es wird das Grundthema von *Nachdenken über Christa T.* sein.

Mit *Juninachmittag* hat sich die reflexive Schreibweise manifestiert, die seither eine der Besonderheiten der Prosa Christa Wolfs ausmacht. Eine in den beiden ersten Erzählungen vorhandene, bewiesene und demonstrierte Fähigkeit des Nachempfindens und Nachverstehens wird hier nun auch thematisiert. Daß sich die Erzählerin als eine von den Zeitereignissen unmittelbar betroffene Zeitzeugin zu erkennen gibt, die nicht über den Dingen steht, sondern aus der Mitte des Problems zu ihren Lesern spricht, bezeugt die auf Dialog mit ihm ausgerichtete Schreibart, deren eigentümliche Erzählmelodie durch die Mischung aus Beschreibung und Reflexion entsteht. Die offene Struktur dieses Erzählkonzepts, Gedankensprünge in Vergangenheit und Zukunft, nebeneinandergestellte Handlungsteile, die den Erzählfluß unterbrechen, ein in Spiegelungen und Brechungen, zumeist ›über‹ einen Gegenstand handelnd und nachdenkend ablaufender Erzählvorgang, arbeitet dem Eindruck homogen ablaufender Geschichte entgegen und verwehrt sich allzu gesichert erscheinenden Wahrheiten.

Die Eigenart dieses Erzählens liegt weniger in der Fähigkeit zu fabulieren oder über Fälle und Vorkommnisse zu berichten, um den Leser in den Bann spannenden Geschehens zu schlagen, als in der Fähigkeit, über die autokathartische Artikulation eigenen Beteiligtseins Betroffenheit und Aufmerksamkeit an den Leser weiterzugeben. Diese als »individuelle Variante der Einfühlungstechnik«[100] charakterisierte Wirkungsstrategie wird in *Juninachmittag* erstmals praktiziert.

»Nachdenken über Christa T.«

Die Nachricht vom unerwarteten, frühen Tod eines Menschen als gedankenbestimmendes Motiv war in *Juninachmittag* bereits angeklungen. Die Erschütterung, die der Tod der gleichaltrigen Jugendfreundin Christa Tabbert 1963 bei Christa Wolf ausgelöst hatte, wirkte nachhaltig und war schließlich auch ein Schreibimpuls, individuelle Lebensentwürfe zu überprüfen und über Weg und Ziel einer Generation nachzudenken.

> »Ein Mensch, der mir nahe war, starb, zu früh. Ich wehre mich gegen diesen Tod. Ich suche nach einem Mittel, mich wirksam wehren zu können. Ich schreibe, suchend. Es ergibt sich, daß ich eben dieses Suchen festhalten muß, so ehrlich wie möglich, so genau wie möglich.« (1966; Di I 31)

Mit dem Bekenntnis zu einem authentischen Schreibanlaß machte Christa Wolf die literarisch interessierte Öffentlichkeit auf ihre neue Erzählung aufmerksam. Der Berliner Rundfunk hatte sie im Rahmen seiner Sendereihe »Autoren kommen zu Wort« zu einer Lesung aus dem Manuskript eingeladen, dessen erste Fassung bereits 1966 vorlag.[101] Die Autorin leitete die Lesung mit einem *Selbstinterview* ein, in dem sie ihre ästhetische Vorgehensweise erläutert. Da sei kein Stoff gewesen, der sie zum Abschildern gereizt hätte, kein »›Gebiet unseres Lebens‹, das ich als Milieu nennen könnte« (Di I 31). Da der Text keine ›Fabel‹ im traditionellen Sinn erzählt, lasse sich auch der ›Inhalt‹ nicht in wenigen zusammenfassenden Sätzen wiedergeben. Die Erwartung auf einen Roman, eine Erzählung oder Novelle mit einer linear erzählten Geschichte, mit chronologisch ablaufendem Handlungsgang wird nicht bedient, vielmehr auf die Fähigkeit des Lesers vertraut, die verschiedenen Erzählschichten zusammendenken zu können. Sowohl der Titel als auch das dem Text vorangestellte Motto signalisieren eine spezifische Vorgehensweise, die Erkundungsabsicht, und werfen ein Licht auf seine Fragerichtung. Den Leitgedanken hatte sie bei Johannes R. Becher gefunden, in dessen Tagebuch sie unter dem Titel »Vom Aufstand im Menschen« eine Eintragung vom 14. April 1950 besonders interessierte, die Überlegung: »Wir wollen uns mit uns selbst in Übereinstimmung bringen, wir wollen wissen, wer wir sind«[102] und die daraus abgeleiteten Folgerungen:

> »Denn diese tiefe Unruhe der menschlichen Seele ist nichts anderes als das Witterungsvermögen dafür und die Ahnung dessen, daß der Mensch noch nicht zu sich selber gekommen ist. Was ist das: dieses Zu-sich-selber-Kommen des Menschen?« (1966; Di I 32 f.)[103]

Diese Sinnfrage bezeichnet den Gegenstand des Erzählens, das auf die Erkundung von Möglichkeiten individueller Selbstverwirklichung aus ist.

Ein prologähnliches Eingangskapitel gibt – wie schon in *Der geteilte Himmel* – die Exposition für das Erzählgeschehen. Das den Anlaß für die Geschichte bildende Ereignis hat bereits stattgefunden, es ist abgeschlossen, bevor die Erzählung beginnt. Der erste Satz ist die Erläuterung der Ausgangsposition: Eine zunächst nicht näher charakterisierte Ich-Erzählerfigur wendet sich in der Eigenschaft einer Nachlaßverwalterin mit der Aufforderung an den Leser, mit ihr gemeinsam Erinnerungs- und Trauerarbeit zu leisten.

> »Nachdenken, ihr nach-denken. Dem *Versuch, man selbst zu sein.* So steht es in ihren Tagebüchern, die uns geblieben sind, auf den losen Blättern der Manuskripte, die man aufgefunden hat, zwischen den Zeilen der Briefe, die ich kenne. Die mich gelehrt haben, daß ich meine Erinnerung an sie,

Christa T., vergessen muß. Die Farbe der Erinnerung trügt.« (N 7)

Als erzählende Instanz wird ein authentisches Ich eingeführt, das sich für die Organisation und Montage zurückgelassener Lebensspuren verantwortlich fühlt. »Ich verfüge über sie« (N 7), wird eingeräumt und zugleich zu verstehen gegeben, daß ein ›objektives‹ Bild nicht entworfen beziehungsweise reproduziert werden soll. Die Person, über deren Leben die Erzählende nachdenkt, existiert nur noch in ihrer Imagination. Mit der Ankündigung, Menschen und vergangene Ereignisse gleich einem »Schattenfilm [...], einst durch das wirkliche Licht der Städte, Landschaften, Wohnräume belichtet« (N 8), noch einmal zum Leben zu erwecken beziehungsweise in Szene zu setzen, erfolgt auch die Erklärung, daß mit linearem Erzählen, das sich an chronologische Abläufe hält, nicht zu rechnen sei. Ein Film kann abgespult, angehalten oder beschleunigt, einzelne Bilder können hervorgeholt oder unscharf belassen werden, die Verfahrensweise bleibt in der Hand dessen, der den Filmapparat bedient. Nur das Ziel der Vorführung – um im Bild zu bleiben – steht fest: »Dies ist der Augenblick, sie weiterzudenken, sie leben und altern zu lassen, wie es jedermann zukommt« (N 8), heißt es am Ende des Prologs mit dem Verweis auf ein vorausgesetztes gemeinsames Bedürfnis von Leser und Erzähler, sich mit dem bilanzierenden Blick in die Vergangenheit des Uneingelösten zu versichern, die Gegenwart in Hinblick auf das Erreichte und den Stand der Verwirklichung einmal angestrebter Ideale zu befragen.

Der Umstand, daß die vor der Zeit verstorbene Freundin keinen vollständigen Namen bekommt, ist ein zusätzlicher Verweis darauf, daß es nicht um faktentreue Rekonstruktion eines Lebenslaufes geht:

»Fast wäre sie wirklich gestorben. Aber sie soll bleiben. Dies ist der Augenblick, sie weiterzudenken, sie leben und altern zu lassen, wie es jedermann zukommt. Nachlässige Trauer und ungenaue Erinnerung und ungefähre Kenntnis haben sie zum Schwinden gebracht, das ist verständlich. [...] Halten wir also fest, es ist unseretwegen, denn es scheint, wir brauchen sie.« (N 8 f.)

Das Erinnern selbst wird auf seinen Sinn hin befragt und motiviert. Die Beziehungen zwischen der Verstorbenen und der Ich-Erzählerfigur bilden den Anhaltspunkt. Die Nachdenkende und ihre Rolle erfordern ebensolche Aufmerksamkeit wie die Person, über die nachgedacht werden soll.

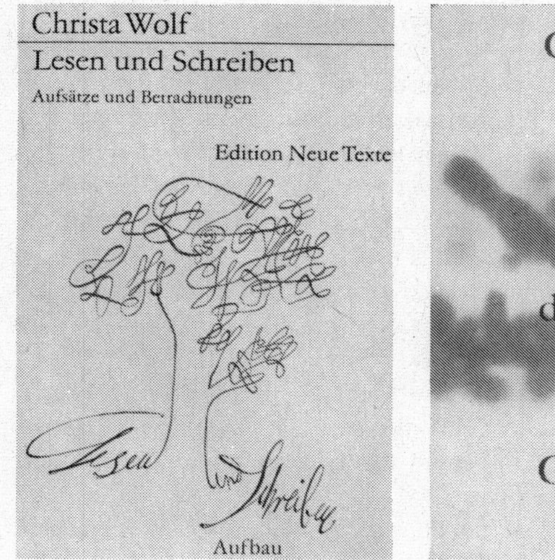

Umschläge von H. Hellmis (Aufbau-Verlag Berlin/Weimar 1972) und H.-J. Schauß (Mitteldeutscher Verlag Halle 1968)

Die Biografie der Christa T. ist nur bruchstückhaft wiedergegeben und mit wenigen Daten umrissen: 1927 in einem Dorf östlich der Oder als Tochter eines Dorfschullehrers geboren, besucht sie nach der Mittelschule das Gymnasium in der 50 km entfernten Stadt. Als Umsiedlerin kommt sie nach Mecklenburg und arbeitet in einem Dorf als Neulehrerin. 1951 nimmt sie in Leipzig ein Germanistikstudium auf und geht nach dem Lehrerexamen an eine Berliner Schule. 1955 heiratet sie den Tierarzt Justus, mit dem sie aufs Land zieht. Die Geburt zweier Kinder und der Bau eines Hauses holen sie aus der sich als »Müdigkeit« ankündigenden Krankheit heraus, die zunehmend ihren Lebensrhythmus diktiert. Versuche, schriftstellerisch tätig zu werden, bleiben Fragment. Nach der Geburt des dritten Kindes stirbt sie im Alter von 35 Jahren.

Das Bild von Christa T. gleicht einer Skizze, in der einige Konturen scharf hervorgeholt sind, andere Linien dagegen unscharf bleiben. Das Strukturierungsprinzip ist durchschaubar: Die Nachdenkende unterbricht ihren Gedankenstrom durch Schilderungen einzelner Lebensepisoden, Ereignisse und Details. Die Nebenfiguren sind nur schemenhaft gezeichnet. Die Hauptrolle spielt die Nachdenkende. Sie kennt Christa T. seit der Schulzeit. Ihre Bekanntschaft umfaßt einen Zeitraum von etwa zwanzig Jahren, in deren Verlauf sich beider biografische Daten an bestimmten Punkten räumlich und zeitlich berühren. Um den Beginn ihrer Freundschaft zu kennzeichnen, wählt die Erzählerin eine Begebenheit aus, die die Rollenverteilung beleuchtet und Figurencharakteristika gibt: »Es war der Tag, an dem ich sie Trompete blasen sah« (N 10). Mit einer zusammengedrehten Zeitung vor dem Mund stieß Christa T. einen Ruf aus, der »alles wegwischte und für einen Sekundenbruchteil den Himmel anhob. Ich fühlte, wie er auf meine Schultern zurückfiel« (N 15). Die erste Erinnerung reicht in das Jahr 1944 zurück. Mit wenigen Sätzen ist die Atmosphäre der letzten Kriegsjahre eingefangen: Fahnenappelle, Fliegeralarm, Kriegerwitwen sind die Erkennungsworte.

Die Erzählerin kommentiert als Zeitgenossin. Ihr obliegt es, die Geschichte zu ordnen, um wie ein Regisseur das erinnerte Material zusammenzufügen. Sie betont ihre Rolle der um Darstellung von Wahrheit bemühten Chronistin, die jedoch keineswegs allwissend erscheinen will. Auktoriale, personale und Ich-Erzählweise vermischen sich, wobei die auktorialen Erzählzüge von der Ich-Erzählersituation überlagert werden, denn die Erzählerin ist in der dargestellten Welt anwesend:

> »Dünner, kalter Schnee begann zu fallen. Wir bleiben länger da stehen, als wir etwas zu sagen wußten, und wenn ich malen könnte, würde ich jene lange Mauer hierhersetzen und uns beide, sehr klein, an sie gelehnt, und hinter uns die große, neue viereckige Hermann-Göring-Schule, roter Stein, leicht verschleiert von dem sacht fallenden Schnee. Das kalte Licht würde ich nicht beschreiben müssen, und die Beklem-

mung, die ich spürte, würde ohne weiteres von dem Bild ausgehen.« (N 20)

Teilweise am Geschehen beteiligt, spricht die Erzählerin von »uns« und meint damit Christa T. und sich selbst wie ihre Generation, aber auch die angenommene Übereinstimmung mit dem Leser.

Die subjektive Gedächtnisleistung wird ebenso thematisiert wie die Fähigkeit des Nachdenkens. Um den Charakter widersprüchlich erlebter Wirklichkeit mit ihren Zufällen und Gesetzmäßigkeiten, so, wie das Individuum sie erlebt, realistisch zu erfassen und abzubilden, ist die Struktur des Textes an der Abbildung individueller Erkenntnis- und Erfahrensweisen orientiert. Indem der erzählende Bericht durch problematisierende Einschübe unterbrochen wird, verdeutlicht die Autorin, wie ungenau subjektives Erinnerungsvermögen funktioniert, wie schwer es ist,

»auseinanderzuhalten: was man mit Sicherheit weiß und seit wann; was sie selbst, was andere einem enthüllten; was ihre Hinterlassenschaft hinzufügt, was auch sie verbirgt; was man erfinden muß, um der Wahrheit willen« (N 31).

Traumsequenzen, Rückblenden und innerer Monolog öffnen das Textgefüge.

Christa Wolf beharrt nachhaltig auf der Erweiterung tradierter Genrevorstellungen. Mit einem eng gefaßten Realismuskonzept ist die Wirklichkeit in ihren vielen Facetten ihrer Meinung nach nicht erfaßbar. Sie bereicherte ihre Erzählweise um psychologische Momente und stieß damit auf heftigen Widerspruch, der mit der Vermutung begründet wurde, sie setze Sigmund Freud an die Stelle von Karl Marx und gerate damit unweigerlich ins Abseits.

Christa Wolf geht von der psychologisch begründeten Erkenntnis aus, daß Nachdenken als produktiver und schöpferischer Vorgang zum Austausch von Erfahrungen und schließlich zum Abbau von Tabus beitragen kann. Es ist der Zusammenhang von Benennen und Aussprechen, von Bewußtwerden und Bewußtmachen, den sie thematisiert und gestaltet. Denn, es wird »nicht Wirklichkeit [...], was man nicht vorher gedacht hat« (N 221).

Zwanzig Kapitel, bestehend aus einzelnen Bauelementen – Szenen, Dialogen, Zustandsbeschreibungen, begleitenden und kommentierenden Reflexionen und dokumentarischem Material –, bilden zusammen einen Prosatext, dem die Autorin keine Genrebezeichnung beigegeben hat. Nachdenken tritt an die Stelle der Erinnerung. Einzeln aufgerufene Ereignisse, Erlebnisse, Ergebnisse von Recherchen und Mutmaßungen untermauern den demonstrierten Nachdenkensvorgang: »In dem Strom meiner Gedanken schwimmen wie Inselchen die konkreten Episoden« (Di I 31), heißt es in *Selbstinterview* zur Erläuterung eines erzählerischen Vorgehens, das bei Autoren der Moderne wie Musil oder Joyce zu studieren war.

Die Erzählerin läßt die Leser an den Schwierigkeiten der Wahrheitsfindung teilhaben. Unter Zuhilfenahme von nachgelassenen Briefen, Tagebüchern und anderen authentischen Dokumenten entsteht mit dem Bild der Christa T. ein Bild der Zeit, in der diese gelebt hat. Die Ich-Erzählerin erinnert sich aus der Schreibgegenwart, den sechziger Jahren, an das vergangene Jahrzehnt. Sie nimmt eine Mittelposition ein, aus der sie sowohl in die Vergangenheit zurückschauen als auch die Zukunft als Reflexionsraum nutzen kann. Um sich frei in mehreren Zeiten bewegen zu können, stört die Chronologie, wie mehrfach im Text versichert wird.

Auf beiden Erzählebenen, Reflexions- wie Handlungsebene, werden Denkstrukturen und Handlungsweisen erörtert und debattiert, Grundstrukturen der Generation der um 1930 Geborenen durchgearbeitet, die sich – während des Nationalsozialismus aufgewachsen – übergangslos nach der Befreiung vom Faschismus am Aufbau der neuen Gesellschaft beteiligten. Filmsequenzen ähnliche Bilder und Episoden rufen zum Vergleich auf: Der vom Pächter roh an der Stalltür erschlagene Kater, der während der Flucht erfrorene Säugling im Arm der Halbwüchsigen oder die Begegnung mit dem ehemaligen KZ-Häftling werden zu späteren Erlebnissen in Beziehung gesetzt. Etwa, wenn ein Schüler in Folge einer Wette einer Kröte den Kopf abbeißt oder Dorfkinder Elsternnester ausräumen – die Vergangenheit ist noch allzu lebendig. Übersensibilität findet hier ihre Erklärungsmuster.

»Viel hat nicht gefehlt, und kein Schnitt hätte ›das andere‹ von uns getrennt, weil wir selbst anders gewesen wären. Wie aber trennt man sich von sich selbst? Darüber sprachen wir nicht.« (N 36)

Es geht um offene Rechnungen. 25 Jahre nach Kriegsende reichen noch nicht aus, neue Ansätze zur Auseinandersetzung mit der nationalen Vergangenheit zu finden:

»Die Lebenszeit wird nicht ausreichen, wieder davon sprechen zu können, *ihre* Lebenszeit nicht. Für diese Sache bis zum Schluß die halben Sätze...« (N 39)

Die Nähe zur eigentlichen Akteurin des Geschehens verpflichtet die Erzählerin zuweilen auf den Standpunkt und die Erlebnisperspektive der handelnden Gestalt, ein Vorgehen, das durchaus verwirren kann, wenn von Fall zu Fall auseinanderzuhalten ist, wann es sich um die von der Erzählerfigur eingenommenen Standpunkte zur dargestellten Welt handelt und wann die Haltung zu den erzählten Begebenheiten selbst Gegenstand des Erzählens ist. Diese Dimension der Erzählperspektive birgt eine besondere Wirkung. Es wird schärfer perspektiviert, wenn die rückblickende, wertende Ich-Erzählerin erlebte Vergangenheit und Gegenwart vermischt, wenn Erlebnis- und Deutungssphäre praktisch zusammenfallen. Dennoch bleibt die Akzentsetzung zwischen Erzähler und Erzähltem immer erkennbar. Christa Wolf verlagert sie auf den Erzählakt, auf die essayistische Reflexion und die intellektuelle Bewältigung des erzählenden Ich.

Im Textverlauf gerät das durch die epische Vergangenheit distanzierte Geschehen zunehmend in den Hintergrund. Die subjektive Weltsicht und -erfahrung erhält durch die Erzählerin eine doppelte Brechung, durch die die Erzähldistanz verkürzt wird. In den Vordergrund rückt das subjektive Bekenntnis der Erzählenden beziehungsweise Schreibenden. Züge von personaler Erzählsituation finden sich überall dort, wo eine Spiegelung von Bewußtseinsprozessen als innerer Monolog in das Erzählgeschehen eingeflochten ist, wo Bewußtseinsvorgänge reproduziert werden, weil sie auf andere Weise nicht erzählbar scheinen. »Der erzählerische point of view ist nicht nur Ausdruck einer Wirklichkeit, er ist auch Agent einer Einstellung, die er verwirklichen hilft«,[104] schrieb Robert Weimann schon Mitte der sechziger Jahre mit Blick auf Rezeptionsweisen, die das Erzähler-Medium mit dem Autor-Erzähler gleichsetzen, zur Erläuterung dieser Erzähltechnik. Mit ihrer Erzählweise folgte Christa Wolf solchen in der deutschsprachigen Literatur der späten fünfziger und frühen sechziger Jahre von Autoren wie Ingeborg Bachmann, Max Frisch, Wolfgang Hildesheimer, Heinrich Böll oder auch Uwe Johnson praktizierten Techniken modernen Erzählens, Strukturierungsweisen, die Nachdenken und Reflexion mit autobiografischem oder biografischem Material verbanden, um der Identitätssuche adäquaten Ausdruck zu verleihen. In Büchern wie Ingeborg Bachmanns *Das dreißigste Jahr*, Max Frischs *Mein Name sei Gantenbein*, Wolfgang Hildesheimers *tynset*, Heinrich Bölls *Ansichten eines Clowns* oder Uwe Johnsons *Mutmaßungen über Jakob* wird die Nähe des Erfahrungshorizonts von literarischer Bekenntnisfigur und Autor betont. Die nachdrückliche Bezugnahme auf Erlebnisnähe und unmittelbar ausgedrückte Betroffenheit wird – in Abgrenzung auch zum traditionellen Erzählen – nicht durch ein scheinbar über den Dingen stehendes auktoriales Erzählen verwischt, sondern im Gegenteil besonders betont.

Das Interesse vieler Autoren konzentrierte sich ausdrücklich auf die Suche nach eigener, unverwechselbarer Identität, die bei Christa Wolf gleichgesetzt wird mit gesellschaftlicher Produktivität. Gerade in dem Anliegen, Kreativität als unentbehrlichen Wert für die Gesellschaft bewußtzumachen, individuelle Selbstverwirklichungsmöglichkeiten im konkreten sozialen Umfeld aufzusuchen, sah auch Christa Wolf eine wichtige Funktion eingreifender Literatur:

> »Die Literatur nimmt sich, wie unsere Gesellschaft, gerade der Unruhigen an. Menschen darzustellen, denen diese Unruhe fremd ist: Selbstzufriedene, Platte, allzu Anpassungsfähige – das erscheint mir langweiliger und unergiebiger.« (1966; Di I 33)

Die deutlich mitschwingende Polemik gilt vor allem den vielen Fernsehspielen und -romanen, in denen politisch-moralische Normvorstellungen durch ein idealisierte Züge tragendes Leitbild des »Schrittmachers« geprägt wurden. Im Widerspruch zu einer die »Königsebene« der »Planer und Leiter« favorisierenden Literatur, gegen harmonisierende Vorstellungen einer sozialistischen Menschengemeinschaft, pochte Christa Wolf darauf, den »Außenseitern« die notwendige gesellschaftliche Aufmerksamkeit nicht zu versagen.[105]

Mit der subjektiv-authentischen Erzählweise, dem suggestiv-elegischen Erzählton des Buches bekennt sich Christa Wolf mit Nachdruck zu einer erkennbar emotionalen Beteiligung am Schicksal ihrer Figur, Trauer und Schmerz über den erlittenen Verlust werden thematisiert, um sie durch Aussprechen bewältigen zu lernen. Das Bestehen auf der Elegie, von Brecht und Eisler in den fünfziger Jahren als möglicher Ausdruck individuellen Verlustempfindens verteidigt,[106] hat bei Christa Wolf durchaus auch den Gestus der Opposition gegen den unermüdlich öffentlich beschworenen Optimismus von ständiger Aufwärtsentwicklung, wozu das heute unzeitgemäß gewordene Denken vom »überholen, ohne einzuholen« und ähnliche voluntaristische Orientierungen gehören. Ihr Wirkungskonzept war ein erkennbar anderes: In einer Zeit betonter Zuwendung zum dynamischen gesellschaftlichen Fortschreiten wandte sie sich mit großer Intensität den Innenräumen der Individuen zu. Es ging ihr darum, die besonderen Qualitäten von nicht an Erfolgsnormen und -ziffern ausgerichteten Menschen ans Licht zu bringen und herauszufinden, woran es lag, daß ihnen in der gesellschaftlichen Beurteilung ein so geringer Entfaltungsraum beigemessen wurde. Mit dem Bild lebensgroßer Papptafeln von strahlenden Helden, hinter denen der einzelne kaum noch zu erkennen ist, ruft Christa Wolf jenes bekannte Rollenverhalten auf, daß die Individuen zu »Schräubchen« degradiert hatte. Die Rekonstruktion einer Biografie bekommt dort Symbolcharakter, wo die Autorin darauf besteht, Bedingungen und Perspektiven individuellen Handelns in der Gesellschaft wie individuelle und gesellschaftliche Wertvorstellungen und Ideale zu prüfen. Die Geschichte um das Leben und den frühen Tod der Christa T. wird für den Beteiligten zum Lernfall erhoben. Insofern ist die Figur erzählerisches Medium. An ihrem Beispiel diskutiert Christa Wolf die großen gesellschaftlichen Zielvorstellungen und bringt die tatsächlichen Bedingungen alltäglicher Realisierung auf den Prüfstand. Als Maß gesellschaftlicher Toleranz gilt der dem einzelnen zugemessene Raum. Vor diesem Hintergrund sucht sie vor allem jene Punkte in der Biografie der verstorbenen Freundin auf, die nicht vordergründig mit den großen Erfolgen zusammentreffen. Christa Wolf ging davon aus, daß die Entwürfe allseits bekannt sind. Vieles war unter kompliziertesten Entwicklungsbedingungen erreicht worden. Nun, aus der Mitte der sechziger Jahre gesehen, schien es an der Zeit, diese Zielstellungen daran zu messen, welche Chance bestand, sie im Alltag einzulösen, daran, welche Lebensqualitäten sich für den einzelnen realisieren ließen. Ganz in diesem Sinne unternimmt es die Ich-Erzählerin, den Lebensspuren ihrer Figur nachzugehen. Schicht um Schicht wird abgetragen, um der entschwindenden Persönlichkeit auf die Spur zu kommen. Mit der von Johannes Bobrowski übernommenen Frage »Wie muß eine Welt für ein moralisches Wesen beschaffen sein?«[107] bekommt das Erzählte den konfrontativen Strukturzug des Unbedingten. Bei Bobrowski wird diese große Frage in der kleinen Geschichte um den Hofmeister Boehlendorff gestellt, der zu jenen unglücklichen Poeten zählte, die an der Wende vom 18. zum 19. Jahrhundert in Deutschland von einer bürgerlichen Emanzipation nach dem Vorbild der Französischen Revolution träumten. Der Erzähler überlegt, ob man ihm eine Säule errichten soll, auf die die Frage nach dem moralischen Wesen eingemeißelt werden könnte, etwa so, wie Anna Seghers' Schiffbrüchiger Galloudec in der karibischen Geschichte vom *Licht auf dem Galgen* dem Freund und Revolutionär Sasportas ein Denkmal setzt.

Um Gewinn und Verlust des gemeinsam beschrittenen Weges an einem historischen Punkt aufzurufen, an dem eine neue Qualität gesellschaftlicher Entwicklung sich abzuzeichnen beginnt, stellt Christa Wolf mit der Aufforderung »Wann – wenn nicht jetzt?« (N 89) die Kernfrage ihres Textes: »Wie werden wir sein? Was werden wir haben?« (N 127)

Unlust, Anforderungen einfach nachzukommen, gehört zu den hervorstechenden Eigenschaften Christa T.s. Daß mit solchem Eigensinn nicht leicht umzugehen war, gesteht auch die Ich-Erzählerin ein, deren Verhältnis zu Christa T. durch Einfühlungsvermögen und Empfindsamkeit bestimmt wird. Kritik an Handlungs- und Verhaltensweisen der Freundin trifft zugleich die Erzählende und ihre Generation:

»Übrigens verlieren alle Fragen mit der Zeit ihre Schärfe, und an die Stelle des Ich kann – diesen Ausweg läßt die Sprache – fast immer das Wir treten, niemals mit mehr Recht als für jene Zeit. So daß einem nicht zugemutet werden muß, die Schulden einer fremden Person zu übernehmen, oder doch nur unter gewissen Umständen.« (N 65)

In den Erzählvorgang eingeschobene Reflexionen unterbrechen die Linearität des Textes und betonen dessen Kunstcharakter. Gleichsam exemplarisch werden Episoden zweimal erzählt, einmal als recherchierte Tatsache, einmal als eine Art Wunschwirklichkeit, als ein Handlungsmodell, das die »Unschärfe« aus den Reden und Handlungsweisen der Figuren herausfiltert. Damit wird die Möglichkeit der Einfühlung in das Schicksal der Christa T. gestört.

Ein wesentlicher Wirkungsfaktor des Werkes liegt darin begründet, daß Christa T. als mehrdeutige Figur angelegt ist und die Ich-Erzählerin den Leser gezielt über die Vieldeutigkeit der Figur und deren innere Widersprüchlichkeit anspricht. Viele Züge an ihr laden zur Identifikation ein. Mit Bewunderung und unverhohlener Sympathie berichtet die Erzählerin von der Geradlinigkeit, der Phantasie und dem Ideenreichtum Christa T.s, von der Fähigkeit, Emotionen auszuleben und sich anderen Menschen mitteilen zu können. Die Einfühlungsbereitschaft der Ich-Erzählerin korrespondiert sehr stark mit der Empfindsamkeit der Freundin. Christa T. ist eine Frau, die Sehnsüchte und Hoffnungen hat, die von Depressionen geplagt ist und deren unstetes Wesen auch mit Skepsis zu betrachten ist. Adjektive wie »scheu« und »schüchtern« charakterisieren sie ebenso wie Selbstzweifel und Unsicherheit. Ihr geringes Vermögen, sich einzuordnen, wird problematisiert:

»Niemals hat sie auseinanderhalten können, was nicht zusammengehört: den Menschen und die Sache, für die er eintritt,

> die nächtlichen unbegrenzten Träume und die begrenzten Taten im Tageslicht, Gedanken und Gefühle.« (N 83)

Kritik schwingt mit, wenn von dem »Meer von Traurigkeit« die Rede ist, in das sie versank, wenn »die Leute nicht so sein wollten, wie sie sie sah« (N 63). Das Wissen der Ich-Erzählerin um die besondere Widersprüchlichkeit der Freundin verdeutlicht zusätzlich, was expressis verbis im Text benannt wird: Diese Christa T. ist keine Heldin im Sinne eines Vorbilds, dem nachzueifern wäre. Dem Leser wird vielmehr anheimgestellt, aus der Darstellung ihrer Stärken und ihrer Schwächen eigene Schlüsse zu ziehen:

> »Kein Verfahren findet statt, kein Urteil wird gesprochen, nicht über sie noch über irgend jemanden sonst, am wenigsten über das, was wir ›die Zeit‹ nennen.« (N 71)

In den ideologischen Auseinandersetzungen der fünfziger Jahre wirkt Christa T. in mancher Hinsicht wirklichkeitsfremd, nicht in die »neue Welt« passend. Dennoch hat sie »nicht versucht, sich davonzumachen, womit gerade in jenen Jahren so mancher begonnen hat« (N 71), lautet der Kommentar der Erzählerfigur, die ihre eigene Sicherheit an den Leser vermittelt.

> »Was immer auch mit ihr [der neuen Welt; d. Verf.] geschah oder geschehen wird, es ist und bleibt unsere Sache. Unter den Tauschangeboten ist keines, nach dem auch nur den Kopf zu drehen sich lohnen würde...« (N 66)

Der Elan, mit dem Christa T. sich im Verlauf fortschreitender Krankheit dem Hausbau zuwendet, durch den sie ihre Individualität zu realisieren hofft, steht für ein utopisches Element, das verschiedentlich dazu geführt hat, die Autorin in die Nähe von Ernst Blochs »Prinzip Hoffnung« zu rücken.[108] Sie selbst hat diese Verwandtschaft nie bestätigt. Mindestens ebenso naheliegend ist wohl die Bezugnahme auf den Utopiebegriff Ingeborg Bachmanns: »Im Widerspiel des Unmöglichen mit dem Möglichen erweitern wir unsere Möglichkeiten. Daß wir es erzeugen, dieses Spannungsverhältnis, an dem wir wachsen, darauf meine ich, kommt es an.«[109]

Aus der Sicht der späten sechziger Jahre stellt Christa Wolf in ihrem Buch die Gesellschaftsutopien des vorhergehenden Jahrzehnts noch einmal zur Debatte. Das in naher Zukunft als erreichbar geglaubte Kommunismus-Modell war im vorangegangenen Jahrzehnt mit biblischer Metaphorik beschworen worden, mit dem Bild des Paradieses, an dessen »Schwelle wir, meistens hungrig und Holzschuhe an den Füßen, mit großer Gewißheit standen«. Mit der Einsicht, daß die Zeitdauer, dieses »Paradies« (N 67) zu erreichen, sehr viel länger angesetzt werden müßte, als ursprünglich angenommen, veränderten sich auch die Fragestellungen nach der für den einzelnen zu erreichenden Lebensqualität. Angesichts der Erfahrung, daß die Lebenszeit des einzelnen bemessen ist und die Qualität der Gesellschaft nicht allein oder vor allem nach ihren ökonomischen Kennziffern bemessen werden kann, wurden geltende ethische Werte überprüft.

Mit diesem Selbstverständnis befand sich Christa Wolf in einem Kreis von Autoren, deren Mitte bis Ende der sechziger Jahre entstandene Bücher – wenn auch in unterschiedlichster literarischer Qualität – ein differenzierteres Bewußtsein hinsichtlich der Belange des einzelnen, seiner Entwicklungs- und Handlungsmöglichkeiten im Alltag aufriefen und damit daran erinnerten, daß »der Aufbau des Sozialismus nicht nur eine ökonomische, sondern vor allem eine moralische Aufgabe ist«,[110] wie Stephan Hermlin in seiner Besprechung des Buches von Christa Wolf in der französischen Zeitschrift »Action poétique« schrieb. Brigitte Reimann, die seit Mitte der sechziger Jahre an ihrem Roman *Franziska Linkerhand* arbeitete, notierte 1967 in ihr Tagebuch: »[...] mir kommt es manchmal vor, als ob in der Literatur nichts so wenig gefragt sei wie der Alltag, normales Leben.«[111]

Christa Wolfs Auffassung von der Funktion der Literatur hatte sich innerhalb weniger Jahre deutlich verändert: Unter Inkaufnahme schwerwiegender subjektiver Verluste hatte es Rita Seidel geschafft, sich auf ein vernunftbetontes Maß zwischen individuellen Wünschen und gesellschaftlichen Notwendigkeiten einzupegeln. Ihre Möglichkeit, sich mit den allgemeinen Zielstellungen in Übereinstimmung zu bringen, verhilft dazu, ihre Identität auszuprägen. Christa T. bleibt solche Erfahrung verwehrt. Die an ihrem Schicksal exemplifizierte Widersprüchlichkeit von gesellschaftlich nützlicher Arbeit und möglicher moralischer Desintegration stellt politisch-moralische Norm- und Wertvorstellungen in ihrem Verhältnis zu den Entfaltungsmöglichkeiten der einzelnen zur Debatte, wie sie überall auf der Welt diskutiert werden.

In *Nachdenken über Christa T.* wendet sich Christa Wolf nicht mehr – wie noch in *Moskauer Novelle* und partiell auch noch in *Der geteilte Himmel* – an den einzelnen mit der Aufforderung, sich nach den Anforderungen der Gesellschaft zu verändern; vielmehr geht sie nun darauf aus, der Gesellschaft abzuverlangen, sich für die Besonderheiten ihrer einzelnen Mitglieder mehr als bisher zu öffnen. Stephan Hermlin hat diesen Gedanken viele Jahre später in *Abendlicht* (1979) beeindruckend verdeutlicht, indem er die Wandlungen seines Werte-Begriffes beschreibt. Erst Ende der sechziger Jahre sei ihm deutlich geworden, wie falsch er in früheren Jahren das »Kommunistische Manifest« gelesen habe:

> »Längst schon glaubte ich, es genau zu kennen, als ich, es war etwa in meinem fünfzigsten Lebensjahr, eine unheimliche Entdeckung machte. Unter den Sätzen, die für mich seit langem selbstverständlich geworden waren, befand sich einer, der folgendermaßen lautete: ›An die Stelle der alten bürgerlichen Gesellschaft mit ihren Klassen und Klassengegensätzen tritt eine Assoziation, worin die freie Entwicklung aller die Bedingung für die freie Entwicklung eines jeden ist.‹ Ich weiß nicht, wann ich begonnen hatte, den Satz so zu lesen, wie er hier steht. Ich las ihn so, er lautete für mich so, weil er meinem damaligen Weltverständnis auf diese Weise entsprach. Wie groß war mein Erstaunen, ja mein Entsetzen, als ich nach vielen Jahren fand, daß der Satz in Wirklichkeit gerade das Gegenteil besagt: ›...worin die freie Entwicklung eines jeden die Bedingung für die freie Entwicklung aller ist.‹«[112]

Wenn Christa Wolf ihre Erzählerin am Ende des Nachdenkens über Christa T. die Überzeugung äußern läßt, man

> »wird sie [diese Lebensqualität wirklich verantwortlicher, eingelöster Individualität; d. Verf.], also, hervorzubringen haben, einmal. Daß Zweifel verstummen und man sie sieht. Wann, wenn nicht jetzt?« (N 235),

so trifft die von ihr betonte Notwendigkeit solcher Freisetzung individueller Kreativität beziehungsweise der entsprechenden Handlungsräume für die Individuen jenen von Hermlin problematisierten Zusammenhang: die Entwicklungsmöglichkeiten des einzelnen als Voraussetzung für das gesellschaftliche Fortkommen insgesamt zu begreifen.

Nachdrücklich um einen wirklichen Dialog bemüht, werden die Nichtfiktionalität des vor dem Leser ausgebreiteten Nachdenkensvorgangs und die Betroffenheit der Erzählerin ausgestellt, immer betonend, daß mit dieser direkten und eindringlich vorgetragenen Leseransprache – auch signalisiert durch den häufigen Gebrauch der Pronomen »man« und »uns« – ein Kommunikationsprozeß angestrebt wird, innerhalb dessen die Partnerschaft von Autor und Leser sich auf kollektive Erfahrungen gründet. Mit dem vertrauten »wir« in der Ansprache und durch ihren Erzählgestus versucht die Erzählerfigur beim Leser gerade dieses Gefühl hervorzurufen und zu stärken, gemeinsam in ein Geschehen eingebunden zu sein, die Überzeugung zu stärken, von einer glaubwürdigen moralischen Instanz direkt und unmittelbar ins Vertrauen gezogen zu sein. Der Gestus des Suchens – »Wie man es erzählen kann, so ist es nicht gewesen« (N 82) –, die ausgestellte Unsicherheit betonen diese Nähe. Daß viele Fragen ohne Antwort bleiben, verweist auf das Unabgeschlossene des Nach-Denkens. Die Schwierigkeit der Erzählerin, Worte zu finden für persönliche Gefühle, durch Worte und Benennungen Geschehnisse festzumachen, unterstreichen den mutmaßenden Charakter des Erzählten: »So kann es gewesen sein, aber ich bestehe nicht darauf.« (N 134) Die häufig den Konjunktiv benutzende reflexive und analytische Erzählweise wirft ein zusätzliches Licht auf die angestrebte Erzählstrategie: Durch die immanente Aufforderung zum Nachdenken und zum Deuten des Dargestellten, durch die offene, mit dem Bewußtsein eigener Widersprüche operierende Erzählhaltung werden Angebote zur Selbsterforschung gemacht. Die Gedankenarbeit der Ich-Erzählerin verstärkt somit den Eindruck erzählerischer Subjektivität. Die Problemsicht der Autorin ist der der Figuren beigefügt, deren Lebenserfahrungen sind durch den Erfahrungshorizont der Erzählerin doppelt gebrochen.

Diese Doppelstruktur ermöglicht es der Autorin, Wirkungen des Schreibens und der Sprache zu reflektieren. Die Selbstverständigung über die Möglichkeiten der Poesie findet unmittelbaren Eingang in den Erzähltext. Sprache wird gezielt als Mittel eingesetzt, dem Vergessen und der Unachtsamkeit entgegenzuwirken. »Sich schreibend materialisieren«[113] hat Franz Fühmann diesen Vorgang genannt, der Christa T. verwehrt blieb. Die Autorin konnte ihn realisieren. Sie demonstriert damit eine Möglichkeit von Selbstverwirklichung.

Erzähler- und Autorensicht gehen im zweiten Teil des Textes ineinander über. Damit ist die intellektuelle und emotionale Bewertung des Erzählten kaum noch an die Erzählerin gebunden. Sie hat die Schwierigkeit des Ich-Sagens nach allen Seiten hin erörtert und überwunden, den Versuch, Man-selbst-zu-Sein, demonstriert. Das geschilderte Leben soll weder verklärt werden noch Vorbildcharakter haben, sondern ein Überprüfen von Lebenseinstellungen und Erfahrungen bewirken.

Symbole und Metaphern unterstreichen den emotionalen und erlebnisorientierten Charakter des Erzählgeschehens. Mit dem Motiv des ausgestoßenen urwüchsigen Schreis, der »für einen Sekundenbruchteil den Himmel anhob« und auf die Schultern der Erzählerin »zurückfiel«, wird Christa T., wie gesagt, in die Handlung eingeführt. Der Schrei, auch Symbol des Schmerzes, ist hier das Symbol spontaner Lebensäußerung, ein Akt von Selbstbefreiung. Wirkung und Bedeutung werden in einem Bild zusammengeschlossen. Die Faszination, die von solcher Spontaneität ausgeht, behält ihren Symbolwert auch dann, wenn sie mit deren Kehrseiten kontrastiert wird.

> »Niemals kann man durch das, was man tut, so müde werden wie durch das, was man nicht tut oder nicht tun kann« (N 175 f.),

lautet das vorweggenommene Resümee, mit dem die Sicht auf die letzten Lebensjahre der Figur eingeleitet wird.

Der Himmel ist das erste Symbol, das die einzelnen Strukturelemente des Textes zusammenfügt. Die Himmelsmetapher signalisiert – wie übrigens in den meisten Prosawerken Christa Wolfs auf der ersten Textseite zu finden – einen bestimmten Stimmungs- und Gefühlswert, der das Verhältnis des einzelnen zur ihn umgebenden Welt kennzeichnet. Innere und äußere Befindlichkeiten des Menschen werden mit dem Himmelsbild erfaßt. Der Himmel ist Bezugspunkt für das Individuum und zugleich übergreifendes Sinnbild für die Unendlichkeit des Raumes, in dem die Menschheit existiert, in dem sie Lebensstrategien entwickelt. Steht das Himmelssymbol in der Erzählung *Der geteilte Himmel* für ein ganzes Gewölbe von Hoffnung und Sehnsucht, Bedrohung und Angst, Liebe und Trauer, so in *Nachdenken über Christa T.* für das Naturganze. Der sich über das Grab der Freundin wölbende »mecklenburgische Himmel« ist Metapher für die Unwiderruflichkeit des Todes als eine zum Leben gehörende Tatsache.

Auch das Motiv des Wanderns erhält mehrfache Bedeutung. Eine der charakteristischen Eigenschaften der Christa T. ist, daß sie mit vorgebeugter Haltung und ausgreifendem Schritt läuft. Sie ist ständig unterwegs. Weggehen und Unruhe gehören zu ihrem Lebensmuster:

> »Hinter sich lassen, was man zu gut kennt, was keine Herausforderung mehr darstellt. Neugierig bleiben auf die anderen Erfahrungen, letzten Endes auf sich selbst in den neuen Umständen. Die Bewegung mehr lieben als das Ziel. – Die Nachteile einer solchen Natur für ihre Umgebung und für sie selbst liegen auf der Hand.« (N 54)

In dem traditionsreichen Wandermotiv steckt revolutionäre Ungeduld ebenso wie die Metapher des *»lange(n) nicht enden wollende(n) Weg(es) zu sich selbst«* (N 222).

Mit einer Vielzahl innerliterarischer Verweise stellt Christa Wolf poetische Bezüge zu anderer Literatur her. Sie bieten Anregungen zu Gleichnissen und sind als Symbole verwendet. Die Wirkung solcher literarischen Anspielungen ist verschieden. Sie regen die Phantasie des Lesers an, indem sie Kenntnis abfordern. Sie können Ansporn sein, sich anderer Literatur zu vergewissern, aber auch als Überforderung verstanden werden. Auf jeden Fall bringen die literarischen Zitate eine ›dritte Welt‹ in die Erzählgegenwart, wenn den unterschiedlichen Lebensabschnitten der Figur jeweils spezifische literarische Anspielungen beigefügt werden. So sind beispielweise einzelne Handlungsepisoden mit Zitaten aus anderen Werken unterlegt oder werden über Lektüreerlebnisse der Figur Aufschlüsse über das intellektuelle Klima ihrer Lebenszeit vermittelt. Brechts *Ballade von der Marie A.* ist ein nicht ohne Ironie verwendetes Bild auf die flüchtige Liebe. Es ist zeitgemäßer als die belächelte Vorliebe Christa T.s für empfindsame Bettinen oder Annetten romantischer Herkunft. Wenn der geliebte Kostja Christa T. zugunsten der blonden Inge verläßt, so ist man an Thomas Manns *Tonio Kröger* erinnert. Eine weibliche Romangestalt wie das Fräulein von Sternheim der Sophie la Roche, von Christa T. als Faschingskostüm gewählt, verbindet sich mit ihrer Liebe zu Justus. Mit Schillers *Kabale und Liebe* und mit dem Goethe-Gedicht *Edel sei der Mensch* wird das schwierige Bemühen verdeutlicht, tradierte humanistische Werte für die Gegenwart handhabbar zu machen.

Ebenso vielschichtig wie Christa Wolfs Text war die Reaktion, auf die ihr Buch zunächst stieß. Es entbrannte ein Kritikerkrieg,[114] der seinesgleichen noch heute suchen kann. Christa Wolf hatte Probleme angesprochen, die sich im öffentlichen Bewußtsein noch nicht durchgesetzt hatten oder erst langsam als zu behandelnde erkannt worden waren. Nicht zuletzt aus diesem Grund entzündete sich der Streit um das Buch weniger an seiner literarischen Textqualität als an den politischen Implikationen, die ihm eingeschrieben sind. Auf dem VI. Schriftstellerkongreß im Mai 1969 wurde *Nachdenken über Christa T.* Gegenstand von Kritik und Selbstkritik, Verurteilungen und Verdächtigungen persönlicher Art, sorgte für aufgeregte Debatten und rief Mahnungen zum sorgfältigen Umgang mit nicht auf Anhieb in gewohnte Lektüreweisen einzuordnenden Werken hervor.[115]

Christa Wolf kam 1973, als sich ein Wandel in der Bewertung des Buches abzeichnete, noch einmal auf ihr Grundanliegen zurück:

> »Bobrowskis Frage ist und bleibt stimulierend, weil sie hilft, die Welt einer menschenwürdigen Moral und nicht die Moral der Menschen einer noch wenig menschenwürdigen Welt anzupassen: Das wäre auch der physische Tod der Menschheit...
>
> Das hat doch nichts mit den christlichen Antinomien von Gut und Böse, mit der starren Gegenüberstellung von Den-

ken und Tun zu tun, nichts mit abstrakten, unfruchtbaren und letztlich lähmenden Integritätsforderungen. Ja: Auch unsere Irrtümer können ›moralisch‹ sein, wenn sie uns immer wieder und immer neu auf die produktive Seite unserer Widersprüche bringen. Unmoralisch dagegen ist alles, was uns, was die Massen hindert, vom Objekt zum Subjekt der Geschichte zu werden. Und, davon ausgehend – warum sollte sich nicht auch der sozialistische Autor als ›Moralist‹ begreifen?« (1973; Di II 349)

Diesem Credo fühlt sich die Autorin weiterhin verpflichtet.

Eine Reihe von Ende der sechziger Jahre erschienenen Büchern, wie Alfred Wellms *Pause für Wanzka*, Werner Heiduczeks *Abschied von den Engeln*, Günter de Bruyns *Buridans Esel*, Eduard Claudius' *Ruhelose Jahre* (alle 1968) oder auch im Manuskript bereits vorliegende, jedoch erst zu Beginn der siebziger Jahre veröffentlichte Romane wie Hermann Kants *Das Impressum* (1972) oder Erik Neutschs *Auf der Suche nach Gatt* (1973) kündigten jenen Dominanzwechsel literarischer Funktionsbestimmung an, der sich in den siebziger Jahren manifestieren und mit Entschiedenheit fortsetzen sollte. Sie alle sind Beleg für den »Eintritt der DDR-Literatur in ein neues Selbstverständnis«[116], von dem Hermann Kant 1973 sprach.

Christa Wolfs Erzählung gehört zweifellos zu den Signalbüchern jener Zeit. Befragt nach den für sie wichtigsten Werken der DDR-Literatur, die traditionsbildend gewirkt haben, nannten Autoren wie Franz Fühmann, Günter de Bruyn, Jurek Bekker und andere *Nachdenken über Christa T.*[117]

»Lesen und Schreiben«

Im Ergebnis der Auseinandersetzungen um *Nachdenken über Christa T.* kündigte Christa Wolf ihre Autorschaft im Mitteldeutschen Verlag, von dem sie sich unzureichend unterstützt fühlte. Die Verlagsleitung hatte im Konzert der kritischen Stimmen gegen das Buch eine exponierte Rolle eingenommen und im Zuge dessen Selbstkritik an der eignen Veröffentlichungspolitik geübt. Sie bestärkte die ideologische Kritik an dem Buch und fällte zugleich ein Urteil über die Autorin: »Christa Wolf findet keine Distanz zu ihrer Heldin. Pessimismus wird zur ästhetischen Grundstimmung des Buches. Die Antwort, die Christa Wolf letzten Endes findet, bleibt eine allgemein humanistische.«[118] Schon zuvor war der Autorin in einem vom Verlag mitgetragenen Gutachten bescheinigt worden, daß auch dieses Buch – wie schon *Der geteilte Himmel* – mißlungen sei. Es wurde ihr empfohlen, mit dem Schreiben aufzuhören.

Christa Wolf wechselte zum Aufbau-Verlag Berlin und Weimar, der 1972 den mit einer Nachbemerkung des Biologen Hans Stubbe versehenen Band *Lesen und Schreiben* herausbrachte. Er enthält Aufsätze zu literaturtheoretischen Problemen, Porträts, Werkstattberichte und Zeugnisse direkten politischen Engagements zu Zeitereignissen zwischen 1966 und 1970.

Kernstück des Bandes ist der in neun thesenartige Abschnitte gegliederte Essay *Lesen und Schreiben* (1968), der zu den »Gründungsurkunden«[119] neuerer DDR-Literatur gezählt wird. Was verschafft dem Titel-Essay diese Wertschätzung? Läßt sich in ihm jener »Lichtwechsel« festmachen, von dem in *Nachdenken über Christa T.* im Zusammenhang mit den Ereignissen in Ungarn von 1956 die Rede ist und mit dem Christa Wolf sich auf eine Veränderung des Lebensgefühls bezieht, die sich in der zweiten Hälfte der sechziger Jahre in einem Wandel der Literatur niederschlägt?[120] Den Schreibantrieb essayistischer Äußerung über den zurückgelegten Weg, Standort und Wirkungsmöglichkeiten benennend, spricht sie von einem »Wechsel der Weltempfindung«.

> »In Zeitabständen, die sich zu verkürzen scheinen, hört, sieht, riecht, schmeckt ›man‹ anders als noch vor kurzem,« heißt es dort. Aus »einer neuen Art, in der Welt zu sein«, leitet sie das Bedürfnis ab, »auf eine neue Art zu schreiben« (1968; Di II 7),

sich mit der Stellung des Schriftstellers in der modernen Industriegesellschaft auseinanderzusetzen und über Sinn und

Zweck seiner Arbeit neu nachzudenken, literarische Wirkungsmöglichkeiten zur gesellschaftlichen Verständigung über Erreichtes und Nichterreichtes, über den Sinn individuellen und kollektiven Bemühens auszuloten. Der Drang nach poetologischer Selbstverständigung war gegen Ende der sechziger und zu Beginn der siebziger Jahre nicht nur bei Christa Wolf vorhanden. In dieser Zeit entstanden wichtige Zeugnisse literarischer Essayistik von Anna Seghers, Annemarie Auer, Volker Braun, Günter de Bruyn, Franz Fühmann, Stephan Hermlin, Rainer Kirsch, Günter Kunert, Eva Strittmatter, in denen allgemeine Tendenzen und Differenzierungen in der geistigen Weltaneignung sichtbar wurden.[121]

Christa Wolfs Essay ist beredtes Zeugnis einer an den Zeitereignissen beteiligten und von ihnen betroffenen Autorin, die, ungeachtet persönlicher Enttäuschungen – *Lesen und Schreiben* ist unmittelbar nach Beendigung der Arbeit an *Nachdenken über Christa T.* entstanden –, ihre Entschlossenheit kundtut, sich in gesellschaftliche Belange einzumischen, um die weitere Entwicklungsrichtung mitzubestimmen. Diese Grundüberzeugung bildet auch die Basis ihres Nachdenkens darüber, welche Aufgaben der Literatur unter den Bedingungen der sich beschleunigenden Entwicklung von Wissenschaft und Technik zukommen müßten und worin sich ihre spezifische, nicht austauschbare Leistung gegenüber anderen Formen des gesellschaftlichen Bewußtseins ausweisen könne. Von der Position einer grundsätzlichen Übereinstimmung mit der sozialistischen Gesellschaft ausgehend, wandte sie sich mit Entschiedenheit bisher unausgesprochenen Widersprüchen zu. Die Modifizierung der ästhetischen Mittel faßt sie als notwendige Konsequenz solcher Übereinstimmung auf.

An Diskussionen um die »Krise des Romans«[122] anknüpfend, gilt ihr Interesse dem Schicksal der Gattung Prosa, dem Zusammenhang von gesellschaftlichem Auftrag und Leistungsvermögen von Literatur, die

> »sowohl die esoterische Außenseiterposition als auch die banale Zeitvertreiberrolle ablehnt und darauf besteht, etwas zu sagen zu haben« (Di II 12).

Vor allem widmet sie sich der Frage, wie Prosa unter den Bedingungen fortschreitender gesellschaftlicher Arbeitsteilung und daraus resultierender Entfremdung die Lebensprobleme vieler Menschen zur Sprache zu bringen vermag, wie sie den Prozeß des Mündig-Werdens unterstützen könne. Bestehende Erwartungshaltungen werden hinterfragt, um das ästhetische Denken in eine neue Richtung zu lenken: Was kann Prosa heute überhaupt noch leisten für eine vor dem Fernsehschirm aufwachsende Generation? Angesichts der Medienentwicklung befinde sich die Literatur in einem Zugzwang, sich auf ihre spezifischen Möglichkeiten zu besinnen. Deshalb sollte sie

> »von dem gefährlichen Handwerk ablassen, Medaillons in Umlauf zu bringen und Fertigteile zusammenzusetzen. Sie sollte unbestechlich auf der einmaligen Erfahrung bestehen und sich nicht hinreißen lassen zu gewaltsamen Eingriffen in die Erfahrung der anderen, aber sie sollte anderen Mut machen zu ihren Erfahrungen.« (Di II 25)

Um diese Wirkungen entfalten zu können, gelte es, tradierte Erzählmuster oder Erzählstrategien – angesichts der sich verändernden gesellschaftlichen Verhältnisse in ihrer neuen Dimension von Widersprüchen – zu überprüfen und einer historischen Kritik zu unterziehen. Eine ausschließliche und ausschließende Vorstellung von der Wirksamkeit ›objektiven‹ Erzählens wurde vor dem Hintergrund solcher Wirklichkeitserfahrung von vielen Autoren in Zweifel gezogen. Um der Wahrheit jenseits der meßbaren Fakten auf die Spur zu kommen, betont auch Christa Wolf die Notwendigkeit, sich von einem Literaturbegriff zu lösen, der realistisches Schreiben auf die einfache Spiegelung von Wirklichkeit beschränkt:

> »Lassen wir Spiegel das Ihre tun: spiegeln. Sie können nichts anderes. Literatur und Wirklichkeit stehen sich nicht gegenüber wie Spiegel und das, was gespiegelt wird. Sie sind ineinander verschmolzen im Bewußtsein des Autors.
>
> Der Autor nämlich ist ein wichtiger Mensch.« (Di II 40)

Diese hier vorgebrachten poetologischen Überzeugungen gehen von einem erweiterten Begriff realistischen Schreibens aus, für das ein Buch wie *Nachdenken über Christa T.* nicht nur im Verständnis der Autorin ein Beispiel ist. So nannte Günter Kunert das Buch gerade deshalb »zeitgemäß« erzählt, weil dessen Thema nicht die Wirklichkeit sei, »sondern der Bezug zur Wirklichkeit«.[123] *Lesen und Schreiben* ist eine Art poetischer Konfession; mit dem Plädoyer für ein hohes Maß an Subjektivität wird poetologisch verdeutlicht, was in den Text *Nachdenken über Christa T.* andeutungsweise schon eingeschrieben ist und sich als schriftstellerische Eigenart Christa Wolfs manifestieren wird: die Verbindung von fiktiver Prosa und essayistischer Reflexion, Essay und Prosa, zu nutzen, »um unterschiedlichem Material beizukommen, zu verschiedenen, doch nicht einander entgegengesetzten oder einander ausschließenden Zwecken« (1973; Di II 319). Spätere Texte bekräftigen diese Vorgehensweise: Essayistische Elemente verbinden sich mit fiktionalen Passagen in *Kindheitsmuster* zu einem Textgefüge. Der Essay über Karoline von Günderrode, *Der Schatten eines Traumes*, ist in unmittelbarem Zusammenhang mit *Kein Ort. Nirgends* entstanden und kann als dessen Ergänzung gelesen werden. *Voraussetzungen einer Erzählung* sind essayistische Annäherungen an den *Kassandra*-Stoff.

Die Nachhaltigkeit, mit der Christa Wolf, ganz in der Tradition aufklärerischen Verständnisses, auf »ästhetische Erziehung zur Humanität«[124] setzt, zeugt von ihrem entschlossenen Willen, an der als unabdingbar für den Fortgang der Gesellschaft erkannten Erweiterung individuellen Spielraums mitzuwirken.

Diese Funktionsbestimmung zur ästhetischen Emanzipation der Literatur war so neu nicht. Anna Seghers hatte sich in den dreißiger Jahren mit Blick auf die Wirkung Tolstoischer Romane Georg Lukács gegenüber für die Kategorie »Erlebnis« in der Prosa ausgesprochen. Christa Wolfs Nähe zu der großen Erzählerin, die ihr Anregerin war, sicherlich auch ein erstes Vorbild poetischer Weltaneignung und -verarbeitung, liegt eben in der vergleichbaren Wirkungsvorstellung begründet. Die seit Ende der fünfziger Jahre erschienenen Besprechungen und essayistischen Auseinandersetzungen, die Interviews und vielfach in Gesprächen erscheinenden Verweise auf die Werke der Seghers zeugen davon, wie intensiv sich Christa Wolf mit ihrer Nestorin auseinandergesetzt hat. Die Begegnung mit ihr hat sie als »Glücksfall« gewertet, denn das anhaltende Interesse

Mit Anna Seghers während des VII. Schriftstellerkongresses (1973)

an dem »von Grund auf anderen Lebensmuster« habe ihr ermöglicht, »Genaueres« über sich selbst zu erfahren (1974; Di I 343). Von »Dankbarkeit« ist die Rede, aber auch davon, daß die Jüngere sich freizumachen begonnen hatte:

> »Ihre Zeit fließt anders, sie trägt ihr andere Beispiele zu, geschlossenere Schicksale. Sie sah nicht nur eine andere Wirklichkeit – sie sieht auch Wirklichkeit anders. Ein pädagogischer Rückhalt in manchen ihrer Bücher ist unverkennbar.
> [...]
> Erschütterung soll sich nach ihrer Meinung nicht entäußern.
> [...]
> Maßvoll sein, wer wünschte es sich nicht? Sie hat, vielleicht überraschend für sie selbst, ihr Maß gefunden. Das wird man nicht ›edle Einfalt und stille Größe‹ nennen [...] können. Doch auf seinem Grund liegen unbezweifelbare und unbezweifelte Gewißheiten.« (1974; Di I 344)

Solche Gewißheiten sind zu dem Zeitpunkt, als *Lesen und Schreiben* entstand, für Christa Wolf längst nicht mehr verfügbar gewesen. Trotz des Wissens, auf »verschiedenen Seiten der Generationsschranke« (Di I 343) zu stehen, teilt sie vieles mit der Älteren, etwa deren Bekenntnis zu den frühromantischen Dichtern und zu Georg Büchner. Das Urteil über den Dichter von *Woyzeck* und *Dantons Tod* ist in den Arbeiten der Seghers vorgeprägt. In Büchners *Lenz*-Novelle fand Christa Wolf sowohl den »Anfang« als auch einen »Höhepunkt der modernen deutschen Prosa« (Di II 30). Sich auf Büchner berufend, formuliert sie eine Grundbestimmung ihrer literarischen Arbeit, das Werk als »offene Wunde« kenntlich zu machen, als Folge von Verletzungen, die der Autor selbst davongetragen hat. Sein Verfahren, Wirklichkeitsmaterial in Kunst zu verwandeln, indem er den eigenen Lebenskonflikt zum Teil dieser Wirklichkeit macht, birgt für sie die »dichteste, konfliktreichste und schmerzhafteste Annäherung« (Di II 32) an die eigene Zeit. Ingeborg Bachmanns Überlegungen zur Aufgabe des Schriftstellers aus dem Jahre 1959 lesen sich wie komplementäre Gedanken: »So kann es auch nicht die Aufgabe des Schriftstellers sein, den Schmerz zu leugnen, seine Spuren zu verwischen, über ihn hinwegzutäuschen. Er muß ihn im Gegenteil wahrhaben und noch einmal, damit wir sehen können, *wahr machen*. Denn wir wollen alle sehend werden. Und jener geheime Schmerz macht uns erst für die Erfahrung empfindlich und insbesondere für die Wahrheit.«[125]

Was Christa Wolf bei Büchner »phantastische Genauigkeit« (Di II 32) nennt, nämlich dessen Verwandlung des Materials durch die Vision, ist für sie unabdingbarer Bestandteil eigenen Erzählens. An die Stelle eines geistesgeschichtlichen Mythos der Seelentiefe setzt sie die Tiefe, mit der sich das Engagement des Erzählers ausweisen sollte. Mit dem auch von Robert Musil in seinem Roman *Der Mann ohne Eigenschaften* verwendeten Begriff der »Phantastischen Genauigkeit« – darauf ist verwiesen worden –[126] entwickelt Christa Wolf ein Realismuskonzept zeitgemäßer Literatur:

> »Prosa schafft Menschen, im doppelten Sinn. Sie baut tödliche Vereinfachungen ab, indem sie die Möglichkeiten vorführt, auf menschliche Weise zu existieren. Sie dient als Erfahrungsspeicher und beurteilt die Strukturen menschlichen

Zusammenlebens unter dem Gesichtspunkt der Produktivität. Sie kann Zeit raffen und Zeit sparen, indem sie die Experimente, vor denen die Menschheit steht, auf dem Papier durchspielt: da trifft sie sich mit den Maßstäben der sozialistischen Gesellschaft. Die Zukunft wird wissen, wie wichtig es ist, den Spiel-Raum für die Menschen zu vergrößern. Prosa kann die Grenzen unseres Wissens über uns selbst weiter hinausschieben. Sie hält die Erinnerung an eine Zukunft in uns wach, von der wir uns bei Strafe unseres Untergangs nicht lossagen dürfen.
Sie unterstützt das Subjektwerden des Menschen.
Sie ist revolutionär und realistisch: sie verführt und ermutigt zum Unmöglichen.« (1968; Di II 46 f.)

Ihr prononciertes Bekenntnis zur Subjektivität des Erzählens entwickelt sich aus der Abgrenzung gegenüber der auf Georg Lukács zurückgehenden Orientierung des Genres an den großen Romanen des 19. Jahrhunderts ebenso wie den Mustern einer Moderne, in der sich das Individuum nur noch als Gegenstand deterministischer Verhältnisse wiederfände.

Der Schlüsselbegriff dieses Prosaentwurfs ist die mit »subjektive Authentizität« gefaßte Verbindung von persönlichem Erleben und historischem Prozeß, umgesetzt in eine Erzählstruktur, in der die Autorenperspektive die Figurenperspektive überlagert und die erzählende Figur nicht als allwissende, sondern als ordnende oder kommentierende, auf jeden Fall als beteiligte Instanz auftritt. Das Erzählte wird dem Leser als vom Autor erlebtes und gewertetes Geschehen präsentiert, als Modell in der »Dimension des Autors« im Erzählvorgang erkennbar gehalten.

Mit Volker Braun und anderen ist sie sich einig, daß Literatur »eingreifendes Denken« zu praktizieren habe. Daß dies keineswegs als Plädoyer für formloses Gestalten mißverstanden werden sollte, dafür spricht ihr Votum für die »Gattung Prosa«. In Anlehnung an Brechts Begriff vom »epischen Theater« führt sie den Begriff »epische Prosa« ein, der hier die Funktion eines psychischen Schlüssels zugewiesen bekommt. Der vielzitierte Satz vom »wahrheitsgetreuen Erfinden auf Grund eigener Erfahrung« (Di II 25) geht zunächst einmal von einer Haltung

Mit Volker und Annelie Braun (1982)

der Erfahrungsbereitschaft und des Suchens aus. Offenheit der Erzählstrukturen entsteht auch durch die Erfahrungen, die der Autor erst beim Schreiben macht. Die Ergebnisse solcher Selbsterforschung werden dem Leser mitgeteilt – ein Verfahren, das zur Grundmaxime Christa Wolfs geworden ist. Sie geht davon aus, daß der Lesende sich am Prozeß der Suche beteiligen muß, um die Konkretisation des Geschriebenen selbst zu vollziehen; der Rezipierende tritt also als »Strukturelement«[127] des betreffenden literarischen Systems auf.

Nachdenken, Erinnern und Selbsterforschung sind die bestimmenden Mittel dieses Prosaentwurfs, den sie in den folgenden Werken praktisch umzusetzen unternimmt. Indem sie den Leser an der Art und Weise ihres Erfahrungsgewinns teilhaben läßt, trachtet sie danach, Phantasie anzuregen und zu ermuntern.

Um den Zusammenhang von Sprechen (bzw. Lesen) und Schreiben geht es ihr in der Auseinandersetzung mit dem französischen Nouveau roman. In ihm findet sie bedeutende Ansätze neuer Erzählformen dort, wo sie die Erfahrung scharf empfundener Diskrepanz zwischen eigenem Erleben und der auf herkömmliche Weise dargestellten Welt teilt.[128] Ablehnend reagiert sie jedoch auf die von Alain Robbe-Grillet, dem führenden Vertreter des Nouveau roman, vertretene Auffassung von der gegenwärtigen Epoche als eine »der Kenn-Nummern«, innerhalb der der Mensch als »widerstehendes, aufbegehrendes, rebellierendes Individuum« (Di II 29) nicht auffindbar sei.

Ihr Redegestus ist in diesem wie auch in anderen Essays diskursiv, darauf aus, ihre ethischen Wertvorstellungen in die Diskussion um die künftige Gestaltung der Gesellschaft einzubringen, ohne daß dem Leser Antworten auf gestellte Fragen aufgenötigt würden. Sie versteht es vielmehr, die Probleme als gemeinsam zu bewältigende darzustellen.

Ebenso wie Ingeborg Bachmann in ihrer Essayistik, reflektiert Christa Wolf Zeitprobleme, indem sie das Schreiben problematisiert. 1966 hatte sie sich in ihrem Aufsatz *Deutsch sprechen* mit dem Funktionszusammenhang von Sprache und historischem Ereignis befaßt. Momente der »Verzauberung« oder »Verführung« durch Sprache kommen ihr beim Anhören von Parolen der neonazistischen Partei NPD und anderer konservativer Kräfte in der BRD in den Sinn. Christian Geißler, Hans Magnus Enzensberger und Heinrich Böll, der für sie in tief »beunruhigte(r) Sprache« Stellung nahm, zitierend, stellt sie Überlegungen zu einer neuen Sprache an,

> »die sagt, was ist, die man gebrauchen kann wie ein Instrument: zur Argumentation, zur Analyse, zur Überzeugung, zum Widerstand.
> Eine Sprache, die nicht zur Vernebelung erfunden wurde, sondern zur Enthüllung. [...]
> Die genaue, brauchbare Sprache der Vernunft. Die Hoff-

nung und die Verantwortung, die darin liegen, daß auch wir – deutsch sprechen. [...]

Unsere Hoffnung ist: Es wird deutsch gesprochen in Deutschland. Friedlich.« (1966; Di I 421)

»›Dichten findet nicht außerhalb der geschichtlichen Situation statt‹« (1966; Di I 92), konstatierte sie, Ingeborg Bachmann zitierend und wissend, daß die lebensbestimmenden Fragen nicht von der Literatur entschieden werden, daß diese aber sehr wohl zum besseren Verständnis der Welt und zur aktiven Auseinandersetzung mit ihr beitragen könne. Eine leidenschaftslose, nüchtern registrierende Schreibhaltung ist für sie nicht akzeptabel vor dem Hintergrund solcher Wirklichkeitserfahrungen, die im Jahre 1968 kulminierten. Die Medien brachten die Bilder in jedes Wohnzimmer – Vietnamkrieg, Studentenunruhen von Paris bis Berlin (West), zunehmende Radikalisierung des Protests, Terrorismus in Westeuropa. Tiefgreifende Konflikte aber auch in einigen sozialistischen Staaten. Eingreifen der Truppen des Warschauer Pakts in der ČSSR. Wie zahlreiche andere Schriftsteller nahm auch Christa Wolf Stellung und gab Bekenntnisse ab. Vietnam wird ihr zur »Probe«, sich gegen die Gewöhnung an Schrecken, Terror und Lähmung aufzulehnen. Vietnam ist zugleich Symbol des Widerstands, eine mögliche Hoffnung auf die einzulösende Utopie:

»Vietnam ist eine Probe auf die Fähigkeit der Menschheit, ihren Lebenswillen zu organisieren.

Wenn wir diese Probe bestehen, wird dieser Krieg kein Vor-Krieg sein.« (1967; Di I 424)

Am Vorabend der Abstimmung über eine neue Verfassung in der DDR meldete sie sich zu Wort, um deutlich zu machen, daß sich für sie mit dem Votum zur Verfassung ein Bekenntnis zu dieser Gesellschaft verband: Mitbestimmung und Mitgestaltung versteht sie als »hohe moralische Verpflichtung für jeden Bürger«.[129]

In einer an Brechts Gedicht *Die Lösung*[130] erinnernden persönlichen Stellungnahme zu den Ereignissen in der ČSSR gab sie ihrer Hoffnung Ausdruck, daß politische Vernunft sich auf allen Seiten durchsetzen möge:

»Wer diese Lösung mit allen Mitteln verhindern, wer sie rückgängig machen will dort, wo sie gefunden wurde, wer die Bombenopfer in Vietnam hinnimmt, wer die gesellschaftlichen Hintergründe der Ermordung Martin Luther Kings verschweigt, die reale neonazistische Gefahr in Westdeutschland bagatellisiert: der rede nicht von Freiheit, Demokratie und Menschlichkeit.«[131]

»Till Eulenspiegel«

Daß Christa Wolf, die in *Lesen und Schreiben* kategorisch erklärt hatte, Prosa – wie sie ihr vorschwebt – solle danach streben, »unverfilmbar zu sein« (1968; Di II 25), wenig später zusammen mit Gerhard Wolf für die DEFA eine Filmerzählung schrieb, mag merkwürdig erscheinen. Hatte sie doch gerade in diesem Genre die Abwesenheit der »vierte(n) Dimension der modernen Prosa« (1973; Di II 341) – die des Autors – reklamiert. Auf eine entsprechende Frage Hans Kaufmanns hin verwies sie auf Unterschiede, die beim Schreiben eines Drehbuchs zu berücksichtigen sind, werden Realitätsbezüge im Film doch in erster Linie über die Kamera hergestellt.

»Vor allem aber: Diese vierte Dimension ist bei einem Szenarium ja dem Regisseur und den Schauspielern überlassen, sie müssen Raum und Gelegenheit haben, ihre eigene Haltung zu dem Stoff auszudrücken.« (Di II 341)

Der Umgang mit dem Medium Film war Christa Wolf zu diesem Zeitpunkt nicht fremd. Anfang der sechziger Jahre hatte sie – aus Anlaß einer geplanten und schließlich nicht realisierten Verfilmung von *Moskauer Novelle* – erstmals mit dem Regisseur Konrad Wolf zusammengearbeitet.[132] Dem folgte die Arbeit am Drehbuch zu *Der geteilte Himmel*, das die Wolfs zusammen mit Konrad Wolf verfaßten, wobei filmadäquate Lösungen für die Umsetzung der relativ komplizierten Struktur der

Erzählung zu finden waren. Neben Anna Seghers und anderen zeichnete Christa Wolf 1968 auch als Mitautorin für das Szenarium zum Film *Die Toten bleiben jung* (1968) verantwortlich, das sich eng an die literarische Vorlage hielt.

Szenenfoto
aus dem DEFA-Film
»Till Eulenspiegel«
(1976,
Regie: Rainer Simon)

Mit dem Szenarium zu *Till Eulenspiegel*, das 1972 als Filmerzählung in der Reihe »Edition Neue Texte« beim Aufbau-Verlag erschien, begaben sich Christa und Gerhard Wolf erstmals auf historisches Terrain.

Stoff und Thema der abenteuerlichen Geschichten um die Ulenspiegel/Eulenspiegel-Figur aus dem Volksbuch von 1515 hatten schon viele Dichter zur Bearbeitung angeregt. Bekannt sind über zweihundert literarische Gestaltungen und Nachdichtungen aus vielen Epochen und Ländern. Namen wie Fischart, de Coster, Sachs, Kotzebue, Nestroy, Wedekind oder Hauptmann wären zu nennen. Komponisten wie Richard Strauss und Emil Reznicek haben in den Geschichten um die Streiche und Scherze des Narren einen Opernstoff gefunden. Auch Bertolt Brecht war nach seiner Rückkehr aus dem amerikanischen Exil bei seiner Suche nach interessanten Stoffen für neue Stücke auf den Eulenspiegel gestoßen. Im Zusammenhang mit dem Eindruck, den Hans Albers als Liliom auf ihn gemacht hatte, dachte er an ein Volksstück mit diesem berühmten und populären Schauspieler.[133] Einen zweiten Anlauf zur Realisierung seines Planes machte Brecht, als er schließlich von Günther Weisenborn, mit dem ihn seit der gemeinsamen Arbeit am Stück *Die Mutter* zu Beginn der dreißiger Jahre eine Freundschaft verband, erfuhr, daß auch dieser inzwischen Gefallen an Eulenspiegel gefunden hatte. Brecht schlug vor, beider Projekte zu einem Filmszenarium oder einem Stück als Fortsetzung von Weisenborns *Ballade vom Eulenspiegel, vom Federle und von der dicken Pompanne* (1949) mit Karl Valentin in der Hauptrolle zu vereinen. Weisenborn berichtete, welcher aktuelle Zeitbezug Brecht im Umgang mit dem Stoff vorschwebte: »Wir können den Bauernkrieg in den Hintergrund geben. Wir können die Eulenspiegel-Figur mit in die gleichen Kämpfe verwickeln, aber auf realistische Weise, immer nur so weit, als solch ein Schausteller das eben kann. Ein völlig politischer Valentin. Er kann den Gang des Bauernkrieges nicht beeinflussen. Er kann die Frechheiten demonstrieren, die Heuchelei, Willkür der Herren. Er zeigt den Bauern ihre Schwächen, ihre Uneinigkeit, ihre Knechtschaft. Das ist der Inhalt seiner Streiche, die Entlarvung der Großen vor den Kleinen, und die Entlarvung der Kleinen vor den Kleinsten.«[134]

Ganz ähnliche Akzente in Brechts Umgang mit dem Stoff entdeckt Werner Mittenzwei in seiner Brecht-Biografie: »Ging es ihm doch darum, Lehren aus der deutschen Geschichte für einen revolutionären Neuanfang zu ziehen. Deshalb wollte Brecht den Stoff aus den historischen Bedingungen des deutschen Bauernkrieges entwickeln.«[135]

Christa und Gerhard Wolf, die den Brechtschen Plan kannten, griffen den Stoff zu Beginn der siebziger Jahre auf, in einer Zeit also, da sich mit dem VIII. Parteitag der SED ein Umbau der Gesellschaftspolitik deutlich abzeichnete. Das Krisengefühl, dem Christa Wolf mit *Nachdenken über Christa T.* Ausdruck verliehen, das sich in *Lesen und Schreiben* als Bekenntnis zu einer neuen Schreibart manifestiert hatte, war mit dem *Eulenspiegel*–Projekt gewissermaßen aufgefangen worden. Der historische Stoff bot die Möglichkeit, auch

»Probleme und Konflikte zu bearbeiten, die wir aus verschiedenen Gründen historisch konkret für die Gegenwart noch nicht aufwerfen oder aufwerfen können. Denn nicht immer entspricht der radikalsten Tatsache der deutschen Geschichte – nämlich der Veränderung der alten Gesellschaft von ihren Wurzeln her in Richtung auf den Sozialismus – die Radikalität unserer (historischen, ökonomischen, soziologischen, moralischen, künstlerischen) Fragestellungen an diese unsere Gesellschaft« (1973; Di II 339),

heißt es mit deutlichem Seitenblick auf ideologische Verkrustungen aus der zweiten Hälfte der sechziger Jahre, die sich in der selbstzufriedenen, den erreichten Gesellschaftszustand als das Maß der Dinge beschreibenden Formel vom Sozialismus als »relativ selbständiger Gesellschaftsformation« geäußert hatten. Christa Wolf lag daran, den unmittelbaren Zeitbezug im Umgang mit dem historischen Stoff durchsichtig zu halten, der Filmerzählung Parabelcharakter zu verleihen:

»Ich hatte ein Gesicht vor Augen, das im Wechsel der Lebensalter härter, aber auch menschlicher wird, und Haltungen eines Menschen, der es lernt, unter schwerem Druck und in schwerer Bedrängnis souverän seine Mittel einzusetzen – nicht nur, um sich zu wehren, sondern um den Raum für reale Freiheiten für sich und seinesgleichen (er ist ja Plebejer) zu erweitern.« (Di II 339)

Die Filmerzählung ist in einzelne Szenen gegliedert, die sowohl beschreibend als auch berichtend dem Weg des von seinem bäuerlichen Anwesen vertriebenen und nun als Fahrender durch die Lande ziehenden Helden folgen. Die Fabel erzählt seine Abenteuer. Sich eng an den Schelmenroman anlehnend, handelt sie von seinen Streichen, werden Episoden und Anekdoten geschildert, lustige und traurige Erlebnisse, die dem Helden widerfahren. Am Beginn seines Weges ist er ein gewitzter Bauernjunge, der sich recht und schlecht durch die Welt schlägt, nachdem er von seinem Hof vertrieben wurde. Er erhält dabei Einblicke in die verschiedenen Stände und in Verhaltensweisen von Menschen, lernt den Kaiser und dessen Höflinge kennen, disputiert mit dem Bischof, neckt Junker und Kaufleute, macht sich mit den aufstrebenden Zunftmeistern bekannt. Geborgenheit aber empfindet er immer nur bei seinesgleichen. Indem er sich selbst erfahren lernt, ist er immer besser imstande, die anderen zu erkennen.

Ausgestattet mit der List der Schwachen, wie sie Brecht seinem Schwejk und anderen Figuren beigegeben hat, übersteht Eulenspiegel während seiner Wanderschaft diverse Abenteuer, die er sich selbst organisiert. Seine Stärke liegt in der Fähigkeit, die Umstände zu nutzen, indem er mit und in ihnen spielt. Er ist weder ein Aufrührer noch ein Revolutionär. Seine Narrenrolle erlaubt es, den bestehenden gesellschaftlichen Verhältnissen den Heiligenschein abzustreifen, um sie antastbar zu machen, wie es Friedrich Engels in *Der deutsche Bauernkrieg* beschrieben hatte. Ihnen ihre eigene Melodie vorsingend, nimmt er sie beim Wort. Er demaskiert, verhöhnt, verspottet Philister und Scholastiker, er ergreift mit Witz und Schlagfertigkeit Partei für die Unterdrückten und die Schwachen. Dabei bleibt er der Einzelgänger, der als großer Anreger rebellisches Denken provoziert. Die Welt will er durchschaubarer machen helfen, »weil er sie menschlicher haben will«, wie es im Klappentext des Buches heißt. Sein Spielraum ist allerdings durch die festgefügten gesellschaftlichen Strukturen bestimmt, mit denen seine Streiche im Grunde kausal verbunden sind.

Anders als im Volksbuch und auch im Unterschied zu Brecht ist Eulenspiegel bei den Wolfs in die Kämpfe am Vorabend des deutschen Bauernkrieges verwickelt. Er ist weder ein vorweggenommener, antizipatorischer bürgerlicher Held, der historischen Gesetzmäßigkeiten folgt, noch ist er, der Außenseiter, ein sich aus der Gesellschaft ausgliedernder Held. In ihm verkörpert sich auch nicht der Kämpfer, der durch die Lande zieht, die Verzagten und Enttäuschten zu ermutigen. Deutlich herausgearbeitet sind dagegen seine Fähigkeiten, in den Verhältnissen unsentimental und mit satirischen Mitteln zurechtzukommen. Das gelingt ihm, weil er ständig bemüht ist, seinen individuellen Aktionsraum zu erweitern, und andere ermutigt, es ihm gleichzutun. Bei allem Bemühen um historische Genauigkeit, konzentriert sich das Interesse der Wolfs eindeutig auf die Funktion des Narren und seine Rolle »im Räderwerk der Geschichte«, auf eine naive »Vorläufer«-Figur, die mit wachsender Lebenserfahrung die »Machtverhältnisse und Konventionen ihrer Zeit« durchschauen lernt und schließlich zwar »ernüchtert, aber nicht resigniert, mit ihnen umzugehen, ja zu spielen weiß«. (Di II 138)

Christa und Gerhard Wolf (1976)

Der Wolfsche Schalksnarr agiert im ausgehenden Mittelalter, zwischen Ende des 15. Jahrhunderts und Bauernkrieg – einer Zeit, in der die ständisch-feudale Gesellschaftshierarchie brüchig wird, das untergehende Rittertum einem selbstbewußter agierenden Bürgertum gegenübersteht. Mit der von Martin Luther ausgehenden Reformation verliert die katholische Kirche an Macht, Wiedertäufer durchziehen das Land, Humanismus und Renaissance künden von einem neuen Zeitalter. In dieser Zeit des Umbruchs weiß der in vielen Zügen Brechts Richter Azdak aus *Der kaukasische Kreidekreis* ähnliche Schalk die Unordnung der Verhältnisse für sich zu nutzen.

Der mit der Erzählung erprobte Versuch, die Dialektik von historischer Bewegung und Spielraum des einzelnen zu erfassen, ist im Grunde traditionell erzählt. Auf das Problem hin angesprochen, ob die Erkenntnis- und Objektivierungsmöglichkeiten von historischen Stoffen ohne die Verwendung einer traditionell erzählten epischen Fabel überhaupt möglich seien, räumte Christa Wolf ein, daß der Rückgriff in die Geschichte, »in eine Zeit, über die Information mitgeliefert werden muß, bestimmte Gestaltungsmittel erzwingt« (Di II 341). Die Gestaltungsmittel, von denen hier die Rede ist, sind naturgemäß auf die filmische Umsetzung der sprachlich gestalteten erzählerischen Bildwelt hin eingesetzt, was allerdings Probleme beim Lesen bringt, wenn man das Buch als eigenständige Publikation, als die es erschienen ist, in die Hand nimmt. Die kurze, knappe, an Regieanweisungen erinnernde Sprache ist nur eingeschränkt dazu angetan, die Phantasie des Lesers zu befördern, da sie naturgemäß vor allem Fakten einfängt oder diese reproduziert. Eine Vielzahl verwendeter Adjektive trägt zur Konkretisierung der Bilder bei, bedingt zugleich aber auch einen leicht zur Bevormundung des Lesers neigenden Erzählcharakter. Dieser Eindruck verstärkt sich noch durch die verbal umschriebenen Stimmungen:

> »Vorfrühling, eine schöne flachwellige Landschaft. Im Hintergrund auf dem Berg die Burg, etwas im Tal gelegen ein Dorf. Till ist allein auf dem Weg. Er kommt auf seinen Hof, ein kleines Anwesen. Hier ist immer hart gearbeitet worden.« (T 12)

Erzählt wird zu großen Teilen aus der Figurenperspektive. Tills Wertungen sind die, die auch dem Leser anempfohlen werden; sogar dann, wenn er gleichsam stellvertretend für eine Erzähler-Figur das Streitgespräch zwischen Beatus Rhenanus und dem Erzbischof Albrecht über die Grundfesten des Glaubens sowie die Treue zur Kirche in ihrer jetzigen Gestalt verfolgt. Die Argumente gehen hin und her, bis schließlich festgestellt wird: »Beatus weiß, daß der Erzbischof recht hat [...] Beatus schweigt. Der Erzbischof hat recht.« (T 200 f.) Warum eigentlich der eine im Recht ist und der andere im Unrecht, wird aus dem Disput heraus kaum ersichtlich, es bleibt Behauptung. Die Intention der Autoren wird dort am ehesten einsichtig, wenn sie den Leser in den Stand des Regisseurs versetzen, dem die Autorenkommentare Richtschnur für die Umsetzung in szenische Handlung sind, beipielsweise, wenn sich Till einem Pilgerzug anschließt, über dessen Sinn und Zweck der Leser gleichzeitig belehrt wird:

> »Solche Züge dauern viele Tage lang. In ihnen komprimiert sich der religiöse Wahn des ausgehenden Mittelalters, sie sind aber auch Zeichen der sozialen Gärung, die sich in den Schichten vorbereitet, die in der bestehenden Ständeordnung keinen Platz mehr haben: sonst würde nicht so viel Volk, einer mystischen Verkündung folgend, auf die Straße gehen.« (T 16 f.)

Die Schwierigkeit des erzählerischen Vorgehens, Till zum Zeitinterpreten zu machen, ergibt sich nicht zuletzt aus dem beschränkten Handlungsradius, über den die Figur verfügt. Es fehlen ihm die geistigen und materiellen Voraussetzungen, um den Forderungen der Zeit gewachsen zu sein. Wenn er am Ende der Handlung »bis auf den Grund ernüchtert« ist, aber »nicht resigniert« (Di II 338), wie Christa Wolf gesprächsweise versicherte, weiß man nicht so recht, woraus diese Haltung resultiert. Hinzu kommt, daß die Darstellungsweise dort ihre Grenzen hat, wo die Nebenfiguren – Anna, Pumphut, der Kaiser oder Hofstätter – kaum ein eigenes Profil haben. Durch die Optik von Till gesehen, wirken sie zumeist wie von unsichtbarer Hand geführte Marionetten.

Till Eulenspiegel repräsentiert als Außenseiterfigur eine Art »karnevalistische(n) Weltempfindens«,[136] das heißt, diese Gestalt versinnbildlicht die Relativität des Bestehenden durch Groteske. Mit Lachen und Komik bedient er sich einer Methode, bestehende Wertverhältnisse in Zweifel zu ziehen, ohne sie zu verinnerlichen. Christa und Gerhard Wolf geben ihrem Schalk Züge eines stürmenden und drängenden Selbsthelfers, der zeitweise in die Narrenrolle schlüpft, um sich in den Verhältnissen behaupten zu können.

Wolfgang Heise, der das Nachwort für die Erzählung geschrieben hat, sah eine der wichtigsten Wirkungspotenzen dieser literarischen Gestalt in der Fähigkeit, die Verhältnisse des Alltags unter die Lupe zu nehmen, in denen ja erst der historische Widerspruch von Sein und Schein tatsächlich virulent wird. Er würdigte als besonderes Verdienst der Wolfs, sich dieses Erbes angenommen zu haben, machte aber auch auf ein wichtiges konzeptionelles Problem des Textes aufmerksam, das sich möglicherweise gerade aus der Aktualisierung des historischen Stoffes ergab: Wenn nämlich Eulenspiegel im bloßen Widerspruch zur gesellschaftlichen Bewegung verharrte, würde er »zum Symbol ewigen Narrentums« und damit eher ein tragikomischer Held: »[...] er repräsentiert dann die unaufhebbare Tragik eines Künstlertums in romantisch-individualistischer Sicht. Andererseits würde das Spezifische der Eulenspiegelgestalt verlorengehen, wäre sie in die Bewegung integriert. Dann wäre Eulenspiegel überflüssig.« (T 222)

IV.
Plädoyers für Empfindsamkeit

Als Christa Wolf 1974 zum Mitglied der Akademie der Künste der DDR gewählt wurde, gehörte sie schon zu den im In- und Ausland gefragtesten Repräsentanten zeitgenössischer DDR-Literatur. Einladungen zu Vortrags- und Lesereisen häuften sich, von denen der (erste) Paris-Aufenthalt 1972 und die Teilnahme an der Tagung der PEN-Exekutive in Stockholm im selben Jahr die für sie wichtigsten waren.

Die ebenfalls 1972 erfolgte Auszeichnung mit dem Theodor-Fontane-Preis ist ein Beleg für das neuerliche Interesse am Anliegen der Autorin, die mit *Nachdenken über Christa T.* solche aus der öffentlichen Diskussion verdrängte Lebensfragen und Vorstellungen wie Krankheit, Tod, Trauer und Verlust ins Gespräch gebracht hat.[137] Die in der Polemik artikulierte Befürchtung, das Buch würde ein elegisches Wirklichkeitsverhältnis und persönliche Inaktivität fördern, zu allgemeinem Trauern oder Weinen beitragen, wurde durch eine sich allmählich entwickelnde verständnisvollere Rezeption zurechtgerückt.

Im 1974 erschienenen *Lexikon deutschsprachiger Schriftsteller* wird die Figur der Christa T. als ein »beunruhigendes Beispiel« gewertet und der Autorin konzediert, »neue Probleme des sozialistischen Menschenbildes« aufgeworfen zu haben.[138]

Das Spektrum realisierter Wirkungen war breit. Die Diskrepanz zwischen öffentlicher und personaler Kommunikation über das Buch trat aber erst mit den vielen Leserstimmen zutage, die Christa Wolf nach Erscheinen der zweiten Auflage erreichten. Sie zeugen von unterschiedlichsten Aneignungweisen: Die einen hatten das Buch als zum Nachdenken anregendes, Erschütterung und Mitfühlen aktivierendes Beispiel gelesen, für die anderen war es Anlaß zu unkritischer Identifizierung. Pauschale Ablehnungen finden sich kaum. Insgesamt zeugen die Leserbriefe davon, daß Christa Wolf für einen großen Teil ihrer Leser aufgrund persönlicher Integrität und der subjektiv-authentischen Erzählweise ihrer Bücher inzwischen als moralische Instanz angenommen wurde, der man seelsorgerische beziehungsweise therapeutische Fähigkeiten zusprach in dem Sinne, daß die in ihren Texten enthaltenen Denkanstöße zum Austausch subjektiver Erfahrungen und Meinungen zu allgemein interessierenden Problemen beitragen und Lebenshilfe wären.[139]

Ihren Entschluß, sich vorerst nicht mehr mit Stoffen aus der unmittelbaren Gegenwart zu befassen, konnte diese Zuweisung nicht ändern. Dazu war die Erfahrung der Schwierigkeiten im Umgang mit dem literarischen Angebot zur Verständigung über aktuelle Widersprüche und Konflikte zu gravierend gewesen.

Ähnliche Erfahrungen mit Gegenwartsthemen hatten vor ihr schon andere Autoren gemacht und entsprechende Schlußfolgerungen gezogen. So waren Heiner Müller mit *Die Umsiedlerin* (U. 1961) und Peter Hacks mit *Die Sorgen und die Macht* (1. Fassg. 1959, U. 1962; 3. Fassg. 1962) schon zu Beginn der sechziger Jahre ins Kreuzfeuer der Kritik geraten. Als sie sich in der Mitte dieses Jahrzehnts mit ihren Gegenwartsstücken *Moritz Tassow* (1961; U. 1965) und *Der Bau* (1963/64; U. 1980) erneut in vorwiegend ideologisch begründete Auseinandersetzungen verwickelt sahen,[140] wandten sie sich auf verschiedenen Wegen der Antikerezeption zu. Nicht zuletzt, um weitere produktionshemmende Diskussionen zu vermeiden, suchte auch Christa Wolf – nach indirekten Bezugnahmen auf nachromantische Erzähler wie Theodor Storm oder Theodor Fontane, Autoren, die in der Literaturgeschichtsschreibung den »bürgerlichen Realisten« zugerechnet werden – im literarischen Erbe nach neuen Anknüpfungspunkten.

»Unter den Linden«

Bei ihrer Beschäftigung mit der Literatur des 19. Jahrhunderts war Christa Wolf, angeregt durch Anna Seghers, auf die literarischen Individualitätsentwürfe aus dem Umkreis der deutschen Romantik gestoßen.

Johannes Bobrowski und Anna Seghers waren innerhalb der DDR-Literatur die ersten, die um die Mitte der sechziger Jahre erneut eine Bresche für Anliegen und Erzählmittel der Identitäts- und Entfremdungsgefühl anzeigenden romantischen Dichter geschlagen und damit eine längst überfällige Öffnung in Richtung auf brachliegende Traditionsfelder vorbereitet hatten. Erzählungen wie Bobrowskis *Boehlendorff* (1965) oder Seghers' *Das wirkliche Blau* (1967) erweiterten das Spektrum der Gegenwartsliteratur durch die Aufnahme aus der romantischen Tradition stammender symbolischer und phantastischer Elemente wie Traumdarstellung, Märchen und Sagen. Es waren vor allem die Individualitätsentwürfe dieser dichterischen Vorfahren, die Christa Wolf neue Blickwinkel für die Gegenwart eröffneten.

In ihrem Nachwort zu Anna Seghers' Essayband *Glauben an Irdisches* (1968) hatte sie zum erstenmal auf die Romantikrezeption der Seghers und deren Parteinahme für die Lebensmuster der vergessenen Dichter Bezug genommen. Verwandtschaft und Nähe für deren Poesie stellten sich auch bei Christa Wolf dort ein, wo der frühzeitig empfundene Widerspruch zwischen Ich und Welt alternative Lebensvorstellungen hervorgebracht hat. Die dafür gefundenen Ausdrucksformen erschienen geeignet, ein eng gefaßtes Verständnis von realistischer Schreibweise zu durchbrechen. Romantische Stilmittel, wie sie E. T. A. Hoffmann und Jean Paul, Novalis, Tieck oder Eichendorff mit ihren grotesken, phantastischen, märchenhaften, utopischen, teilweise absurden Bildern geprägt hatten, erlangten als Orientierungspunkte für die Erweiterung des eigenen Erzählkonzepts nicht nur für Christa Wolf Bedeutung. Das Bewußtsein über die Anreicherung der Realität durch Phantasie, Traum, Ungewisses und Geheimnisvolles teilten mit ihr auch

Autoren wie Irmtraud Morgner, Franz Fühmann, Günter de Bruyn und andere.

Ende der sechziger Jahre bereits mit der Aufarbeitung autobiografischer Erfahrungen aus Kindheit und Jugend im faschistischen Deutschland beschäftigt, bezeichnete Christa Wolf die »Drei unwahrscheinlichen Geschichten« des Bandes *Unter den Linden* (1974) als »kleine Proben auf anderen Instrumenten« (1973; Di II 346). E. T. A. Hoffmanns *Ritter Gluck* (1809), *Undine* (1819) und die unvollendet gebliebenen *Lebensansichten des Katers Murr nebst fragmentarischer Biographie des Kapellmeisters Johann Kreisler* (1820/22) waren Bezugspunkte für die zwischen 1969 und 1972 entstandenen Erzählungen.

Der Spaziergang einer jungen Frau auf Berlins traditionsreicher Prachtstraße, das Erlebnisprotokoll eines gebildeten Katers und der Bericht einer sich zu Forschungszwecken in einen Mann verwandelnden Wissenschaftlerin haben auf den ersten Blick wenig miteinander zu tun, außer, daß sie alle drei im Bereich des Phantastischen angesiedelt sind und mit der Elle traditionellen realistischen Erzählens nicht gemessen werden wollen. Ihre Eigenart besteht allerdings darin, daß sie real existente, das Alltagsleben konkret betreffende Probleme und damit auch veränderungsbedürftige Verhaltensweisen und Wertvorstellungen auf satirische, groteske oder ironische Weise beleuchten: das Verhältnis von Tat und Überzeugung, von wissenschaftlich-technischem und ethischem Fortschritt und das Rollenverhalten in den Geschlechterbeziehungen wie die tatsächlich erreichte Emanzipation von Mann und Frau.

Mit diesen Erzählungen präsentierte sich eine ›neue‹, mit Ironie und Selbstironie arbeitende Christa Wolf, die gerade noch wegen des elegischen Duktus und des von manchen Lesern und Rezensenten monierten »bleiernen« Tons gerügt worden war. Satire, Groteske und Ironie, Phantastisches, Unwirkliches oder gar Science-fiction waren im Arsenal ihrer schriftstellerischen Ausdrucksmittel nicht vermutet worden. – Eine vierte, 1971 in diesem Umkreis entstandene Satire auf den »typischen« Helden, *Kleiner Ausflug nach H.*, ist in der DDR bisher nicht erschienen.[141]

Die 1969 entstandene Erzählung mit dem beziehungsreichen Titel *Unter den Linden* ist die vielschichtigste und in der Anlage zugleich komplizierteste des Bandes. Schon die Ortsangabe im Titel läßt verschiedenste Assoziationen zu. Neben den genau zu ortenden geografischen Bezügen stellen sich Bilder ein, die in der deutschen Literaturtradition, über Volkslied und Märchen vermittelt, Liebe, Sehnsucht, Schmerz und Poesie assoziieren, Traummetaphorik und Märchensymbolik. In der Gegend zwischen dem Berliner Tiergarten via Brandenburger Tor bis zur Friedrichstraße ist schon E. T. A. Hoffmanns Ritter Gluck gewandert, ebenso wie Heinrich Heine, dessen 1822 geschriebene *Briefe aus Berlin* ein authentisches Bild zeitgenössischer Atmosphäre und Lebensart vermitteln.

Ganz im Stil ihrer prominenten Vorgänger unternimmt auch Christa Wolfs Ich-Erzählerin einen Spaziergang in repräsentativer, geschichtsträchtiger Umgebung, die den Rahmen für eine angestrebte Selbstfindung bildet und das Thema des Erzählens andeutet. Das Hoffmannsche Doppelgänger-Motiv aufnehmend, nutzt die Autorin die Mittel einer Traumerzählung, um die Schwierigkeiten einer alternativen Ich-Findung zu bewältigen. Das der Erzählung vorangestellte Motto Rahel Varnhagens enthält einen ersten Rezeptionshinweis: Nicht, daß ein Individuum gekränkt werde, sei das Bemerkenswerte, sondern wie es aus dieser Lage wieder herauskommt. Die im Traum verschwimmenden Grenzen zwischen Realem und Phantastischem erlauben es, Menschen agieren zu lassen, die einmal höchst real waren, deren Schicksale sich gekreuzt und wieder getrennt haben. Traum, Wirklichkeit und Erinnerung sind eng miteinander verwoben, führen die Träumende in die Tiefen der Empfindung und zugleich in die Traumgründe der Erinnerung. Wie einst Fontane entdeckt sie bei ihrer Wanderung eine Mischung aus guter alter Zeit und neuem Zuschnitt. Der Traum erlaubt es auch, die Suche nach sich selbst im Eiltempo zu absolvieren. »Ich sollte mich wiederfinden – das war der Sinn der Bestellung« (UdL 59), lautet die das Ergebnis des Erzählvorgangs vorwegnehmende Feststellung. Selbstfindung aber setzt Selbsterforschung und Rechenschaftslegung voraus. Gleich zu Beginn tut die Erzählerin kund, daß sie einem angesprochenen »du« höchst Subjektives zu berichten beabsichtigt. Die junge Frau ist im Traum zu einem »Lokaltermin« unterwegs. Wörter wie »Vernehmung«, »Verhandlung«, »Aussage« und »Gericht« signalisieren einen bevorstehenden Prozeß, der Klärung in eine ungewisse Angelegenheit zu bringen verspricht. Auf Analogien zu Kafkas Ausgesetztsein an unbekannte Instanzen ist zu Recht verwiesen worden.[142] Im Unterschied zu einem Josef K. aber weiß die Ich-Erzählerin, daß ihre Wiederaufnahme in den »Bund der Glücklichen« (UdL 7) erfolgen wird.

Auf der Suche nach einer verlorenen Liebe läßt Christa Wolf der Mittelpunktsfigur ihrer Erzählung auf dem Weg zwischen Brandenburger Tor und Marx-Engels-Platz allerlei Phantastisches widerfahren, in vieldeutig erzählten Bildern Surrealistisches erleben, wenn sie beispielsweise einen Gang in die Tiefe der Geschichte wagt. Mit der Straße und ihren Gebäuden verbinden sich Erinnerungen an längst vergangene Ereignisse, werden generationsbestimmte Erfahrungen aufgerufen. Eine durchgängige Fabel ist nicht vorhanden, ein linear verlaufender Erzählfaden zur Orientierung nicht auffindbar. Handlung wechselt mit Reflexion. Christa Wolf läßt ihre Erzählerin auf mehreren Ebenen agieren. Schnell wird deutlich, daß es weniger um den Ablauf von Ereignissen geht, sondern der Sinn des Erzählten sich aus den »Absichten, aus den ideellen Anliegen, die über die Gestalten, über den Erzähler in Erscheinung treten«,[143] ergibt.

In einem Monolog denkt die Erzählerin über Vergangenes, Gegenwärtiges und Zukünftiges nach. Drei als Parallelhandlungen kenntlich gemachte Episoden verdeutlichen die Ursachen erzählerisch wiedergegebener Betroffenheit, indem sie in der Traumerzählung zeitweise schärfere Konturen annehmen: Eine Studentin wird exmatrikuliert und zur Arbeit ins Glühlampenwerk geschickt, weil sie sich aus Liebe zu ihrem Dozenten Unregelmäßigkeiten im Studium erlaubte. Dann erscheint der »alte Freund Peter« (UdL 11), der, inzwischen Hochschullehrer und angepaßt, seine Frau verraten hat; schließlich wird die Liebe der Ich-Erzählerin zu einem Arzt angedeutet, die sich aus Selbstschutz vor völliger Vereinnahmung nicht realisiert. Da alle drei Episoden ineinanderfließen, verschwimmen die Grenzen zwischen den einzelnen Erlebnisbereichen. Was bleibt, ist die Erinnerung an überkommene Moralnormen, an subjektive Verletzungen und Beschädigungen, die durch die verfremdende Märchenmetaphorik bewältigt erscheinen. Dem Leser wird abverlangt, sich in den Gedankensprüngen, Bezügen und Anzüglichkeiten zurechtzufinden und das Erzählgeschehen zu einem überschaubaren Ganzen zu fügen. Bereitschaft zum Mitgehen auf die phantastische Wanderung durch Orte und Geschehnisse ist vonnöten, um die erzählte Welt zu erfassen, das Atmosphärische mit Assoziationen auszufüllen, der Fährte eines auf Subjektivität pochenden Erzähler-Ichs zu folgen, das auf ein ungewisses Ziel zusteuert. Die Anwendung der Episodentechnik ermöglicht, geschichtlich bedeutsame Vorgänge und alltägliches Geschehen zu verknüpfen, scheinbar unerhebliche Ereignisse als subjektiv wichtige kenntlich zu machen.

Der fiktionale Erzählraum erlaubt es der Erzählerin, die Vergangenheit mit einer gewissen Distanzhaltung zu besichtigen:

> »Da ich neuerdings selbst ohne Zweifel bin, wird man mir wieder glauben. Nicht mehr bin ich an die Tatsachen gekettet. Ich kann frei die Wahrheit sagen.« (UdL 7)

So lautet der sicher vorgebrachte Verweis auf neu gewonnenes Selbstbewußtsein. Dabei gibt die Fiktion keinesfalls vor, authentisch zu sein in dem Sinne, daß sie dem Faktischen allein Rechnung tragen müßte. Vermutungen, überlegendes Erinnern, ungelebte Möglichkeiten sollen spielerisch erprobt und von der erdachten, von der Autorin abgetrennten Ich-Erzählerin nach mehreren Seiten hin erörtert werden.

Die Geschichte ist insofern der exemplarische Beleg für eine Prosaauffassung, die Christa Wolf 1967 erstmals in ihrer Besprechung von Vera Inbers Erinnerungstagebuch *Ein Platz an der Sonne* geäußert hatte:

> »Ich liebe Bücher, deren Inhalt man nicht erzählen kann, die sich nicht auf die simple Mitteilung von Vorgängen und Ereignissen reduzieren lassen, die sich überhaupt auf nichts reduzieren lassen als auf sich selbst.« (Di I 107)

Prosa, so demonstriert Christa Wolf mit diesen Erzählungen, ist für sie die Verbindung von biografischem beziehungsweise autobiografischem Erleben innerhalb einer ausgesprochen konflikthaft verstandenen Wirklichkeit. Sie muß sich in diesem Verständnis nicht nach den wirklichen Gegebenheiten richten, sondern kann zutage fördern, was auch während des Schreibprozesses ins Bewußtsein gerufen wird, um zu verdeutlichen, daß längst vergessene Erlebnisse mit der Zeit eine neue Bedeutung erhalten, schwer zu deutende Teile des Ich in Träumen, Phantasien, in wiederkehrenden Wünschen und Ängsten erkannt werden können.

Ein deutlich auszumachender Bezugspunkt sind erneut die frühen Erzählungen Ingeborg Bachmanns, auf die sich Christa Wolf in ihrem Nachwort zur Reclam-Auswahl *Undine geht*[144] erstmals berufen hatte. Auch sie läßt ihre Traumerzählerin ins Wasser steigen: in den grünblau gekachelten Brunnen, der sich im Hof der Staatsbibliothek befindet. Im Unterschied aber zu Ingeborg Bachmanns Nixe verläßt Christa Wolfs poetisches Ich »freiwillig« das Wasser, um »alle alten Erfahrungen in den Wind zu schlagen, wieder unter die Leute zu gehen und die Tabus zu verletzen« (UdL 16). Dieses Handlungsmodell entspricht der Realistin Christa Wolf mehr. Sie weiß, daß die »Hervorbringung neuer Strukturen menschlicher Beziehungen in unserer Zeit« (Di II 324) im »Rahmen des Gegebenen« (Di I 98) grundsätzlich auffindbar ist. In diesem Sinne nimmt sie auch Ingeborg Bachmanns Forderung ernst, über die Kunst zu neuer Wahrnehmung, neuem Gefühl, neuem Bewußtsein zu erziehen. Die Kunst als Möglichkeit, gesellschaftliche Standorte zu bestimmen, zu erfahren, »wo wir stehen oder wo wir stehen sollten, wie es mit uns bestellt ist und wie es mit uns bestellt sein sollte«,[145] bleibt in diesem Verständnis der wichtigste Ort gesellschaftlicher und individueller Moral. Der auf gegenwartsbezogenes Handeln orientierte, auffordernde Fragesatz aus *Nachdenken über Christa T.* »Wann, wenn nicht jetzt?« wird in *Unter den Linden* nun mit dem Anspruch der Erzählerin auf ein volles Leben wieder aufgenommen:

»Ich kann die Liebe nicht vertagen. Nicht auf ein neues Jahrhundert. Nicht auf das nächste Jahr. Um keinen einzigen Tag.« (UdL 57)

Der zentrale Gedanke, das eigentliche Leben nicht auf eine ferne, imaginäre Zukunft zu verschieben, in der sich alles lösen wird, kommt erneut zur Geltung.

Christa Wolf bedient sich phantastischer Mittel, um gewisse Absurditäten von eingeschliffenen Denk-, Gefühls- und Verhaltensweisen auf heitere Weise verfremdend zu beleuchten. Dabei ist es ihr vor allem darum zu tun, die moralischen Qualitäten des Lebens aufzuspüren. Mit dem Gestus der konsequenten Moralistin macht sie darauf aufmerksam, was sein könnte, indem sie bloßstellt, was noch nicht ist.

Sie vertraut der kathartischen Wirkung von Selbsterforschung, die dem Leser das Bewußtsein suggeriert: Was ihm passiert, geschieht auch anderen. Franz Fühmann hat solchen Wesenszug von Literatur mit dem Begriff »Menschenhilfe« umschrieben. »Nichts [...] Menschliches sollte ihr fremd sein«, oder: »Literatur ist da, um den Menschen nicht allein zu lassen«, präzisierte er, Anna Seghers zitierend, auf dem VIII. Schriftstellerkongreß 1978.[146] Fühmanns Katharsis-Auffassung ist der Christa Wolfs sehr nahe. Schon Anfang 1965 hatte sie im Essay *Einiges über meine Arbeit als Schriftsteller* eine Funktionsvorstellung formuliert, die als poetologisches Konzept Gültigkeit behielt:

»Auch heute noch kommt mir insgeheim mancher Mensch wie verzaubert vor, und ich wünsche mir oft, die Literatur wäre etwas wie ein Zauberstab, ihn, sie alle zu erlösen: Die toten Seelen zum Leben zu erwecken, ihnen Mut zu sich selbst zu machen, zu ihren oft unbewußten Träumen, Sehnsüchten und Fähigkeiten...« (Di I 12)

Dieser poetischen Konfession liegt ein »Lebenshilfe«-Konzept zugrunde, das auch auf therapeutische Wirkungen aus ist.

Im Bild einer schönen und lebensvollen Frau erkennt die Erzählerin am Ende des autokathartischen Traumspaziergangs sich selbst. Das Eingangsmotiv wird wieder aufgenommen. Durch die Liebe kann sie sich erneut mit »der Welt verbinden« (UdL 44). Die Katharsis hat bekennenden Charakter, sie bietet ein Beispiel, das Leben zu meistern. »Alles ist schon erlebt, vielleicht sogar, vor Zeiten, von mir selbst« (UdL 58), heißt es am Schluß, da sich der Rahmen schließt. Im Traum findet die Selbstbegegnung statt und die Erwachende hat nach Durcharbeitung des Traums die Einsicht gewonnen: »Wie hatte ich so verblendet sein können, mich einem falschen Spruch zu unterwerfen?« (UdL 59) Der falsche Spruch, das sind die umstandslos übernommenen Wertorientierungen.

Der erzählerische Ansatz verleugnet die romantische Herkunft nicht. Anders aber als die Romantiker, die Subjektivität allein in der Kunst aufgehoben sahen, kommt die Materialistin Christa Wolf zu dem Ergebnis, daß Individualität und subjektorientiertes Verhalten sich nur innerhalb der Gesellschaft – wenn auch möglicherweise im Widerspruch zu deren Normen und Vorgaben – entwickeln.

Weniger verschlungen, direkter und mit einem kräftigen Schuß Ironie behandelt die Autorin in *Neue Lebensansichten eines Katers* die vermeintlich alles erkennende Ratio. Bezugnehmend auf literarische Vorgänger – den Tieckschen Gestiefelten Kater, den Kater Murr E. T. A. Hoffmanns oder auch den Teufelsgehilfen Behemoth aus Bulgakows Roman *Der Meister und Margerita* – treibt der lebensklug-anpassungsbereite, schriftstellerisch ambitionierte Kater Max Studien mit den Karteikästen seines Herrn. Zum Zwecke der Abschaffung der Tragödie hat der Professor, spezialisiert auf Angewandte Psychologie, ein »System der maximalen körperlichen und seelischen Gesundheit«, genannt SYMAGE, erarbeitet, um damit die Voraussetzung für das »totale Menschenglück«, TOMEGL, zu schaffen. (UdL 66) In dieser Konstruktion stört vor allem die menschliche Seele, die kurzerhand zur reaktionären Einbildung erklärt wird. Logischerweise, so das satirisch weitergetriebene Denkschema, hat die Frau eine dienende Stellung gegenüber dem Mann einzunehmen, ebenso wie die Schöne Literatur in den Rang eines unproduktiven Wirtschaftszweiges versetzt und Wahrheit allein auf Nützlichkeit reduziert wird. Um alle »leistungshemmenden Faktoren« (UdL 67) endgültig zu beseitigen, soll den Menschen per Computer ein »Reflexwesen« eingegeben werden, das,

> »von einem einzigen Zentrum gesteuert, mit einem Freiheitsspielraum von plus minus null in genau voraussagbarer Weise auf Reize antwortet«. (UdL 87)

Um ein solches Programm zu entwickeln, müßten allerdings schöpferisches Denken, Phantasie, Sexualität und Empfindung aus dem neuen Menschenbild entfernt werden, dem das Wort »Seele« nicht zugeordnet ist – so die Vorstellung des inzwischen an einem Magengeschwür und Impotenz leidenden Professors, der sich unprogrammgemäß in ein Mädchen namens »Malzkacke« verguckt hat.

Die groteske Geschichte hat durchaus einen rationalen Kern. Christa Wolf entwirft damit ein Warnbild angesichts des seit Mitte der sechziger Jahre auch in der DDR entwickelten kybernetischen Systemdenkens, das die rasche Lösung wissenschaftlicher Probleme und sozialer Prozesse zu versprechen schien. Eindeutig werden hier hypertrophierte voluntaristische Vorstellungen von der Allmacht wissenschaftlich zu steuernder Regelsysteme attackiert, die am Ende jede individuelle, menschliche – und damit auch mit Widersprüchen und Konflikten behaftete – Entwicklung der Gesellschaft »bereinigen« sollten. Hatte E. T. A. Hoffmann mit seinem Kater Murr den deutschen Philister satirisch aufs Korn genommen, jenen »selbstsicheren, sich geistreich gebenden, in Wahrheit gänzlich ungebildeten schriftstellernden Kleinbürger«[147], der große Worte für kleine Gefühle verwendet, so ist diese Titelgestalt für Christa Wolf eher Mittel zum Zweck. Der ins Blaue hinein philosophierende Kater, selbst Studien treibend und der Wissenschaft ergeben, äußert sich zur Abschaffung des Tragischen:

> »Wie viele Kräfte, in nutzlose Tragödien verwickelt, wären für die Produktion materieller Güter frei geworden, worin die Menschheit bekanntlich ihren eigentlichen Daseinszweck sieht (eine Tatsache übrigens, die ich der regelmäßigen Lektüre dreier Tageszeitungen entnehme). Bei der leichten Schematisierbarkeit menschlicher Probleme hätten fast alle leistungshemmenden Faktoren in diesem Nachschlagewerk erfaßt und einer positiven Lösung zugeführt werden können; der technisch-wissenschaftliche Fortschritt

wäre um Jahrzehnte früher ausgelöst worden, und die Menschheit könnte schon in der Zukunft leben.« (UdL 66 f.)

Die Vernunft, so das Credo des überklugen Tieres, ist das Wichtigste:

»Ja: Ich, wenn ich ein Mensch wäre, ich widmete mich wie mein Professor der totalen Ausbreitung der alles erkennenden, alles erklärenden, alles regelnden ratio«. (UdL 68)

Der Vermutung, die Autorin habe sich mit solchen Sätzen auf die Seite wissenschaftsfeindlicher Irrationalisten geschlagen, traten schon zeitgenössische Kritiker entgegen.[148] Ihre Warnung vor der Unterdrückung menschlicher Empfindungsfähigkeit vermag sie in einprägsame Bilder zu kleiden. Als beispielsweise Kater Max von seinem Professor beim Durchsuchen der Karteikästen überrascht wird, steckt er die Karte »Anpassungsfähigkeit« aus dem Kasten »Soziale Normen« in den Kasten »Lebensgenüsse«. Der Computer kann mit solch widersprüchlichen Daten nichts anfangen. So wird bald klar, daß die »Größe Mensch« als einzig zu variierende Position des ganzen Systems zur Verfügung steht. Die Idee des »Normalmenschen« entsteht, der am Ende durch die Wegrationalisierung aller individuellen Eigenschaften nur noch eine Karikatur seiner selbst ist.

Der Erzählraum wird wiederum nicht durch ablaufende Ereignisse ausgefüllt, sondern mit dem Sinn, den die Erzählerin ihren Gestalten verleiht. Die wissenschaftlichen Hilfsdienste des Katers verdeutlichen die Absurdität mancher Planungen, die vom wirklichen Leben absehen. Die 1970 entstandene Erzählung liefert keine allseitige Betrachtung des Problems. Ganz im Gegenteil: Die Autorin verfährt bewußt einseitig und bedient sich satirischer (was ja auch bedeuten kann: vergröbernder) Mittel, um auf das Problem aufmerksam zu machen, das ihr auf den Nägeln brennt. Nicht in Polemik gegen einen Vernunftbegriff der Aufklärung, sondern gegen eine überzogene, weil ausschließliche Herrschaft der Ratio und des Wissenschaftsbegriffs, wie er sich im 19. Jahrhundert entwickelt hat und teilweise kritiklos übernommen wurde, richtet sich der Einwand, den sie mit den ihr zur Verfügung stehenden Mitteln, in Form einer Erzählung oder im Essay, zur Sprache brachte:

»Literatur in unserer Zeit, wenn sie überhaupt einen Sinn haben soll und sich selbst ernst nimmt, muß mithelfen, den Gebrauch, den wir von den selbstgeschaffenen Geräten und Instrumenten machen, zu humanisieren. Das heißt aber, die menschlichen Beziehungen so produktiv wie möglich zu machen und es nicht zuzulassen, daß Technik und Ökonomie zum Selbstzweck entarten und dann ihren eigenen destruktiven Gesetzen folgen. Ich bin überzeugt, daß diese Zukunftsaufgaben nur in einer sozialistischen Gesellschaft gelöst werden können.« (1970; Di I 37 f.)

Das in der dritten der »unwahrscheinlichen Geschichten«, *Selbstversuch. Traktat zu einem Protokoll*, angeschlagene Thema zielt nur scheinbar in eine andere Richtung.

»*Frage*: Sie kennen den Drang unseres Zeitalters nach Wissenschaft, nach Dokumentation.

Antwort: Ich kenne und schätze und teile ihn. Aber unser wissenschaftliches Zeitalter wird nicht sein, was es sein könnte und sein muß – bei Strafe einer unerhörten Katastrophe –, wenn nicht die Kunst sich dazu aufschwingt, dem Zeitgenossen, an den sie sich wendet, große Fragen zu stellen, nicht lockerzulassen in ihren Forderungen an ihn. Ihn zu ermutigen, er selbst zu werden – das heißt, sich dauernd, sein ganzes Leben lang durch schöpferische Arbeit zu verwandeln.« (1966; Di I 34)

In dieser, dem *Selbstinterview* von 1966 entnommenen Passage dokumentiert sich ein wiederholt von Christa Wolf artikuliertes Grundverständnis, das von Literatur als Ort von Verwandlung. Dieses Thema zieht sich leitmotivisch durch ihre Prosa und Essayistik. Die 1972 geschriebene Geschichte eines Geschlechtertauschs könnte als Paradebeispiel zitiert werden. Sie ist als Auftragswerk für die von Edith Anderson initiierte Anthologie *Blitz aus heiterm Himmel* (1974) entstanden, an der sich auch Sarah Kirsch, Günter de Bruyn, Gotthold Gloger, Karl-Heinz Jakobs, Rolf Schneider mit Erzählungen und Annemarie Auer mit einem Essay beteiligten. Irmtraud Morgners dafür geschriebene Verwandlungsgeschichte *Gute Botschaft der Valeska in 73 Stophen* fand schließlich Eingang in ihren Roman *Leben und Abenteuer der Trobadora Beatriz nach Zeugnissen ihrer Spielfrau Laura* (1974). Während Irmtraud Morgner sich in einem Gespräch mit Joachim Walther 1973 entschieden gegen immer noch bestehende »patriarchalische Verhältnisse« gewandt hatte, für die das »männliche Übergewicht in Politik, Wirtschaft, Wissenschaft und Kultur«[149] ein Indiz sei, attackierte Christa Wolf die bei Frauen verbreitete Haltung des »Nachahmens« und »Nacheiferns«, die Verinnerlichung männlicher Wertsetzungen.

Als *Selbstversuch* 1973 in »Sinn und Form« zu lesen war,[150] wurde die Erzählung als geradezu »supermodern« (Di II 431) empfunden. Das Motiv des Geschlechterwandels ist allerdings so neu nicht. Seit Aristophanes' Bericht von der Existenz androgyner Wesen und Platons *Gastmahl* ist es in einer Vielzahl von Varianten gestaltet worden. In der deutschen Literatur reicht die Tradition von Friedrich Schlegels *Lucinde* (1799) bis zu Peter Hacks' *Omphale* (1970). Traditionsbildend für die moderne Literatur, insbesondere für die von Frauen geschriebene, wurde Virginia Woolfs Biografie einer Verwandlung, *Orlando* (1928).[151]

Christa Wolf kleidet ihre Geschichte in ein Science-fiction-Gewand. Das »Traktat« zu einem wissenschaftlichen Bericht über die experimentelle Verwandlung einer Frau in einen Mann im Jahre 1992 handelt von den dabei gemachten Erfahrungen, die zur Ich-Findung der Frau führen. Der Mythos vom griechischen Sänger Teiresias, den die Götter in eine Frau verwandelt hatten, ist gleichnishaft in die Geschichte eingeflochten: Von Hera und Zeus nach der größeren Liebesfähigkeit der Geschlechter befragt, verrät er das Geheimnis der Frauen, beschreibt sie liebesfähiger als die Männer. Zur Strafe für die Preisgabe des Geheimnisses wird er von Hera geblendet. Zeus verleiht ihm daraufhin die Sehergabe.

Von der Blindheit der Männer hat schon die Erzählerin aus *Unter den Linden* gesprochen. Mit Blindheit geschlagen ist auch der Professor in *Selbstversuch*. Er ist der heimlich Geliebte, dessentwillen sich die Physiopsychologin für das Experiment zur Verfügung stellt. Mit Hilfe des Präparats »Petersein Masculinum 199« läßt sie sich in den Mann »Anders« verwandeln, um so seiner Gefühls- und Denkwelt auf die Schliche zu kommen. Zehn Jahre lang hat sie sich bemüht, seinem Bilde zu entsprechen, ihr höchstes Ziel ist es gewesen, in der Wissenschaft »ihren Mann (zu) stehen«, denn natürlich entspricht auch sie dem allgemein waltenden Selbstverständnis biblisch verbürgten Rollenmusters, nachdem die Frau aus der Rippe des Mannes entstanden ist. Ihren Wert kann sie erst beweisen, wenn sie sich in einen Mann verwandelt. Bald merkt sie jedoch, daß sie als zum Mann gewordene Frau weder zu denken noch zu handeln vermag:

> »Ich bin es gewesen, ich: die Frau, die mit Spott oder Empfindlichkeit oder einfach durch Ungeduld die männlichsten Triumphe des Herrn Anders sabotierte. Ich: die Frau, habe ihn gehindert, der ›Kleinen von nebenan‹ ihr Handtäschchen aufzuheben (war ›ich‹ nicht die Ältere?), Fehler auf Fehler gehäuft, bis der Blick der Kleinen zuerst ungläubig, dann eisig wurde.« (UdL 110)

Das Experiment führt zu klaren Resultaten, wenn auch nicht zu den erwarteten. Zum Beispiel gewinnt die Versuchsperson die Erkenntnis, daß Mann und Frau auf verschiedenen Planeten leben. Kurz vor Abbruch des Experiments berichtet sie über ihre Eindrücke:

> »Die Teilerblindung, die fast alle Männer sich zuziehen, begann auch mich zu befallen, denn anders ist heute der ungeschmälerte Verlust von Privilegien nicht mehr möglich. Wo ich früher aufbegehrt hatte, erfaßte mich jetzt Gleichmut. Eine nie gekannte Zufriedenheit begann sich in mir auszubreiten. Einmal akzeptiert, beginnen die Übereinkünfte, die wir scharf beargwöhnen müßten, eine unwiderstehliche Macht über uns. Schon verbot ich mir die Traurigkeit als unfruchtbare Vergeudung von Zeit und Kraft. Schon kam es mir nicht mehr gefährlich vor, an jener Arbeitsteilung mitzuwirken, die den Frauen das Recht auf Trauer, Hysterie, die Überzahl der Neurosen läßt und ihnen den Spaß gönnt, sich mit den Entäußerungen der Seele zu befassen [...] Während wir Männer [...] uns unbeirrt den Realitäten widmen, den drei großen W: Wirtschaft, Wissenschaft, Weltpolitik.« (UdL 128 f.)

Die Ironie schließt Selbstironie nicht aus: Die Seele, vom Kater Murr noch als unentbehrlich deklariert, scheint nun, da alle »großen Entdeckungen gemacht sind«, von sensiblen Schriftstellern nur noch durch »Tricks« darstellbar zu sein. Die Tricks haben Namen wie »Mutmaßungen«, »Nachdenken« oder »Ansichten« und verweisen auf Buchtitel von Uwe Johnson, Christa Wolf und Heinrich Böll. Die Diskrepanz zwischen dem äußeren, experimentell erprobten, wissenschaftlich meßbaren und dem inneren, seelischen Vorgang ist unüberbrückbar. Der Zwiespalt der Geschlechter geht bis in die Verwendung der Sprache: »›menschlich‹ und ›männlich‹, einer Wurzel entsprungen, unrettbar voneinander weg(ge)trieben« (UdL 118). Mit ihrer Weiblichkeit ist der Erzählerin auch die Sprache abhanden gekommen. Das Experiment muß abgebrochen werden, weil die Versuchsperson nicht mehr mitmacht. Sie ist hinter des Professors Geheimnis gekommen: Unfähigkeit, zu lieben, lautet der Befund. Sie ist nun entschlossen, ein neues Experiment zu wagen:

> »Der Versuch, zu lieben. Der übrigens auch zu phantastischen Erfindungen führt: Zur Erfindung dessen, den man lieben kann.« (UdL 133)

Das Motiv »lieben zu lernen« zieht sich als Sinnzentrum durch alle drei Geschichten. Liebe ist Metapher für menschliche Nähe, Toleranz und Verständnis. Christa Wolf setzt letztendlich auf den Verwandlungswillen der Menschen. Die entscheidende Verwandlung besteht in der Sehnsucht jedes einzelnen, zu sich selbst zu finden und erkannt zu werden. In diesem Sinne hat der Begriff ›Liebe‹ bei Christa Wolf immer etwas von Modellcharakter[152]. Körperlichkeit spielt – abgesehen von der *Kassandra*-Erzählung – kaum eine Rolle. Und auch die vorgeschlagene Lösung, sich den anderen nach eigenem Bilde zu erschaffen als den, der zu lieben imstande ist, tendiert mehr zur Erziehung der Gefühle als auf die Erzeugung jener Spannungen, die den Widersprüchen in den Geschlechterbeziehungen eigen sind. Es geht aber auch nicht um einen einfachen Gegenentwurf zur patriarchalischen Gesellschaft, in der – bei aller Angleichung materieller Voraussetzungen – noch immer »der Mann das Modell für den Menschen« (Di II 344) ist.

Sommer 1975 in Meteln (v. l. n. r.: Carola Nicolaou, Helga Schubert, Sarah Kirsch, Christa Wolf)

Der Text enthält deutliche Anspielungen auf gängige Rollenklischees und daraus erwachsende Konflikte, die für viele Frauen aus dem »Aufeinanderprallen von neuen Anforderungen und Ansprüchen einerseits und von Verhaltensmustern, die durch ihre lange geschichtliche Existenz den Anschein von Naturqualitäten erwecken, andererseits«[153] entstehen. Die Verwandlung in einen Mann beleuchtet auch ein von Frauen verinnerlichtes Männlichkeitsideal.

Der polemische Bezug ist deutlich, was hier als Science-fiction-story erzählt wird, gründet auf Erfahrungen mit der per Gesetz garantierten ökonomischen und sozialen Gleichberechtigung der Geschlechter. Gleichgestellt, sind Mann und Frau im Alltag permanent mit überkommenen Vorstellungen und Verhaltensmustern konfrontiert.

Vor diesem Hintergrund wird seit Beginn der siebziger Jahre über geschlechtsspezifische Unterschiede, über korrekturbedürftige Gleichheitsvorstellungen geredet, geschrieben[154] und das Erreichte an den Zielstellungen gemessen:

> »[...] eben weil der radikale Ansatz, von dem wir ausgegangen sind (›Befreiung der Frau‹), steckenzubleiben droht in der Selbstzufriedenheit über eine Vorstufe, die wir erklommen haben und von der aus neue radikale Fragestellungen uns weiterbringen müßten.« (1973; Di II 343)

Der erreichte Stand wissenschaftlich-technischen Fortschritts hat verdeutlicht, daß die mit ihm einhergehende Stagnation in den zwischenmenschlichen Beziehungen die Emanzipation beider Geschlechter erfordert. Die im Prozeß der Arbeitsteilung entstandenen und durch historische, psychologische, individuelle und gesellschaftliche Zuordnungen von typisch weiblichen Eigenschaften wie »Anpassung und Hingabe« mit dem männlichen Pendant von »Aktion und Eroberung«[155] befestigten Rollenmuster sind längst in die Kritik geraten und funktionieren immer weniger. Sie brechen vor allem dort auf, wo 90 Prozent der Frauen im Berufsleben stehen, wo deutlich wird, daß das gesellschaftliche Maß für Humanität die Emanzipation beider Geschlechter ist:

> »Es geht um nicht mehr und nicht weniger als die Überwindung von Entfremdung [...]. Wir sollten nicht zu früh denken, wir hätten das hinter uns. Die Handhabung wissenschaftlicher Forschung zum Beispiel, die ja in dieser Erzählung auch befragt wird, gewisse positivistische Denkweisen, die, hinter dem sogenannten naturwissenschaftlichen Denken verbarrikadiert, humane Bezüge ignorieren – ich glaube schon, daß das unsere Aufmerksamkeit verdient.« (1973; Di II 344)

»Kindheitsmuster«

Mit der nationalen Vergangenheit hat sich Christa Wolf beschäftigt, lange bevor ihr Buch über den Zusammenhang von Vergangenheit, Gegenwart und Zukunft Gestalt annahm. Episoden und Überlegungen, Denkansätze und Gedankenfolgen, Bilder und Metaphern, die um die Zeit des Nationalsozialismus kreisen, lassen sich als kontinuierliche Annäherungen an diesen Stoff- und Themenbereich in den Erzählungen ebenso wie in den Essays *Deutsch sprechen* (1966), *Blickwechsel* (1970) oder *Zu einem Datum* (1971) auffinden.

»Sie alle sind schon mehr als einmal dabeigewesen, wenn jemand plötzlich anfing, aus seinem Leben zu erzählen. [...] Vielen Menschen, die zu meiner oder einer älteren Generation gehören, kommt heute ihre eigene Vergangenheit ganz abenteuerlich und unwahrscheinlich vor. [...] Die Gefahr, bestimmte persönliche Erlebnisse, bestimmte Zeitereignisse zu über- oder zu unterschätzen, bedroht jeden. Man braucht manchmal lange Zeit, um die Bedeutung einer Entscheidung, einer Bekanntschaft, die Tragweite eines Irrtums oder einer Unterlassung ganz zu begreifen« (1964; Di I 395, 398),

heißt es in Christa Wolfs Rede auf einer Festveranstaltung zum 15. Jahrestag der DDR in Potsdam. Sie ist ein früher Hinweis auf das vorhandene Bewußtsein um die Problematik noch ausstehender Aufarbeitung eigener Erfahrungen in Krieg und Faschismus. Es sollten noch einige Jahre vergehen, ehe die Autorin das geplante, in Gedanken schon lange Jahre bewegte Unternehmen der grundsätzlichen Auseinandersetzung mit der faschistischen deutschen Vergangenheit am Beispiel der subjektiven Beteiligung in Angriff nahm.

Mit ihrer Fragestellung: »Wie sind wir so geworden, wie wir sind« (1975; Di II 370) unterscheidet sich ihr Ansatz von dem anderer Autoren, die sich in ihren Büchern vor allem unter dem Aspekt ›Wie konnte es dazu kommen?‹ mit der Nazivergangenheit beschäftigt hatten.

Christa Wolf war 43 Jahre alt, als sie nach einer längeren Periode des Sammelns und des Studiums von Dokumenten und Zeitzeugnissen, von historischen, psychologischen, biografischen Materialien, mit der Niederschrift begann. Das Vorhaben war zu diesem Zeitpunkt insoweit genau umrissen, als feststand, es sollte um die Erforschung der eigenen Kindheit gehen. Das dem Text von *Kinheitsmuster* vorangestellte Motto hat Christa Wolf Pablo Nerudas Lyrikband *Buch der Fragen* entnommen:

»Wo ist das Kind, das ich gewesen,/ ist es noch in mir oder fort? [...] Wann liest der Falter, was auf seinen/ Flügeln im Flug geschrieben steht?« (KM 7)

Als Zeitpunkt des Arbeitsbeginns ist der 3. November 1972 festgehalten. Beendet wurde die Niederschrift des Textes am 2. Mai 1975. In rund vier Jahren ist ein 531 Seiten umfassendes Buch entstanden, das zu einer Lebensbilanz angewachsen war und zur dichtesten Prosa Christa Wolfs zählt. Bei dem Versuch, Bilder der eigenen Kindheit literarisch zu erforschen, war Christa Wolf auf Schwierigkeiten und Probleme verschiedenster Art gestoßen. Ein Gespräch mit Konstantin Simonow, welches sie im Auftrag der Zeitschrift »Neue Deutsche Literatur« für das thematische Heft »Literarische Werkstatt UdSSR - DDR« im Juli 1973 auf der Datsche des Autors in Peredelkino bei Moskau führte, dreht sich wesentlich um den Umgang mit Autobiografischem: Erinnerungen, die nicht dokumentiert sind, und authentischem Material wie beispielsweise Tagebuchaufzeichnungen, die wie ein »fremdes, zeitgenössisches Dokument« behandelt werden müßten. Das methodische Interesse an Simonows Schreibweise ist deutlich von der eigenem Problemsicht geprägt:

»Sie sagten eben, es sei Ihnen heute noch schwer, über den Krieg zu sprechen. Genauso ist es uns heute noch schwer, über den Faschismus zu sprechen – wenn auch aus ganz anderen Gründen. Ich weiß, daß meine Generation, deren Kindheit in die Zeit des Faschismus fiel, dieses Erlebnis noch nicht wirklich ›verarbeitet‹ hat. Ich schreibe ein Buch über eine solche Kindheit in dieser Zeit. Natürlich habe ich da keinerlei Tagebuchmaterial. Ich versuche authentisch zu sein dadurch, daß ich mich auf meine Erinnerung stütze und dann diese Erinnerung an Dokumenten überprüfe, die mir zugänglich sind. Da mache ich manchmal überraschende Entdeckungen, die auch ein Beitrag zur Psychologie des Gedächtnisses sein mögen – so daß das Buch, um ›realistisch‹ zu sein, mehrere Ebenen bekommen muß.« (1973; Di I 150)[156]

Der intensiv erlebte Widerspruch zwischen Intention und zur Verfügung stehendem Material, zwischen Gegenwart des

Schreibvorgangs und Erfahrungsverarbeitung, bestimmte schließlich die Art und Weise des literarischen Zugriffs, der als thematisierter Textbestandteil später eine wichtige Dimension des Werkes ausmachen sollte. Immerhin lagen die erinnerten Vorgänge ein Vierteljahrhundert zurück. Die Vermutung

Christa Wolf
KINDHEITSMUSTER

Das Vergangene ist nicht tot; es ist nicht einmal vergangen. Wir trennen es von uns ab und stellen uns fremd.
Frühere Leute erinnerten sich leichter. Eine Vermutung, eine höchstens halbrichtige Behauptung. Ein erneuter Versuch, dich zu verschanzen. Allmählich, über Monate hin, stellte sich das Dilemma heraus: sprachlos bleiben oder in der dritten Person leben, das scheint zur Wahl zu stehen.

Umschläge von H. Metzkes und W. Kenkel (Aufbau-Verlag Berlin/Weimar 1974 bzw. 1976)

Theodor W. Adornos, Literatur sei nach Auschwitz unmöglich geworden, von Bertolt Brecht in dem Sinne eingeschränkt, daß Literatur nach dem Grauen des zweiten Weltkrieges, nach den unmenschlichen Konzentrationslagern und der Ausrottung eines ganzen Volkes jedenfalls zu seinen Lebzeiten keine Mittel für die Beschreibung solcher Vorgänge gefunden habe,[157] hatte Christa Wolf deutlich im Bewußtsein, als sie 1972 ihre Gedanken nach der Lektüre von Fred Wanders Roman *Der siebente Brunnen* (1972) notierte:

»›Auschwitz‹ steht, so viele, so wenige Jahre danach, schon für anderes als nur für sich selbst. Es steht für die beunruhigendste Tatsache dieser Zeit, als ein Beweis dessen, daß ein Herrschaftsmechanismus entwickelt wurde, der große Teile eines Volkes fast im Handumdrehen zurückschleudern kann in die Barbarei. [...] Ich glaube, daß heute noch viele Menschen trotz richtiger ökonomischer und sozialer Analysen, die man sie gelehrt hat, im Grunde nicht wissen, wie ihnen geschah.« (1972; Di I 141)

In Wanders Buch, dessen Parallelen zu Jorge Sempruns *Die große Reise* unübersehbar sind, findet sie eine Erinnerungsprosa, die zur »Erhaltung und Auffrischung [des] lebenswichtigen Langzeitgedächtnisses« (Di I 138) der Menschheit beiträgt und somit zu einem wichtigen Medium wird. Die besondere Wirkung dieses Buches sieht sie im Vermögen des Autors, »zeitgemäß« zu erzählen, was bedeutet, souverän mit der Zeit umzugehen, sich einer assoziativen Methode zu bedienen, die lebendige, wenn auch komplizierte Strukturen hervorbringt, indem sie zwanglos dem Strom der Erinnerung folgt. Bei Wander findet Christa Wolf die Frage nach der Funktion des Gedächtnisses thematisiert und hebt schließlich als beispielhaft hervor, daß er das Problem des Erzählens und Redens zum Motiv seines Buches gemacht hat. Unzweifelhaft gehört *Der siebente Brunnen* zu den Büchern, die sie bestärkten, eine ihrem Vorhaben gemäße Erzähl- und Schreibtechnik zu suchen. Mit diesem Problem hat sie sich im ersten Jahr ihrer Arbeit an *Kindheitsmuster* permanent auseinandergesetzt. Dreißig unterschiedliche Textanfänge zeugen davon, daß Christa Wolf sich mit der Annäherung an ihren Gegenstand außerordentlich schwer tat, bis sie eine Ausdrucksmöglichkeit gefunden hatte, die ihrer Wirkungsintention zu entsprechen schien, die Verschränkungen und verfestigten Strukturen von Verhaltensweisen aufzubrechen, um sie bewußtzumachen.

Klarheit, wie mit dem Stoff umzugehen sei, habe sie erst bekommen, nachdem der Titel gefunden war; anders als bei früheren Büchern, sei er nicht »von Beginn an dagewesen«.[158] »Kindheitslandschaft«, bei einer Lesung aus dem Manuskript in der Martin-Luther-Universität Halle im November 1974 noch genannt,[159] ist ebenso verworfen worden wie andere Varianten. »Kindheitsmuster« geht auf einen Vorschlag Gerhard Wolfs zurück. Neben dem Hinweis auf inhaltliche Bedeutungsebenen enthält der Titel ein ganzes ästhetisches Programm, das die Einheit von Stoff, Inhalt, Absicht und Form einschließt. »Nach-Ruf könnte im Titel vorkommen. Gedächtnis nicht [...] Grund-Muster. Verhaltens-Muster.« (KM 52) Das zusammengesetzte Titelwort verweist auf einen mehrdeutigen Gebrauch von Vorlagen, Paradigmen oder Patterns, wie sie einer medienorientierten Öffentlichkeit geläufig sind, etwa als wiederkehrende Verhaltensschemata oder Grundmuster. Darüber hinaus assoziiert es Wörter wie Bruchstück, Stückwerk, Faden, Abschnitt, Verlauf und verweist zugleich auf Experimentelles. In entsprechenden Wörterbüchern und Nachschlagewerken finden sich weitere Synonyme für Muster, etwa Vorbild, Inbegriff, Modell, Ideal, Leitbild, Urbild, Archetyp oder Beispiel. Christa Wolf, so ist dem Text zu entnehmen, bevorzugt die aus dem Lateinischen entlehnte Doppelbedeutung des Wortes: »Muster kommt vom lateinischen ›monstrum‹, was eigentlich ›Probestück‹ geheißen hat und dir nur recht sein kann (KM 52).

»Probestück« im Sinne der Bezeichnung für einen unabgeschlossenen Vorgang:

> »Zwischenbescheide geben, Behauptungen scheuen, Wahrnehmungen an die Stelle der Schwüre setzen, ein Verfahren, dem Riß, der durch die Zeit geht, die Achtung zu zollen, die er verdient.« (KM 9 f.)

»Monstrum« assoziiert bei ihr selbst sogleich die ungeheuerlichen Aspekte der Vergangenheit: »Doch werden auch Monstren im heutigen Wortsinn auftreten.« (KM 52) Befragt nach den aktuellen Bezügen für das Entstehen eines Buches über die Zeit des Nationalsozialismus in Deutschland, ein Vierteljahrhundert nach seiner Zerschlagung, bekannte Christa Wolf, daß es ihr um den Zusammenhang von Gegenwart und Vergangenheit (und Zukunft) geht:

> »Gegenwart ist ja nicht nur, was heute passiert. Das wäre ein sehr enger Begriff der Gegenwart. Gegenwart ist alles, was uns treibt, zum Beispiel heute so zu handeln oder nicht zu handeln, wie wir es tun oder lassen.« (1975; Di II 352)

Diese Äußerung anläßlich einer Lesung in der Akademie der Künste verweist auf ein Bündel von Schreibimpulsen, auf innere und äußere Faktoren eines Lebensgefühls, die aufeinandertrafen. Chile, Vietnam, Griechenland und Südafrika sind in den frühen siebziger Jahren weltpolitische Bezugspunkte, die mit dem Thema Faschismus unschwer in Verbindung zu bringen waren. Die Erfahrung internationaler Solidarität, aber auch die über die Medien vermittelte Ohnmacht, praktisch wirklich etwas dagegen auszurichten, die von Konrad Wolf bezeichnete Gefahr vom Faschismus der dritten Generation, dem Neofaschismus vor der Haustür[160], bilden einen zusätzlichen Hintergrund für Beunruhigung und befestigen das Bewußtsein, daß dieses Thema noch längst nicht ausgeschöpft ist, obwohl es die Literaturentwicklung der DDR kontinuierlich begleitet und entscheidend geprägt hat. Gerade in diesem Kontext steht die neuerliche Hinwendung zum vielbehandelten Thema durch Autorinnen und Autoren wie Christa Wolf, Franz Fühmann, Klaus Schlesinger, Hermann Kant, Helga Schütz, Alfred Wellm, Fred Wander, Jurek Becker, Stephan Hermlin, Max Walter Schulz, Benito Wogatzki, Günter Görlich, Eberhard Panitz und anderen. Namen und zu nennende Buchtitel verweisen zugleich auf unterschiedlichste Sichtweisen und Darstellungsarten, Aneignungsformen und Wirkungsabsichten sowie auf den Umstand, daß diese Bücher sich auch polemisch auf frühere beziehen.[161]

In ihrem Diskussionsbeitrag auf dem VII. Schriftstellerkongreß 1973 hatte Christa Wolf die Aufmerksamkeit der Öffentlichkeit auf ein Problem gelenkt, dessen sich viele Autoren ihrer Generation an der Schwelle des neuen Jahrzehnts bewußt geworden sind:

> »Es ist, als käme die Vergangenheit in Wellen über uns. Wenn ich es richtig sehe [...], gab es eine erste Phase der gedanklichen Verarbeitung der Einflüsse jener faschistischen Zeit [...]; doch haben wir die Problematik zu früh für ›erledigt‹ gehalten.« (1973; Di I 433)

Kindheit und Jugend kamen zu diesem Zeitpunkt noch einmal »mit voller Wucht zurück«, nachdem Vergangenheitsbewältigung zeitweilig als nationale Tradition an »die anderen« (Di I 433) delegiert worden war. Zu Beginn der siebziger Jahre artikulierten viele Autoren der mittleren und jüngeren Generation ein neu gewonnenes Bewußtsein darüber, daß es noch immer aufzuarbeitende Defizite gab, um geschichtliche Erfahrungen durch kritische Verarbeitung bewußtzuhalten. Nachgeforscht wurde nun vor allem psychologischen Aspekten sowie den Neben- und Langzeitwirkungen von Kindheits- und Jugenderlebnissen, die es möglichst authentisch und ausgesprochenermaßen als subjektive Erfahrungen zu vermitteln galt. Im Selbstverständnis der Autoren bedeutete die Beschäftigung mit der eigenen Biografie jedoch kaum Wiederaufnahme eines alten, im Grunde längst bewältigten Themas. Heiner Müller, wie Christa Wolf Jahrgang 1929, schrieb 1975 in einem Brief: »Das Thema des Faschismus ist aktuell und wird es, fürchte ich, in unserer Lebenszeit bleiben [...]. Heute ist der gewöhnliche Faschismus interessant; wir leben auch mit Leuten, für die er das Normale war, wenn nicht die Norm, Unschuld ein Glücksfall.«[162]

Wie konnte der Faschismus in das Innere der Menschen, ins Massenbewußtsein eindringen, wie hat er im Unterbewußtsein des einzelnen weitergewirkt und bestimmte Verhaltensmuster geprägt? Um Antworten auf diese Fragen gemeinsam mit den Lesern zu finden, bekannte sich auch Christa Wolf zur immer noch als notwendig erachteten

> »Auseinandersetzung des einzelnen mit seiner ganz persönlichen Vergangenheit, mit dem, was er persönlich gedacht oder getan hat und was er ja nicht auf einen anderen delegieren kann, wofür er sich auch nicht mit Massen von Menschen, die dasselbe oder Schlimmeres getan haben, entschuldigen kann.« (1975; Di II 355)

Der auch in anderen Kunstgattungen einsetzende freiere Umgang mit der Geschichte wirkte ebenfalls stimulierend. Gerade zu dieser Zeit kreuzen sich erneut die künstlerischen Wege von Christa Wolf und ihrem Namensvetter Konrad Wolf, mit dem sie eine in beider künstlerischer Produktion begründete innere Nähe verband.

Ungefähr zeitgleich mit *Kindheitsmuster* kam sein Film *Mama, ich lebe* (U. 1977) an die Öffentlichkeit, der, obwohl den Vergangenheitsstoff von einem entgegengesetzten Pol angehend, sich ebenfalls auf sehr subtile Weise mit den Erfahrungen der um 1930 Geborenen auseinandersetzt. Film und Buch befassen sich, wenn man so will, mit konträren deutschen Lebensläufen, die die Geschichte des Landes nach dem Krieg mitbestimmt haben, mit Lebensläufen, deren Prägungen bis in die Gegenwart hineinreichen und für die die Muster in der Kindheit gelegt wurden. – Faschismuserfahrungen aus Vergangenheit und Gegenwart werden in gewisser Weise komplementär auch in der Malerei der siebziger Jahre aufgearbeitet. Bilder wie Wolfgang Mattheuers (geb. 1927) *Requiem für Victor Jarra* (1973), Arno Rinks (geb. 1940) *Spanien 38* (1974) oder Gerhard Kurt Müllers (geb. 1926) *Das Jahr 45* (1973/74) machen diesen Trend ebenso sinnfällig wie Wolfgang Wegeners (geb. 1933) lyrisches Gemälde *Leningrad 1941. Schutz des Denkmals Peter I.* (1971) oder auch Nuria Quevedos (geb. 1938) *30 Jahre Exil* (1971).

Dem in 18 Kapitel gegliederten Text ist wiederum keine Gattungsbezeichnung beigegeben. Jeder Versuch, das Gelesene in geläufige Typologien wie Roman, Memoiren, Selbstporträt, Bekenntnisse oder Autobiografie einzuordnen, würde nach wenigen Seiten Lektüre dieser Prosa an Grenzen stoßen. Die Erzählstruktur ist zu vielschichtig, als daß sie sich auf eine Benennung festlegen ließe. Epische Handlung wird von Reflexion abgelöst, linear erzählte Begebenheiten wechseln beinahe übergangslos zu essayistischen Erörterungen, Dokumentarisches steht neben Vermutetem. Der Leser hat es schwer, sich in diesem Erzählgeschehen zu orientieren, muß sich in den komplizierten Strukturen eines polyphon komponierten Textes zurechtfinden.

Der Erzählvorgang umfaßt drei eigenständige, ineinander verschachtelte Handlungs- und Zeitebenen, die, um bei dem Vergleich mit der Musik zu bleiben, kontrapunktisch gesetzten Stimmen entsprechen: Zum einen die erzählende und reflektierende auf der Ebene der Schreibgegenwart, die den »geistigen Spielraum«[163] ausschreitet, sich mit Problemen des Schreibens auseinandersetzt, Erzählantriebe preisgibt, für die Ordnung der Erinnerungen verantwortlich zeichnet und die sich während des Schreibvorgangs von 1972 bis 1975 vollziehenden Ereignisse deutet. In der zweiten Ebene wird von einer Reise nach Polen erzählt, die die Ich-Erzählerin zusammen mit ih-

Mit Töchtern und Enkelin (1980)

rem Ehemann, der 15jährigen Tochter und dem vier Jahre jüngeren Bruder am 10./11. Juni 1971 in ihre Heimatstadt unternimmt. Die dritte und erzählerisch reichste Ebene ist die der Kindheit und Jugend des Mädchens Nelly Jordan aus Landsberg an der Warthe zwischen 1933 und 1947.

Die Überzeugung, daß Vergangenheit und Gegenwart miteinander verknüpft sind und aufeinander einwirken – Christa Wolf widmet ihr Buch ihren Töchtern –, färbt den Blick in die Geschichte. Der Text wird mit einem Faulkner-Zitat eingeleitet, das schon Alfred Andersch seinem Roman *Winterspelt* (1974) als Motto vorangestellt hatte: »Das Vergangene ist nicht tot; es ist nicht einmal vergangen.« (KM 9) Christa Wolf ergänzt die Aussage mit der nicht unpolemischen Feststellung : »Wir trennen es von uns ab und stellen uns fremd.« (KM 9)

Rückschauende Erinnerung oder über den Dingen stehendes Erzählen wie im traditionellen Gesellschafts- oder Zeitroman, mit dem nach Meinung der Autorin Folgen und Einflüsse in der Gegenwart nur ungenügend wiederzugeben seien, entspricht nicht ihrem Erzählkonzept. Mit einem Seitenblick auf den von der Literaturwissenschaft favorisierten, allwissenden Erzähler nach Thomas-Mannschem-Muster, grenzt sie sich ab gegen einen Romantypus, bei dem die Erzähler, »die raunenden Beschwörer des Imperfekts[,] sich und andere glauben machen konnten, sie seien es, die Gerechtigkeit verteilten« (KM 225). Kein abschließendes Urteil ist zu erwarten, und auch »Bewältigung« wird nicht vorgeführt. Das Ausmaß des Grauens, das das NS-Regime verursacht hat, läßt dies nicht zu. »Faschismus«, so schrieb der von Christa Wolf zitierte polnische Schriftsteller Kazimierz Brandys, »ist ein weiterer Begriff als die Deutschen. Aber sie sind seine Klassiker gewesen«. (KM 52) Die Autorität dieser Behauptung überprüfend, begibt sich Christa Wolf auf Spurensuche in eine Kindheit, um zu ergründen, »wie man zugleich anwesend und nicht dabeigewesen sein kann« (KM 57).

Um den beobachteten allgemeinen Gedächtnisschwund aufzuhalten, unternimmt es die Erzählerin stellvertretend für die Autorin – die Pronomina »wir« und »uns« verweisen wiederum auf ein vorausgesetztes Einverständnis mit dem Leser –, moralisches Gedächtnis zu reaktivieren. Sie demonstriert eine Art psychologischer Archäologie, mit deren Hilfe sie den Leser zum Zeugen ihres mühevollen und oft schmerzlichen »Krebsgang(es)« (KM 11) in die eigene und deshalb authentisch und subjektiv geschilderte Vergangenheit macht.

Das Reisemotiv, in Christa Wolfs Prosa von *Moskauer Novelle* bis *Kassandra* ein konstituierendes Moment, wird gleich zu Erzählbeginn aufgerufen. Die Ortsveränderung öffnet den Blick für andersgeartete Positionen und Standorte; sie ist ein wichtiger Ausgangspunkt für Erfahrungssammlung und Erfahrungsverarbeitung. Eine Wochenendfahrt nach Polen, die ausgesprochenermaßen nicht dem »Tourismus in halbversunkene Kindheiten« (KM 14) dient, wird mit der anthropologischen Rückschau in die erdgeschichtliche Periode des Tertiär verglichen, in der der Mensch »noch abwesend« (KM 200) ist. Nach einem Vierteljahrhundert besucht die Erzählerin in Begleitung ihr nahestehender Menschen erstmals wieder die Vaterstadt, in der die Muttersprache längst nicht mehr verstanden wird. Sie hofft, Erinnerungshilfen zu finden. Die Mitreisenden nehmen innerhalb des Erzählgeschehens unterschiedliche Positionen ein, bilden verschiedenartige Bezugspunkte zum erinnerten beziehungsweise gegenwärtigen Erleben. Während der Ehepartner zumeist eine unterstützende Rolle spielt, als Berater zur Verfügung steht, bildet der naturwissenschaftlich ausgebildete Bruder Lutz den rationalen Gegenpol zur subjektiven, emotional gefärbten Erinnerungsebene der Erzählerin. Wieder andere Sichtweisen und Wertungen, die einer anderen Generation, bringt die nach dem Kriege in der DDR aufgewachsene Tochter Lenka in die Debatte. Sie ist Gegengewicht und Hoffnungsträgerin zugleich. Von klein auf zu kritischem Denken angehalten, ist ihr die spontan geäußerte Abwehr gegenüber unkritischer Anpassung zur zweiten Haut geworden.

Die Reise bildet den Auftakt für den langwierigen Prozeß der Materialsuche, des Lesens, Nachforschens und Komponierens von persönlichen Grunderlebnissen, Dokumenten, Zeitungen, Landkarten, Rundfunkprogrammen. Das Dokumentarmaterial ist Hilfsmittel zur Versicherung von Tatbeständen, seiner Wirkung als Teil literarischer Äußerung wird nur begrenzt vertraut. Die Dokumente sind es nicht, die Licht in die Verhaltensweisen der Menschen bringen können. Sie besitzen dafür keinen Aussagewert.

Ähnlich Franz Fühmann, der in *22 Tage oder Die Hälfte des Lebens* (1973) eine Fahrt nach Ungarn zum Ausgangspunkt der Reflexion über Vergangenes nutzt, verfährt auch Christa Wolf mit dem 48 Stunden dauernden Ausflug in die ehemalige Heimat. Die Erwartung, mit Hilfe räumlich konkreter, sinnlicher Erfahrungen zugleich Erinnerungen wie mit einem Brennglas gebündelt abrufen zu können, stellt sich als irrig heraus. Die Erinnerung existiert autonom. Wenn Christa Wolf dennoch um genaueste Orts- oder Interieurschilderung bemüht ist, so darf man einen anderen Grund vermuten. Ebenso wie es ihr um psychologische und historische Genauigkeit geht, ist sie in ihrer gesamten Prosa stets um topografische Überprüfbarkeit der Lebensumstände ihrer Figuren bemüht.

»Aber so unwichtig sind die Orte nicht, an denen wir leben.

Sie bleiben ja nicht nur Rahmen für unsere Auftritte, sie mischen sich ein, sie verändern die Szene, und nicht selten ist, wenn wir ›Verhältnisse‹ sagen, irgendein bestimmter Ort gemeint, der sich nichts aus uns macht.« (N 173)

Auf Detailtreue als wesentliches Moment realistischen Erzählens hat auch Günter de Bruyn hingewiesen, dessen auf sorgfältiger Beobachtung beruhende Schreibweise sich auf ein eigenes Lesebedürfnis gründet: »Von mir selbst als Leser weiß ich, daß Nachprüfbares mich immer beeindruckt, auch wenn es nur scheinbar nachprüfbar ist. Für mich ist die Wirkung von Literatur immer größer, wenn ich den Details glauben kann. Und das ist wohl nicht nur bei mir so.«[164] Milieukenntnis und Aufmerksamkeit für das Detail zeichnet auch die Texte Christa Wolfs aus, die sorgsam auf die Vermittlung sinnlicher Wahrnehmung und Konkretheit bedacht ist.

Die Problematik des von der Geschichte geprägten und belasteten Verhältnisses zwischen Polen und Deutschen wird in *Kindheitsmuster* nur am Rande gestreift. Aus Schuldbewußtsein resultierende »Polonophilie«, wie sie in der DDR-Literatur der sechziger und siebziger Jahre nicht selten zu finden ist,[165] sucht man bei Christa Wolf vergebens. Für sie ist das heutige Polen lediglich ein Prisma für die Auseinandersetzung mit der (eigenen) Vergangenheit wie den dazugehörigen Traditionen und Ereignissen. Um den »höchsten Grad an Realismus« (1973; Di II 330) zu erreichen, mißt sie dem Prozeß der Erinnerung einen ebenso großen Stellenwert bei wie der erinnerten Zeit.

Obwohl in *Kindheitsmuster* eine mit den Lebensanfängen und biografischen Abläufen der Autorin sehr eng verbundene Kindheit und Jugend erzählt wird, kann das Buch nur bedingt als Autobiografie gelesen werden – im Unterschied etwa zu Elias Canettis Lebensbericht, der mit dem 1977 erschienenen Band *Die gerettete Zunge* einsetzt. Die dem Text vorangestellte Versicherung, alle Figuren seien Erfindungen, mit lebenden oder toten Personen ebensowenig identisch wie die beschriebenen Episoden tatsächlichen Vorgängen entsprechen, kann als Abwehr stark auf Biografisches orientierter Leseweisen gedeutet werden. Wesentlicher ist die Tatsache, daß sich die schriftstellerische Erinnerung nur sehr ungenau auf die Herausbildung des Charakters, auf die Entfaltung der Individualität, der besonderen Fähigkeiten und Talente der heranwachsenden Nelly richtet. Vielmehr hält die ebenfalls mit dem distanzierenden »Du« angesprochene Erzählerinstanz das Bewußtsein über die Kluft zu der Person, über die sie erzählt, ständig präsent. So entsteht die bildhafte Vorstellung einer nach »rückwärts gerichtete(n) Imagination«[166]. Die Erzählerin gibt zwar zu erkennen, daß ihr Leben an gewissen Punkten mit dem der Figur identisch ist, mit dem zeitlichen Abstand und den dadurch bedingten Wertungsweisen von Verhaltens- und Denkmustern jedoch läßt sich die Figurensicht nicht mehr ungebrochen als die eigene rekonstruieren. Authentische Erfahrungsverarbeitung ist mit fiktiven Elementen durchsetzt. Erinnerung wird als Gedächtnisleistung thematisiert und analysiert, wobei die Kategorie »moralisches Gedächtnis« (KM 53) eingeführt wird.

Ähnlich wie Thomas Mann, der zu Beginn seiner *Joseph*-Tetralogie ankündigt, in die Tiefe des geschichtlichen Stoffes vorzudringen, vertraut Christa Wolf einer Trichterwirkung, wenn sie, eine Schicht nach der anderen abtragend, am Ende auf den Grund der Erkenntnis zu gelangen trachtet. Jede Schicht hat ihren spezifischen Inhalt.

Von der Reiseebene springt die Erzählerin unvermittelt in die Handlung der Kindheits- und Vergangenheitsebene, in der Nelly Jordan die Hauptperson einer weitverzweigten Personnage ist. Ihre Kindheitswelt ist von einer Vielzahl von Verwandten und Bekannten, Schulfreundinnen und Lehrern bevölkert. Sie alle tauchen auf in »albumhaften Anekdoten«[167], so Heinrich Bölls treffendes Gleichnis vom Anschauen alter Fotos. Aus mosaikartig zusammengesetzten Teilen entsteht ein – wenn auch nie vollständig ausgemaltes – Bild des »gewöhnlichen Faschismus«.

Christa Wolf sieht ihre Figuren in konkreten sozialen Verhältnissen. Ihr Blick widmet sich mit Bedacht dem Reichtum des Lebens und ist zugleich illusionslos und entschieden im Urteil über die Verhältnisse. Die Figuren der Kindheitswelt bewegen sich in den Koordinaten eines zumeist liebenswert gezeichneten, ironisierten und klar analysierten, aber nie denunzierten kleinbürgerlichen Milieus. Nellys Eltern sind geschäftstüchtige, auf das Wohl ihrer Kinder bedachte Leute. Ihre Lebensstrategie ist Anpassung, zumal vor dem Hintergrund durchaus auch von ihnen wahrgenommener Gefahr durch die Machtübernahme der Nationalsozialisten. Um ihr Hab und Gut nicht zu gefährden, sind sie darum bemüht, sich in den Verhältnissen einzurichten, sie werden zu Mitläufern des NS-Regimes.

In abschnittweise eingeblendeten Sequenzen entsteht das Bild unspektakulär verlaufenden Lebens. Unter Anpassungsdruck stimmt der Vater 1933 für die Nationalsozialisten. Das Geschäft floriert. In der Familie gibt es keinen, der oppositionell zu denken wagte, weder als der jüdische Hausarzt nach der »Reichskristallnacht«, dem Pogrom gegen die Juden, ins Ausland geht, noch als eine kranke, für »lebensunwert« erklärte Tante verschwindet oder die Nachricht von Konzentrationslagern flüsternd die Runde macht. Nach der Einschulung, 1935, beginnt für Nelly die Vorbereitung zur Aufnahme in die Hitlerjugend, in die sie nicht hineingedrängt werden muß. »Der Führer war ein süßer Druck in der Magengegend und ein süßer Klumpen in der Kehle.« (KM 64)

Geschickt organisierte Gemeinschaftserlebnisse geben dem BDM-Mitglied Nelly das Gefühl, eine unter gleichen zu sein. Die Folgen der Erziehung, die zum »innersten Inneren« (KM 36) vorgedrungen ist, zeigen sich in den später von der Erzählerin zumeist psychologisch genau analysierten Mustern von Anpassung. Charlotte Jordan, Nellys Mutter, ist die alles überragende Figur des Buches. Über sie vermitteln sich Gewohnheiten, Lebensart, Denk- und Handlungsweisen, Redensarten, wie sie vielen deutschen Lesern zumindest bekannt sind. Sie ist das Urbild einer Mutter, gluckenhaft besorgt um das Wohl ihrer Familie, von der Erzählerin liebevoll und mit einem Schuß Ironie gezeichnet, in der oft Selbstironie enthalten ist. Mit ihren Sprüchen beziehungsweise Überlebensratschlägen ist sie eine »Kassandra hinterm Ladentisch« (KM 216). Die Mutter ist auch eine der Hauptzeugen, über deren Verhalten die Autorin versucht, den Ursachen von Anpassung und Angst auf die Spur zu kommen. Spontane menschliche Regungen wie die solidarische Hilfe für eine schwangere ukrainische Arbeiterin gehören ebenso zu ihr wie ein Maß an »Vernunft« es angeraten sein läßt, die Grenzen solcher Solidarität zu erkennen. Ihre Lebensphilosophie kommt ins Wanken, als der Zustand des Vorkriegs zu Ende geht: »Da rackert man sich ab und macht und tut, und dann kommt wieder Krieg und schlägt alles in Klump.« (KM 149)

Widerstand kommt in der Welt der Jordans nicht vor. Dieser Umstand war es vor allem, der den geharnischten Protest einiger Kritiker hervorgerufen hat.[168] Stephan Hermlin hielt dagegen (wie indirekt schon in seinem Buch *Die erste Reihe*, 1951), daß die Zahl der Antifaschisten und Widerstandskämpfer vergleichsweise gering war und Christa Wolfs Buch gerade deshalb so wichtig sei, weil es Auskunft über die anderen gebe, »an was, [und] wie sie sich erinnern, auf welche Weise das Vergangene im Gegenwärtigen, das Gegenwärtige im Vergangenen aufscheint«[169].

Die Kindheit der Nelly Jordan wird heraufbeschworen, um Erinnerungsschwund entgegenzuwirken. Zu vieles ist vergessen worden mit der Zeit – die Befürchtung, daß auch der Blick für die Gegenwart entschärft werden könnte, schwingt immer mit.

Zwischen Reise- und Kindheitsebene schieben sich Notate, Gedanken und Bilder aus der mehrjährigen Entstehungszeit des Manuskripts. Episoden, Anekdoten, persönliche Erfahrungen werden überlagert von Reflexionen weltpolitischer Ereignisse (Vietnam und Chile) oder von Betrachtungen über in dieser Zeit bereiste Länder (Schweiz, USA). Mit dem Datum des 19. Oktober 1973 findet die Nachricht vom Tode Ingeborg Bachmanns Eingang in den Text. Es ist der gleiche Tag, an dem die chilenische Militärjunta den Gebrauch des Wortes Compañero verbietet (KM 233). Diese Einschübe bilden komplementäre Bezugsebenen zur Vergangenheitshandlung, wobei Wertungen von Erzählerfigur und Autorin zusammenfallen. Die hier spricht, ist eine betroffene Zeitgenossin.

Brechts Gedanken von den Schwierigkeiten beim Schreiben der Wahrheit thematisierend, umkreist sie die Schwerpunkte, die sich im Erzählverlauf herausbilden. Zu ihnen gehört die am Ende des 9. Kapitels leitmotivisch wiederaufgenommene Frage »Wie sind wir so geworden, wie wir heute sind?« (KM 276), mit der die Aufmerksamkeit auf die beabsichtigte Historisierung des Problems gelenkt wird: Wo kommen wir her, und was hat die Verhaltensmuster geprägt? Die Bestimmung des gegenwärtigen Standorts und die ständige Überprüfung eigener Verantwortlichkeit erhalten eine zusätzliche Dimension durch die Erforschung individueller und gesellschaftlicher Handlungsmöglichkeiten:

> »Steckt denn in der Frage ›Wer bist du?‹ noch irgendein Sinn? Ist sie nicht hoffnungslos veraltet, überholt von der Verhörfrage: ›Was hast du getan?‹, die in dir selbst auf die schwache Gegenfrage stößt: ›Was hat man dich tun lassen?‹« (KM 453)

Dieser von der Erzählerin konstatierte Widerspruch wird durch das Unverständnis der fünfzehnjährigen Lenka sogleich relativiert. Ihre Frage, »wie man zugleich anwesend und nicht dabeigewesen sein kann« (KM 57), ist nicht auf die Vergangenheit einzuschränken. Identitätsfindung, eines der in den Werken Christa Wolfs immer wieder auftauchenden Grundmotive, wird als Ergebnis eines historischen Prozesses vorgestellt. Während des Schreibvorgangs hat sich das Erzähler-Ich mit der sich ändernden Wirklichkeit gewandelt. Zu Beginn des Textes als eine mit »du« angesprochene Figur eingeführt – als »Stimme, die es unternimmt, [...] zu sprechen« (KM 10) –, ist sie am Textende mit Nelly wieder zu einer Person verschmolzen, der allerdings bewußt ist, Abschließendes nicht aussagen zu können. Im Ergebnis der »Gedächtnisüberprüfung« (KM 10) bleiben viele Fragen offen:

> »Das Kind, das in mir verkrochen war – ist es hervorgekommen? [...] Hat das Gedächtnis seine Schuldigkeit getan? Oder hat es sich dazu hergegeben, durch Irreführung zu beweisen, daß es unmöglich ist, der Todsünde dieser Zeit zu entgehen, die da heißt: sich nicht kennenlernen wollen?« (KM 530)

Dagegen steht dann aber auch:

> »Wovon man nicht sprechen kann, darüber muß man allmählich zu schweigen aufhören.« (KM 235) –

Umkehrung eines Satzes von Ludwig Wittgenstein. Christa Wolfs Auseinandersetzung mit dem österreichischen Philosophen und Logiker ist gewiß über Ingeborg Bachmann vermittelt, die sich wiederholt auf dessen ästhetisches Denken, vor allem seine Überlegungen zum Zusammenhang von Sprache und Wahrheitsfindung bezogen hat.[170]

Dort, wo Wittgenstein die Erkenntnismöglichkeiten auf das Sagbare, das heißt auf die genaue Beschreibung von Tatsachen beschränkt, nach Meinung der Bachmann die Kunst aber nicht argumentiere, sondern zeige, schaltet sich Christa Wolf in den Diskurs um das »Unaussprechliche, das Unsagbare«[171] ein. Ihre Selbstanforderung, die Grenzen des Sagbaren hinauszuschieben, gilt nicht nur für die Kommentierung von Fakten aus der faschistischen Vergangenheit, sondern ebenso für jene im Unterbewußtsein weiterwirkenden psychologischen Muster und Vorurteile. Das gilt als Aufgabe auch insofern, als lange Verdrängtes aus der Geschichte der Sozialismusentwicklung nicht mehr als tabu hingenommen wird. Die Gleichzeitigkeit von historisch Ungleichzeitigem kommt ins Blickfeld. Das Stichwort lautet Stalin:

> »Wann [...] werden wir auch darüber zu reden beginnen? Das Gefühl loswerden, bis dahin sei alles, was wir sagen, vorläufig und dann erst werde wirklich gesprochen werden.« (KM 322)

Zehn Jahre nach Erscheinen von *Kindheitsmuster* setzte die kritische Auseinandersetzung mit den Widersprüchen des Geschichtsprozesses in der Sowjetunion ein. »Vorarbeiten« (KM 194) dazu hatte auch die Literatur geleistet.

Kindheitsmuster ist zu Recht als die »Zusammenfassung alles bisher Gedachten und Aufgezeichneten«, als Zusammenführung von Poetischem und Theoretischem bezeichnet worden.[172] Das poetologische Programm, in *Lesen und Schreiben* entwickelt und später mit dem Stichwort »subjektive Authentizität« bezeichnet, wird im 13. Kapitel aufgerufen:

> »Im Idealfall sollten die Strukturen des Erlebens sich mit den Strukturen des Erzählens decken. Dies wäre, was angestrebt wird: phantastische Genauigkeit. Aber es gibt die Technik nicht, die es gestatten würde, ein unglaublich verfilztes Ge-

flecht, dessen Fäden nach den strengsten Gesetzen ineinandergeschlungen sind, in die lineare Sprache zu übertragen, ohne es ernstlich zu verletzen.« (KM 354)

Figuren wie Christa T., die Neue »aus der Friedeberger Gegend« (KM 300), kommen auch hier wieder ins Spiel. Episoden aus *Nachdenken über Christa T.* kehren wieder, wie die vom erfrorenen Säugling auf dem Flüchtlingstreck (KM 366) oder vom Zusammentreffen mit dem ehemaligen KZ-Häftling, dem die Mutter im Mai 1945 noch immer nicht glauben will, daß einer, »bloß« weil er Kommunist war, ins KZ gekommen ist, »Und der Satz [...] Wo habt ihr alle bloß gelebt?« ebenso wie die Erinnerung an das Tagebuch, das Nelly nach dem von ihr eher als Zusammenbruch denn als Befreiung erlebten Kriegsende – wie Vera Brauer und Christa T. – »zum Glück oder Unglück« (KM 298) verbrannt hat.

Wie schon in der Essayistik oder in den Werken seit *Nachdenken über Christa T.* thematisiert Christa Wolf auch in *Kindheitsmuster* den Zusammenhang von Gedächtnis, Sprache und Erinnerungsfähigkeit:

»[...] daß das Gedächtnis kein festgefügter Block ist, der in unserem Gehirn unveränderlich festsitzt; eher schon, falls große Worte erlaubt sind, ein wiederholter moralischer Akt. (Was heißt: sich verändern?)« (KM 189)

Die kategorische Aufforderung: »Es muß geredet werden« (KM 234) gehört zu den Leitmotiven des Buches. Mit ihr wird ein wesentlicher Schreibimpuls begründet. Über Sprache und Rede werden zudem jeweils historische Funktionszusammenhänge verdeutlicht. Welche Lieder werden gesungen, welche Gedichte gelernt? Redensarten geben Auskunft über den Zeitcharakter, im Text anschaulich gemacht durch Nellys Erinnerung an »Glitzerwort(e)« (KM 79) wie »artfremd«, »unnormal«, »triebhaft« usw., Wörter, die keiner erläuterte, bei deren Gebrauch Nelly jedoch ein vielsagendes Glitzern in den Augen der Erwachsenen beobachtete.

»Das Wort ›Konzentrationslager‹ hat Nelly – in der volkstümlichen Variante als ›Konzertlager‹ – mit sieben Jahren gehört, ob zum erstenmal, muß ungeklärt bleiben.« (KM 60)

Woher kennen eigentlich die später Geborenen solche Worte? Sind nicht auch den nach dem Krieg Geborenen Redensarten wie ›jüdische Hast‹ oder ›ein Krach wie in der Judenschule‹ oder ›polnische Wirtschaft‹ bekannt? Wie reagiert man eigentlich darauf, wenn jemand ausdrückt, daß er etwas bis ›zur Vergasung‹ treiben will und damit meint: bis zur Erschöpfung. Das sind nur einige aus der Fülle von Fragen, die das Buch provoziert.

Im vorletzten Kapitel wird noch einmal angesprochen, was als Kernproblem den ganzen Text durchzieht: Wie entsteht Angst, und wie gehen Menschen damit um? Wo hat sie angefangen, und wie kann man sich von ihr befreien? Darüber zu sprechen, hilft, sie zu bannen:

> »Die besondere Natur des Leidens, das ›Angst‹ heißt, ist es, die jene Art von Produkten hervortreibt, in denen du dich erkennst. Wozu es leugnen. Die Hoffnung, freizukommen. Befreiung als Prozeß. Als Selbstbetätigung, für die ein Jahrestag nicht angesetzt werden kann. Schreibend den Rückzug der Angst betreiben.« (KM 462)

»Gibt es nur die Alternative zwischen Schweigen und dem, was Ruth und Lenka ›Pseudo‹ nennen (falsch, unecht, unaufrichtig, unwahr)?« (KM 487), fragt sich die Erzählerin monologisierend. Über die »verheerende Gewohnheit, [...] nicht genau zu sagen, was du denkst, nicht genau zu denken, was du fühlst und wirklich meinst« (ebd.), hat nicht nur ihre Generation nachzudenken, die dafür lediglich andere Worte und Redensarten hat, wie die Sprechweisen der Figuren verraten. Gerade mit der Konfrontation verschiedener Erfahrungswelten bietet das Buch aktuelle Impulse und Meßpunkte für die moralische Selbstbefragung des Lesers sowie vielfältige (und frag-würdige) Anregungen für die Entwicklung eines Verstehens- und Urteilsvermögens in menschlich-gesellschaftlichen Angelegenheiten.

Der Erzählstil ist insgesamt zurückhaltend. Mit der Verwendung von Symbolen und Metaphern geht Christa Wolf weitaus sparsamer um als noch in *Der geteilte Himmel* oder in *Nachdenken über Christa T.* Auch von der romantischen Ironie der zu Beginn dieses Jahrzehnts geschriebenen Erzählungen des Bandes

Buchbasar in Leipzig (Herbst 1981)

Unter den Linden ist kaum etwas zu spüren. Statt dessen bringt die Autorin mit einem Gefühl für den diffizilen Gebrauch der Sprache andere Elemente in ihre Erzählweise ein, wenn sie beispielsweise Figuren über deren Sprache charakterisiert – am eindrucksvollsten in der Gestaltung der Mutter Charlotte und deren schier unerschöpflichem Reservoir an Sprichwörtern und Redewendungen. Nicht zuletzt durch die genaue, mit humoristischen Elementen durchsetzte Sprache bleiben die autobiografisch gefärbten Passagen der Kindheitswelt stärker in Erinnerung als die Reflexionen oder die manchmal eher stereotyp wirkenden Ausdrucksweisen der Tochter. Die Bildersprache und der mit Regionalismen durchsetzte Redegestus der Figuren machen die Vergangenheitshandlung plastischer. Anders die Sprache der Gegenwartsebene oder die sich zuweilen in Sentenzen äußernden Reflexionen, wobei die Selbstanrede der Erzählerin dem Leser nicht selten Probleme aufgibt, auszumachen, wem die gedankliche Hinwendung jeweils gilt.

Phantasie kommt ins Bild, ohne daß die Autorin ein Übermaß von Metaphern zu strapazieren hätte. Teilsätze, stellenweise lyrisch gesteigert oder sachlich-lakonisch, korrespondieren mit einer Vielzahl von Modifizierungen, Einschränkungen, verdeutlicht durch Klammern und Gedankenstriche, die den Sprachfluß unterbrechen. Über die Art der Ansprache gibt Christa Wolf zu erkennen, daß es ihr vor allem darum geht, den Leser in den Prozeß einer subjektiv motivierten Wahrheitsfindung einzubeziehen. Eine Wirkungsintention, die ihrem Text streckenweise den aufklärerischen Gestus gibt, der immer dann belehrend gerät, wenn die individuelle Erfahrungen vermittelnde Ich-Erzählerin die »Rolle einer Repräsentanzfigur«[173] übernimmt:

> »Wir mögen wohl Grund haben, von uns nichts wissen zu wollen (oder doch nicht alles – was auf das gleiche hinausläuft). Aber selbst wenn die Hoffnung gering ist, sich allmählich freizusprechen und so ein gewisses Recht auf den Gebrauch jenes Materials zu erwerben, das unlösbar mit lebenden Personen verbunden ist – so wäre es doch nur diese geringfügige Hoffnung, die, falls sie durchhält, der Verführung zum Schweigen und Verschweigen trotzen könnte.« (KM 16)

Der in Prosa und Essayistik immer wieder zu beobachtende Hang zur Unbedingtheit, mit der Christa Wolf eigene Erfahrungen und Schlußfolgerungen beispielhaft zur Verallgemeinerung anbietet, die subjektive Moral gewissermaßen zum Maß der Dinge erhebt, sorgte in der literaturkritischen Öffentlichkeit von Anfang an für einiges Aufsehen. Eine wirkliche Debatte allerdings setzte erst ein, nachdem Annemarie Auer mit ihrer im Ton verurteilenden »Gegenerinnerung«[174] auf Christa Wolfs Buch reagierte. Wertungen wie »psychotherapeutische Ausräumung« und das Verdikt vom »verwaschenen« politischen Standort riefen viele Leser und Autoren – darunter Jeanne und Kurt Stern, Franz Fühmann, Wolfgang Kohlhaase und Hermann Kant – auf den Plan, die sich vor die Autorin stellten und die Wichtigkeit ihres Buches betonten, das für Stephan Hermlin »das Beenden eines langen Schweigens«[175] anzeigte.

V.
Projektionsraum Romantik

> »Die Zeit selbst ist es, die den Zweifel heraustreibt, sehr weit heraus, tief in die Sprache hinein, daß sie – auch den verwickeltsten Umständen und jeder Feinheit eigentlich gewachsen – nun oft, allzuoft, kapituliert.« (Di I 58),

heißt es in der Rede *Ein Satz*, gehalten 1977 anläßlich der Entgegennahme des Bremer Literaturpreises für *Kindheitsmuster*. Zu dieser Zeit war die Arbeit an einem neuen Buch bereits abgeschlossen.

Im Spätherbst 1976 hatte sich Christa Wolf erneut den Dichtern im Umkreis der deutschen Romantik zugewandt, wobei ihr Interesse weniger der Literatur-Epoche als vielmehr den konkreten Lebensverhältnissen ihrer Produzenten galt.

> »Wie kommt es, daß nach der Generation der Klassiker eine solche Menge von jungen Autoren auftaucht, die mit ihrer Zeit, mit ihrem Talent, mit der Literatur, mit ihrem persönlichen Leben offensichtlich nicht ›fertigwerden‹. Die, nach bürgerlichem Verständnis und auch nach dem Urteil einer bestimmten Richtung marxistischer Literaturtheorie, ›scheitern‹.« (1982; Di II 425)

Ein fiktives Treffen zweier Dichter ist das Sujet einer Erzählung, die, wie kaum ein anderer Text Christa Wolfs, den Zusammenhang von Leben und Werk auf eigenartige Weise sinnfällig macht und mit dessen Entstehungsgeschichte sich eine weitere Dimension ihrer poetischen Konfession andeutet.

»Kein Ort. Nirgends«

An einem Juninachmittag des Jahres 1804, so die »erwünschte Legende« (KO 6), begegnen sich die beiden literarischen Außenseiter Heinrich von Kleist (1777-1811), der in Begleitung seines Arztes Wedekind auf der Durchreise nach Berlin am Rhein Station gemacht hat, und Karoline von Günderrode (1780-1806), das adlige Stiftsfräulein, Eingeweihten als heimliche Dichterin unter dem Pseudonym »Tian« bekannt.

Im Zuge ihrer Beschäftigung mit dem Stoff hat sich Christa Wolf um eine genaue kultur- und literaturhistorische Situierung ihrer Dichterfiguren bemüht. In den von ihr herausgegebenen Band mit Gedichten und Prosa Karoline von Günderrodes (*Der Schatten eines Traumes*, 1979), hat sie auch Zeugnisse von Zeitgenossen und Briefe aufgenommen. Ein weiterer Beleg der Annäherung an diese dichterische Hinterlassenschaft – aus der Perspektive engagierter Distanz – ist der als Nachwort zu Bettina von Arnims Briefroman *Die Günderode* verfaßte Essay *Nun ja! Das nächste Leben geht aber heute an. Ein Brief über die Bettine* (1981). Einfühlsam geht Christa Wolf den Eigentümlichkeiten der Lebensläufe und schriftstellerischen Existenzweisen nach, die in der Literaturgeschichtsschreibung einseitig interpretiert oder – im Falle der Günderrode – sogar vergessen, respektive nicht ernst genommen worden sind.

Die Erzählung *Kein Ort. Nirgends* (1979) markiert einen deutlichen Einschnitt im Schaffen Christa Wolfs. Stilistische Merkmale und inhaltliche Motive werden bewahrt und gleichzeitig verändert. Mit der Aufnahme eines traditionsreichen Sujets, die Künstlerproblematik, suchte sie nach einer für sie neuartigen Möglichkeit, Dichtung als Instrument von Wahrheitssuche zu nutzen. Günderrode und Kleist sind in dieser Konstellation Fiktion und Dokument zugleich: zum einen sind sie historisch-authentische Personen, zum anderen Kunstfiguren mit einem bestimmten symbolischen Wert. Darüber hinaus gibt die Figurenwahl auch Aufschluß über einen künstlerischen Wahrheitsbegriff, den die Autorin für sich in Anschlag bringt: Nicht nur die Faktizität der Ereignisse realisiert sich in ihm, sondern auch die Legitimität modellhaften Prozeßdenkens, in dem die utopische Komponente eine wichtige Rolle spielt. Christa Wolf demonstriert damit eine für sie neue Art, mit Geschichte umzugehen, sich der Geschichte zu bemächtigen. Wenn sie in *Nachdenken über Christa T.* und in *Kindheitsmuster* vor allem auch die Schwierigkeit der Bewältigung (auto-)biografischer Erfahrungen durch reaktivierte Erinnerung thematisierte, kommt in *Kein Ort. Nirgends* die Suche nach dem tauglichsten Instrument zum Ausdruck, sich des Prozeßhaften der Geschichte zu versichern. Mit Walter Benjamin ließe sich auch sagen: Die historische Artikulation von Vergangenheit bemächtigt sich der Erinnerung, »wie sie im Augenblick einer Gefahr aufblitzt«[176]. Mit »Gefahr« ist hier freilich ein subjektiv empfundenes Krisenmoment bezeichnet, dem Christa Wolf zu begegnen sucht, indem sie produktive Momente für sich ausfällt. Es hängt zusammen mit den für die weitere Entwicklung des kulturellen Lebens in der DDR insgesamt tiefgreifenden Folgen der kulturpolitischen Entscheidungen um die Ausbürgerung des Liedermachers Wolf Biermann im November 1976. Zusammen mit elf namhaften Autoren hatte Christa Wolf in einem gemeinsam unterzeichneten »Offenen Brief« um Überprüfung und Zurücknahme dieser Maßnahme gebeten. Es kam zu scharfen Auseinandersetzungen um Strategie und Taktik sozialistischer Kulturpolitik, in deren Folge die Autorin ihren Austritt aus dem Vorstand des Schriftstellerverbandes der DDR erklärte, dem sie seit 21 Jahren angehörte. Zu einer erneuten Erörterung der Positionen sollte es erst zwölf Jahre später wieder kommen.[177]

Die Gefahr, in eine Außenseiterposition zu geraten – eine Rolle, die ihrer bisherigen Entwicklung widersprechen würde –, ließ sie nach einer Selbstverständigungsform suchen, die ihr den Boden unter den Füßen einigermaßen zu sichern versprach (vgl. Di II 423). Der Rückgriff auf die Lebensläufe dieser literarischen Vorgänger erschien ihr in der konkreten Situation als eine »Art von Selbstrettung« (1982; Di II 423), mit der zunächst Distanz zur eignen Lebenssituation zu finden war. Denn selbst vielfältige öffentliche Aktivitäten – etwa Gastvorlesungen an der University of Edinburgh (1978) oder die Annahme der Mitgliedschaft in der Deutschen Akademie für Sprache und Dichtung Darmstadt (1979) – konnten nicht über die tiefe innere Verletztheit hinwegtäuschen, die Christa Wolf in Zusammenhang mit den sechsundsiebziger Ereignissen erfahren hatte, das Gefühl des Nichtgebrauchtwerdens ebenso wie der in vielen Fällen schmerzlich empfundene Verlust von Autoren, die seit den sechziger Jahren das Bild der DDR-Literatur mitgeprägt hatten und nun in der DDR keinen Platz mehr für sich finden konnten. (Vgl. Di II, 423)

»›*Kein Ort. Nirgends*‹ hab ich 1977 geschrieben. Das war in einer Zeit, da ich mich selbst veranlaßt sah, die Voraussetzungen von Scheitern zu untersuchen, den Zusammenhang von gesellschaftlicher Verzweiflung und Scheitern in der Literatur. Ich hab damals stark mit dem Gefühl gelebt, mit dem Rücken an der Wand zu stehn und keinen richtigen Schritt tun zu können. Ich mußte über eine gewisse Zeit hinwegkommen, in der es absolut keine Wirkungsmöglichkeit mehr zu geben schien.« (1982; Di II 422)

Daß die »Feststellung, die ›Gesellschaft‹ habe in der oder jener Zeit die oder jene Fehler gemacht« (1983; Di II 478), wenig hilfreich sein würde, das wußte Christa Wolf und sagte es öffentlich in einem Interview, das 1984 unter dem Titel *Das starke Gefühl, gebraucht zu werden* in der Zeitschrift »Wochenpost« erschien. Für literarisch ergiebig hielt sie solche Argumentationen zu keiner Zeit.

Das geschichtliche Gleichnis schien ihr in diesem »konkreten historischen Augenblick« geeignet, eine Erörterung dieses Problems »am Gegenwartsmaterial« zu vermeiden, denn das wäre für sie nicht möglich gewesen, »wäre naturalistisch und banal geworden, platt«. (Di II 422 f.)

In den Lebensläufen der frühromantischen Dichter fand sie Entsprechungen zur eigenen Problematik. Anna Seghers wird zitiert, die in ihrem Briefwechsel mit Georg Lukács aus dem Jahre 1938 auf die Biografien der Frühromantiker angespielt hatte, als sie von den Vorgängern sprach, die sich unter den Bedingungen einsetzender Industrialisierung als erste mit der aus diesem Prozeß erwachsenden Partialisierung des wissenschaftlich-technischen Zeitalters und der damit beginnenden

60. Geburtstag von Wolfgang Heise (1925–1987)

Entfremdung des Individuums auseinanderzusetzen hatten. Die Ideen der Französischen Revolution hatten ihre Wirkung auch in Deutschland nicht verfehlt. Viele junge Intellektuelle sahen sich an der Schwelle einer Zeitenwende, in der die Entdeckungen in Natur und Wissenschaft ihre Freiheitsideale in einem anderen Licht erscheinen ließen. Sie erfuhren als erste den »Riß der Zeit« (1978; Di II 113), sie, die ihre »›Stirnen an der gesellschaftlichen Mauer wundrieben‹ und [...] zur klassischen Vollkommenheit nicht gelangen konnten« (1974; Di I 342), wie es vor ihnen die Großen der deutschen Dichtung für sich noch zu realisieren vermochten. Diese hatten noch nicht die Erfahrung machen müssen, daß Kunst unter den frühkapitalistischen Verhältnissen in den Dienst eines Utilitarismus gestellt oder, als wirklichkeitsfremd abgestempelt, ins Abseits gedrängt wurde.

Daß sich Christa Wolf gerade von den tragisch Gescheiterten der folgenden Generation angezogen und von ihrem Schicksal berührt fühlte, signalisiert aber auch ein breites Interesse an der Romantik in den späten siebziger Jahren. Wolfgang Heise bezog sich nicht nur auf die DDR, als er schrieb: »[...] ›romantische‹ Sehnsucht als Ausbruch, Soul-Sound, oft in verkauzten und nostalgischen Formen ist allenthalben spürbar, und oft erscheint sie in Gefühl und Gefühlsbedürfnis versteckenden Masken der Härte, des Zynismus als Ergebnis enttäuschter Sehnsucht, utopischer Erwartung und unbefriedigter Gemeinschaftsbedürftigkeit. Erinnert sei an die Völkerwanderung zur C. D. Friedrich-Ausstellung in Dresden.«[178]

Christa Wolf bestätigte 1982 in einem Gespräch mit Frauke Meyer-Gosau (Di II 422-439), in dem sie Auskunft über Stoffwahl, Zugriff auf den »Projektionsraum Romantik« und spezifische Form der Materialaneignung gegeben hat, daß die Erzählung als Teil eines Versuchs zur Bewältigung subjektiv erfahrener Krisensituation entstanden ist:

> »Ich habe diese beiden Figuren genommen, um ihre Problematik für mich durchzuspielen.« (Di II 423)

Allerdings wäre es eine Verkürzung, tagespolitische Ereignisse und daraus resultierende subjektive Befindlichkeiten mit dem Resultat des »Graben(s) im Bergwerk der Seele«[179] als alleinigen Schreibanlaß zu kennzeichnen. Wenn die Autorin selbst von »Anverwandlung« des Stoffes spricht, so benennt sie damit ein in Hinblick auf frühere Werke verändertes Verhältnis zu ihrem Gegenstand und dem Tonfall ihres Erzählens, der am ehesten einem Lebensgefühl zu entsprechen scheint, das sich in der Literatur der siebziger Jahre nicht nur in der stärkeren Betonung der Subjektivität äußert, sondern damit vor allem die gesellschaftlichen Widersprüche selbst härter benennen läßt. Wenn, diese Tendenz kennzeichnend, von einem insgesamt für die Literatur der DDR zu konstatierenden »Verlust von Illusionen gegenüber dem Gang und Fortgang der Geschichte«, von einer damit in Verbindung stehenden Verabschiedung

»simplifizierter Vorstellungen vom Sozialismus und vom Klassenkampf«[180] gesprochen wurde, so sind in dieser Verallgemeinerung auch die ästhetischen Modifizierungen erfaßt, wie sie sich in diesem Zeitraum ebenso bei Stephan Hermlin, Volker Braun, Heiner Müller und anderen beobachten lassen.

Ähnliche Erscheinungen finden sich auch in der bildenden Kunst. An die Stelle der für die sechziger Jahre noch registrierten »kritisch-affirmative(n) Sicht auf die Realität« tritt, beispielsweise in der Malerei, eine nüchternere und gegenüber früheren Aneignungsweisen »illusionsfreie[re] Wirklichkeitsauffassung«[181], die sich in einem stärker sachlichen und veristischen Malstil ausprägt. Daneben zeigte sich vor allem bei jüngeren Malern ein deutlicher Hang zur Poetisierung. Die VIII. Kunstausstellung der DDR, am 1. 10. 1977 im Dresdener Albertinum eröffnet, löste eine in dieser Breite bis dahin nicht gekannte Debatte über Wirklichkeitsinterpretationen aus, über verschiedenste bildkünstlerische Aneignungsweisen ethischer und politischer Probleme, repräsentiert etwa durch Bilder wie Volker Stelzmanns (geb. 1940) *Forschung* (1976), Heidrun Hegewalds (geb. 1936) *Kind und Eltern* (1976), Horst Sakulowskis (geb. 1943) *Porträt nach Dienst* (1975/76), Wolfgang Mattheuers *Die Ausgezeichnete* (1973/74) oder auch Arno Rinks *Canto libre* (1977).

In diesem Umfeld greift die Begründung Christa Wolfs, warum sie sich gerade der Schicksale frühromantischer Dichter angenommen habe, wesentlich tiefer, sie ist nicht reduzierbar auf bloße persönliche Indignation.

> »Mein Hauptinteresse war, zu untersuchen: wo hat sie eigentlich angefangen, diese entsetzliche Gespaltenheit der Menschen und der Gesellschaft? Wo hat die Arbeitsteilung so in die Menschen eingegriffen, daß die Literatur immer mehr herausgedrückt wurde aus dem Bereich, den die Gesellschaft in ihrem Selbstverständnis für wichtig, wesentlich, ja! überhaupt für vorhanden erklärte?« (Di II 423 f.),

lautet eine der entscheidenden Fragestellungen, die in der Erzählung bewegt werden. In den Lebensmustern der als Zeugen aufgerufenen Dichter bieten sich bei sorgsam auf Historisierung bedachter Sitatuationsbeschreibung dort gedankliche

Gleichnisse an, wo die von ihnen angestrebte Subjektivität auf eine als fremd und aggressiv empfundene Umwelt trifft, der gegenüber die Individuen sich nur zu bewahren vermochten durch Ausbruch aus einengenden Verhältnissen (Heine), durch Krankheit (Hölderlin) oder durch den selbstgewählten Tod (Günderrode, Kleist). Die Poesie blieb für diese »Avantgarde ohne Hinterland« (1978; Di II 58) am Ende der einzige Weg, das konventionelle Gesellschafts- und Weltverständnis zu attackieren und die letzte Möglichkeit zur Selbstfindung.

Die historischen Figuren der Erzählung agieren in einer als verfestigt empfundenen Wirklichkeit mit dem unüberbrückbaren Gegensatz zwischen menschheitlichen Idealen und einer gesellschaftlichen Praxis, die von den Erfordernissen der Arbeitsteilung einer sich etablierenden bürgerlichen Gesellschaft bestimmt ist, in der die menschlichen Beziehungen zunehmend durch Warenverhältnisse diktiert werden. Daß sich im Kontext dieser generellen Problematik die Frage aufbrechender geschlechtsspezifischer Verhaltens- und Handlungsmuster aufdrängte, liegt in der auch für die DDR wichtigen Erfahrung eines seit den frühen siebziger Jahren international geführten Diskurses weiblicher Selbstverständigung und – damit im Zusammenhang – neuen Nachdenkens über die Funktion des weiblichen Elements in patriarchalisch strukturierten Gesellschaftsverhältnissen.

Der Konflikt zwischen den in dieser Umwelt nach Emanzipation und Selbstverwirklichung strebenden Individuen und den Zwängen der industriellen Revolution ist programmiert. Es ist der daraus erwachsende fundamentale Widerspruch zwischen Ideal und Wirklichkeit, Traum und Leben, Individuum und Gesellschaft, auf den sich die schon Mitte der sechziger Jahre einsetzende Rezeption der Frühromantik gründet. Johannes Bobrowskis Erzählung *Boehlendorff* (1965) oder Anna Seghers phantastische Geschichte *Das wirkliche Blau* (1967) sind frühe Zeugen eines Umwertungsprozesses, den die romantische deutsche Literatur nun erfuhr. Stephan Hermlins Hommage an Hölderlin, *Scardanelli* (U. 1970, Hsp.), Franz Fühmanns Studien über E. T. A. Hoffmann (1978), Günter de Bruyns Biografie *Das Leben des Jean Paul Friedrich Richter* (1975),

Gerhard Wolfs Essay *Der arme Hölderlin* (1978) oder auch Erik Neutschs *Forster in Paris* (1981) sind bedeutende Annäherungen an die Dichtervorgänger, die zwischen der klassischen Kunstperiode und dem Vorfeld der Revolution von 1848 gelebt und geschrieben haben. Namen wie Lenz, Grabbe, Büchner wären hinzuzufügen. Eines war ihnen – bei aller Unterschiedlichkeit des Talents und der Dichtungskonzeption – gemeinsam: Sie sind weder mit ihrem Leben noch mit der Literatur wirklich zurechtgekommen. Ihre Wirkungsmöglichkeiten erwiesen sich in den Jahrzehnten der Restauration in Deutschland als beschränkt.

> »Ein Zufall kann es nicht sein, daß wir begonnen haben, den Abgeschriebenen nachzufragen, das Urteil, das über sie verhängt wurde, anzufechten, es zu bestreiten und aufzuheben – fasziniert durch Verwandtschaft und Nähe, wenn auch der Zeiten und Ereignisse eingedenk, die zwischen uns und denen liegen.« (1979; Di II 56)

Das in dieser geschichtlichen Phase einsetzende Nützlichkeitsdenken einer frühkapitalistischen Gesellschaft und die damit einhergehenden Verluste an aufklärerischen Idealen führten zu jenem offen zutage tretenden Bruch zwischen Denken und Handeln, Kunst und Wissenschaft, Wirklichkeit und Phantasie, der das Gefühl von »Verwandtschaft und Nähe« bedingt. Im Rückgriff auf die Individualitätsentwürfe jener »Abgeschriebenen«, von denen hier die Rede ist, eröffneten sich neue Blickwinkel auch auf Gegenwart und Zukunft.

Den äußeren Rahmen für das fiktive Zusammentreffen Günderrodes und Kleists bildet die Runde einer illustren Gesellschaft, die sich im landhäuslichen Teesalon des kunstsinnigen Kaufmanns Merten zusammengefunden hat. Ort der Begegnung ist Winkel am Rhein, Sommerdomizil und späterer Sterbeort der Günderrode. In der für die deutsche Frühromatik charakteristischen und sorgsam gepflegten Kommunikationsform des geselligen Zirkels versammelt Christa Wolf Vertreter einer Kunst- und Wissenschaftsszene, von denen jeder für sich, in seiner Person, signifikante Haltungen zum Leben und zur Literatur der Zeit repräsentiert: Clemens Brentano und dessen Frau Sophie Mereau sowie die Schwester Bettina, der junge Rechtsgelehrte und spätere preußische Justizminister Friedrich Carl von Savigny mit Frau Gunda, geb. Brentano, der Naturwissenschaftler Christian Nees von Esenbeck und Frau Lisette sind die Denkfiguren eines Diskurses, der um die Frage nach der »Größe dieses Zeitalters« (KO 112) kreist. Der erfolgreiche Kaufmann Merten verkörpert den »liberalen, noch aufklärerisch getönten Geist merkantiler Ordnung«[182] des anbrechenden kapitalistischen Zeitalters; Hofrat Wedekind argumentiert aus der Haltung des modernen medizinischen Rationalismus, demzufolge Angleichung an bestehende Normen am ehesten Heilung verspricht. Unbegrenzten Optimismus in die Entwicklung der Wissenschaften artikuliert Esenbeck, während Savigny durch eine ihm eigne »Neugier auf das, was unanfechtbar, folgerichtig und lösbar ist« (KO 117), als Rechtfertiger des Bestehenden, charakterisiert wird. Innerhalb dieser Runde sind Kleist und Günderrode Andersgeartete, Außenseiter.

Die äußere Handlung ist nicht ereignisreich. Die erzählerische Aufmerksamkeit und Sorgfalt gilt zunächst ganz dem Hintergrund, vor dem das Zusammentreffen stattfindet. Historische Genauigkeit wird über die Beschreibung des Interieurs gegeben: glänzendes Parkettmosaik, eine kleine verschnörkelte Uhr auf dem Kaminsims, das Zuckergebäck im durchbrochenen Porzellankörbchen, im Hintergrund das Klavichord, die Couchette und das Landschaftsgemälde. Der Blick des Betrachters richtet sich auf Einrichtungsgegenstände, auf das Mobiliar eines biedermeierlichen Raumes, in dem sich die Figuren bewegen. Der Salon ist gewissermaßen der Rahmen oder – um einen Theaterbegriff zu verwenden – die Kulisse für das einem Kammerspiel gleichende, sich vor allem in Monologen und Dialogen vollziehende Geschehen; die Personen verhalten sich wie in einem Rollenspiel mit festgelegter Dramaturgie. Ort und Zeit der Handlung werden in einem kurzen einführenden Prolog mitgeteilt. Ihm folgen die innermonologische Exposition der Hauptfiguren sowie die dialogisch ablaufenden Gesprächskonstellationen verschiedener an der Teegesellschaft beteiligter Personen. Erst allmählich verlagert sich das erzählerische Interesse auf die inneren Beweggründe und die Verfas-

Mit Günter Kunert und HAP Grieshaber zum 150. Jubiläum des Reclam-Verlages Leipzig (1978)

sung der Protagonisten; gegen Textmitte erfolgt der Übergang zu einem direkten Gedankenaustausch. Der nachmittägliche Spaziergang der beiden Hauptfiguren bringt den Szenenwechsel. Ihr Hinaustreten aus dem engen Salon in die offene Landschaft leitet den Höhepunkt dieser literarischen »Versuchsanordnung«[183] ein, wie Günter Kunert die poetische Konstruktion bezeichnete, in der auch dem Leser eine Rolle als Mitspieler einer Szene zugewiesen wird. Er muß sich nämlich – ohne die vermittelnde Instanz einer Erzählerfigur – selbst in die Gespräche und Gedanken der Personen einbringen, ihren erzählten Gefühlen und Träumen im Wechselspiel von Monolog und Dialog folgen. So ist er den Gesprächsgruppen quasi zugesellt, sieht sich in ein Geflecht von Zitaten, Gedanken- und Kommunikationskreisen verwickelt, in denen wesentliche Fragestellungen um das Verhältnis Individuum und Gesellschaft, um Möglichkeiten von Persönlichkeitsentfaltung und Liebesfähigkeit, Selbstverwirklichung, Identitätsfindung und Entfremdung aufgerufen und zur Diskussion gestellt werden.

Die Schicksale der Dichter Kleist und Günderrode erscheinen dabei in besonderer Weise an die konkreten Bedingungen ihrer Lebensumstände gebunden. Christa Wolf zeigt ihre widersprüchlich und brüchig erlebte Welterfahrung keineswegs unkritisch, etwa wenn sie Kleist feststellen läßt:

> »Seinen ärgsten Feind und zugleich sich selbst enthüllen wollen ist ein Vorhaben, für das es keine Lösung gibt. Der Stoff ist ungeheuer, an ihm zu scheitern keine Schande.« (KO 170)

Im Unterschied zu seinem *Guiscard*-Fragment (1808), auf das sich diese Erkenntnis bezieht, versucht sie, gerade diesem Anliegen Geltung zu verschaffen. Das Wissen um die konservative Wende der romantischen Bewegung und die damit verbundene Verwandlung selbstreflexiver Innerlichkeit als vorwärtstreibendem und utopischem Moment in eine kleinbürgerliche, kapitulierende Flucht vor der Notwendigkeit gesellschaftlicher Veränderungen, zwang sie geradezu in eine begriffliche Differenzierung individueller Selbstverwirklichung, die den Unterschied zur selbstgenügsamen Innerlichkeit mit der Abwehr gesellschaftlicher Konflikte deutlich herausarbeitet. Die Mißlichkeiten der Zeit sind als Spuren in den Lebenskonzeptionen der Individuen bereits eingezeichnet, als Kleist und Günderrode aufeinandertreffen. Der bekannte Ausgang der Französischen Revolution im napoleonischen Reich und die Restauration in Deutschland sind die fest umrissenen Grenzen auch ihrer Lebensmöglichkeiten, ihres Anspruches auf Persönlichkeitsentfaltung, auf Selbstverwirklichung als Mensch, als Dichter, als Frau in einer Gesellschaft, unter deren konkreten Bedingungen diese Ansprüche nicht zu realisieren sind:

> »Eine kleine Gruppe von Intellektuellen [...], ausgerüstet mit einem ungültigen Ideal, differenzierter Sensibilität, einer unbändigen Lust, das neu entwickelte eigene Instrumentarium einzusetzen, trifft auf die Borniertheit einer unentwikkelten Klasse ohne Selbstgefühl, dafür voll Untertanenseeligkeit, die sich vom bürgerlichen Katechismus nichts zu eigen gemacht hat als das Gebot: Bereichert euch!« (1979; Di II 58)

Es bleibt ihnen nur die Wahl zwischen einer Außenseiterrolle, die Abdrängung in die Kunst, eine Art Narrenfunktion, oder die resignative Anpassung an die politischen Machtstrukturen eines als abgelebt empfundenen Feudalismus beziehungsweise den vom französischen Usurpator eingeführten verwaltungs- und handelstechnischen Reformapparat, der die kapitalistische Bereicherungsgesellschaft ankündigt:

> »Wenn dies eine Wahl genannt werden kann, so ist es eine, die das Handeln an seiner Wurzel, schon im Gedanken, erstickt. Sie sind die ersten, die es bis auf den Grund erfahren: Man braucht sie nicht.« (Di II 60)

Der Leser begegnet Kleists absolutem Anspruch, der aus einer auf sich selbst zurückgeworfenen existentiellen Einsamkeit resultiert, die ihm jeden Ausweg unmöglich erscheinen läßt, so daß er schließlich erleichtert ist bei dem Gedanken, die Hoffnung auf eine ihm gemäße irdische Existenz aufgekündigt zu haben. »Meinen, was man sagt, und von der eignen Meinung zerrissen werden« (KO 17), bedeutet für ihn letztlich, wahres Leben nur noch im Schreiben zu empfinden, die Grenzen zwischen literarischer Phantasie und weltlicher Realität sind längst verwischt. Das Schreiben wird in dieser gesellschaftlichen Situation zum einzigen Raum, Utopien durchzuspielen und somit Selbstfindung zu ermöglichen. Erzähltechnisch wird die Verkettung von Vergangenheit und Gegenwart durch den personalen Wechsel von Erzählpositionen verdeutlicht. Die in der Eingangspassage des Textes in Form eines Gebetes beschworene Erinnerung an die uneingelösten Erwartungen der Vorgänger (KO 7) korrespondiert mit dem ebenso beschwörend wirkenden Schluß: »Wenn wir zu hoffen aufhören, kommt, was wir befürchten, bestimmt.« (KO 171)

Die am Ende der Exposition stehende, den eigentlichen Erzählvorgang einleitende Frage »Wer spricht?« (KO 6) verweist auf eine für legitim gehaltene Anverwandlung von Figuren und Erzählersprache, ein Sprechen, das nichts Überschauendes hat. Die Frage wird noch einmal aufgenommen, nämlich dort, wo die Autorin das eigene Lebensproblem, mit dem sie sich konfrontiert sah, reflektiert:

> »Merken wir nicht, wie die Taten derer, die das Handeln an sich reißen, immer unbedenklicher werden? Wie die Poesie der Tatenlosen den Zwecken der Handelnden immer mehr entspricht? Müssen wir, die wir uns in keine praktische Tätigkeit schicken können, nicht fürchten, zum weibischen

Geschlecht der Lamentierenden zu werden, unfähig zu dem kleinsten Zugeständnis [...] und verrannt in einen Anspruch, den auf Erden keiner je erfüllen kann: Tätig zu werden und dabei wir selber zu bleiben?

Wer spricht?« (KO 165)

Konsequent an einem Erzählkonzept festhaltend, das die Figuren einer allwissenden Erzählerinstanz nicht unterordnet, sondern der Individualität jener vertraut, die im Text mit eigener Stimme präsent sind, sprechen und denken, verwickelt Christa Wolf den Leser in deren Gedanken- und Gefühlswelt, daß er sich zur Stellungnahme geradezu gezwungen sieht. Auf diese Weise wird der Erfahrungsdruck vermittelt, gerade seine Stimme sei innerhalb der vorgestellten Vielfalt der Standpunkte als Entscheidungsvariante gefragt und unverzichtbar.

Die Tatsache, daß Originalzitate oder historische Begebenheiten nicht als verbürgt gekennzeichnet sind, verweist darauf, daß dokumentarische Genauigkeit nicht beabsichtigt ist. Anverwandlung als textstrukturierendes Prinzip verrät vielmehr das autobiografisch geprägte Interesse der Schreibenden. Die häufige Verwendung der erlebten Rede verdeutlicht die absichtsvolle Präsenz der Autorin im Text ebenso wie der für ihre Schreibweise charakteristische Gebrauch des verallgemeinernden kollektiven »wir«, das Leser, Schreibende und Figuren zusammendenkt.

Personen- beziehungsweise Perspektive- oder Zeitenwechsel gehören, wie so oft in ihrer Prosa, zu den textstrukturierenden Merkmalen dieses Schreibens. Direkte Rede geht unvermittelt in Reflexion oder inneren Monolog über. Dieses Operieren mit verschiedenen Sicht- und Sprechweisen und der Wechsel der Figurenoptik geben der Erzählung einen ganz eigenartigen Reiz. Gerade dieser »technische Kunstgriff«[184] ist es aber auch, der verunsichernd auf den Leser wirken kann – und soll –, wenn in einem assoziativen Erzählstrom die zeitliche Distanz zwischen damals und heute aufgehoben wird, Aussagen eingeblendet werden, die den Zweifel, die Hoffnungen und Visionen, die Kritik und die Analysen der Figuren wie der in der zweiten Erzählhälfte sich einschaltenden Erzählerin artikulieren.

Präzise Zeitangaben bekommen symbolische Funktion. Wenn Günderrode und Kleist das halbstündliche Schlagen der Uhr auf dem Kaminsims hören, wird diese Wahrnehmung durch den veränderten Sonnenstand bis zum Einbruch der Abenddämmerung ergänzt. Das romantische Vergänglichkeitsmotiv, Hinweis auf die befristete Lebenszeit der beiden, klingt mehrmals an. Die Himmelsmetapher taucht als das »blasse spätnachmittagliche Blau«, das durch »kleine Wolkenzüge« (KO 158) verschleiert ist, in dem Moment auf, da sich utopische Annäherung abzeichnet. Äußere gestalterische Elemente sind nur sparsam gegeben, die erzählerische Aufmerksamkeit gilt der Gedankenwelt, dem Innenleben der Figuren.

Wie in allen vorher entstandenen Prosatexten Christa Wolfs kommt den verwendeten Pronomina besondere Bedeutung zu. Zuerst fällt jetzt allerdings ein deutlich ambivalenter Gebrauch des kollektiven »wir« ins Auge. Es dient dazu, den Leser in einer gewissen geistigen Spannung zwischen Identifikation und Distanz zu halten, zum anderen aber baut dieses »wir« erneut auf das Einvernehmen von Erzählerinstanz, Figuren und Leser in bezug auf die angesprochenen Lebensfragen. Häufig geht von diesem »wir« im Text eine suggestive Wirkung aus, wenn es innerhalb von Redeweisen gebraucht wird, die mehrdeutig sind:

> »Daß wir nicht darauf rechnen können, gekannt zu werden.« (KO 39) »Immer ist es Leidenschaft, wenn wir tun, was wir nicht wollen.« (KO 51) »Wir kennen alle alles.« (KO 115)

Wenn die beiden Dichter im Prolog mit assoziationsbeladenen, elliptischen Sätzen gleichsam auf die Szene gerufen werden, sind sie als Hauptträger der Handlung eingeführt. Sie beobachten das angeregte Salongespräch und ergründen sich gleichzeitig im inneren Monolog, ehe sie sich den Gesprächsgruppen zugesellen beziehungsweise sich in die Diskussion verwickeln lassen. Den dramatischen Höhepunkt bildet ein Zwischenfall: Der Günderrode fällt der Dolch, den sie immer bei sich trägt, aus ihrem Puderbeutel. Mit Furcht und Schrekken wird das auf dem Boden liegende Requisit bestaunt. Beide nehmen auch in dieser ›Szene‹ ihre Rollen ein: Er erinnert an den introvertierten, mit sich ringenden zynischen Hamlet, sie spielt den Part der empfindsamen Heldin. Während er in politische und weltanschauliche Gespräche verwickelt wird, ist ihre Meinung vor allem dann gefragt, wenn zwischenmenschliche Probleme verhandelt werden. Die historische Standardsituation: »›Im Salon treffen sich die, welche gelernt haben, im Gespräch darzustellen, was sie sind. Der Schauspieler ist stets der ›Schein‹ seiner selbst.‹[185] [...] Die Bühne dieser ›Scheinexistenzen‹, die ganze Welten imaginieren konnten, um ihre vermeintlich dunkle bzw. unbestimmte geschichtliche Herkunft vergessen zu machen, bestand nur für wenige Jahrzehnte, um dann als Repräsentationsort von denjenigen beschlagnahmt zu werden, die ihre Geschichte und ihre Herkunft sehr wohl und sehr genau zu beschreiben wußten.«[186]

In *Unter den Linden* gelangen die Figuren noch über die Verarbeitung der Vergangenheit zur ersehnten Selbstbegegnung, diese Variante scheint in *Kein Ort. Nirgends* nicht mehr möglich. Das in der Dichtung wie in der Malerei der Romantik häufig verwendete Fenstermotiv erhält in diesem Zusammenhang eine neue, zentrale symbolische Bedeutung. Der Blick aus dem Fenster verdeutlicht die Imagination einer Außenwelt, die den vorbestimmten sozialen Raum hinter sich läßt. Erst der Wechsel der Szene, die übergangslose Verlagerung des Handlungsschauplatzes in die Flußlandschaft, in der sich Günderrode und Kleist zu ihrem gemeinsamen Spaziergang zusammenfinden, erlaubt ihnen, ihre Masken fallen zu lassen und die ihnen von der Gesellschaft auferlegten Rollenzuweisungen abzustreifen. Die Komposition des Textes verdichtet sich nun zu einem lyrischen, an die Malerei Caspar David Friedrichs erinnernden Bild, in dessen Konturen sich die beiden Dichter bewegen können, ohne den äußeren Rollenzwängen weiterhin unterworfen zu sein. Der Blick des Betrachters wird auf einen kurzen Ausschnitt gelenkt, auf einen Moment möglicher Annäherung:

> »Sie mustern sich unverhohlen. Nackte Blicke. Preisgabe, versuchsweise. Das Lächeln, zuerst bei ihr, dann bei ihm, spöttisch. Nehmen wir es als Spiel, auch wenn es Ernst ist. Du weißt es, ich weiß es auch. Komm nicht zu nah. Bleib nicht zu fern. Verbirg dich. Enthülle dich. Vergiß, was du weißt.

> Behalt es. Maskierungen fallen ab. Verkrustungen. Schorf. Polituren. Die blanke Haut. Unverstellte Züge. Mein Gesicht, das wäre es. Dies das deine. Bis auf den Grund verschieden. Vom Grund her einander ähnlich. Frau. Mann. Unbrauchbare Wörter. Wir, jeder gefangen in seinem Geschlecht. Die Berührung, nach der es uns so unendlich verlangt, es gibt sie nicht. Sie wurde mit uns entleibt. Wir müßten sie erfinden.« (KO 158 f.)

Die androgyne Stimme, die hier spricht, wurde nicht zu Unrecht mit Virginia Woolfs *Orlando* verglichen. Auf die Faszination, die die Prosa dieser Autorin auf sie ausgeübt hat, ist Christa Wolf in einem anderen Zusammenhang zu sprechen gekommen.[187] Die »niedergehaltenen Leidenschaften« (KO 160), Ausweis eines festgelegten weiblichen Rollenverhaltens, schärfen den Blick für gesellschaftliche Defizite.

Bei Christa Wolf drängt der Konflikt zwischen Wollen und Nichtkönnen die beiden Außenseiter in die Entscheidungssituation. Die Hoffnung auf »persönliches und gesellschaftliches Miteinander«[188] läßt sich in ihrer konkreten Lebenswelt nicht realisieren. Günderrode und Kleist eint das Bewußtsein von der Unvereinbarkeit poetischer Ideale mit den Anforderungen des bürgerlichen Staates, in dem die

> »ernstesten, schmerzlichsten Dinge in einer Maskerade unter die Leute kämen« (KO 37 f.), für sie Anlaß zu mutmaßen, »ob nicht eine schwere Krankheit des Gemeinwesens sich hinter so viel lächelnden Mündern verstecke« (KO 38).

Beide empfinden das existentielle Problem ihrer »hoch-fliegende(n) Natur« (KO 23) in der Beengung durch die Verhältnisse, die sämtliche Neigungen durch »Gesetze und Zwecke« (KO 9) zu unterdrücken drohen.

Die auf den ersten Blick ungewöhnlich anmutende Interpunktion im Titel verweist zunächst auf die Erörterung von Unabänderlichem. In der Rekonstruktion »unlebbaren Lebens« (KO 157) – das Wissen um den tragischen Ausgang, den frühen, selbstgewählten Tod der beiden Hauptakteure, wird vorausgesetzt – erklärt sich der Titel des Buches:

> »Begreifen, daß wir ein Entwurf sind – vielleicht, um verworfen, vielleicht, um wieder aufgegriffen zu werden. Das zu

belachen ist menschenwürdig. Gezeichnet zeichnend. Auf ein Werk verwiesen, das offen bleibt, offen wie eine Wunde.« (KO 173)

Büchners *Woyzeck* wird im Bild der offenen Wunde ebenso assoziiert, wie Ingeborg Bachmanns Ich-Figur aus dem Roman *Malina* (1971), die zu finden ist an einem »Ort, der heißt Überall und Nirgends. Die Zeit ist nicht heute. Die Zeit ist überhaupt nicht mehr, denn es könnte gestern gewesen sein, lange her gewesen sein, es kann wieder sein, immerzu sein, es wird einiges nie gewesen sein. Für die Einheiten dieser Zeit, in die andere Zeiten einspringen, gibt es kein Maß, und es gibt kein Maß für die Unzeiten, in die, was niemals in der Zeit war, hineinspielt.«[189]

»Ach diese angeborene Unart, immer an Orten zu sein, wo ich nicht lebe, oder in einer Zeit, die vergangen oder noch nicht gekommen ist« (KO 41), denkt Kleist.

Der Titel des Buches erweist sich nach der Lektüre des Textes wie eine Definition der dominierenden Erzählstruktur. Der nicht aufzufindende Ort korrespondiert mit einer die traditionellen Gattungsgrenzen überschreitenden Erzählweise, in der eine Erzählerinstanz schwer festzumachen ist und Episches mit Dramatischem sich mischt. Der pronominale Bezug erscheint zunächst so unscharf, daß der Leser erst nach zweimaligem Lesen mit Sicherheit erkennt, »wer spricht«, oder ob der Sprecher nicht womöglich doch die sich unvermittelt einführende, im Präsens redende Erzählerfigur ist. Da auf die Charakterisierung der agierenden Personen durch solche Strukturierungsweise des Textes a priori verzichtet wird, baut die Autorin mit der Verweigerung der erwarteten Form voll auf die Assoziationsfähigkeit des Lesers.

»Kein Ort. Nirgends« bezeichnet aber auch die deutsche Übersetzung des griechischen »u-topos«, von Thomas Morus als Begriff für UTOPIA übernommen, jenen in der Lebensgegenwart noch nicht genau festzumachenden, zum Leben aber notwendigen Ort gesellschaftlicher und individueller Zielprojektionen, in denen sich die Sehnsucht nach Selbstverwirklichung ausspricht in dem Sinne, daß »nicht Wirklichkeit wird, was [...] nicht vorher gedacht« (N 221) worden ist. Mit dem Aufrufen der Utopie erfolgt die »Überschreitung des Gegebenen und die Anpassung daran«[190], das zuversichtlich geäußerte Bewußtsein, daß die Zeit eine neue Ordnung der Dinge herbeiführen wird. Die Überzeugung, daß später Geborene die Vorläufer als ›literarische Avantgarde‹ wiederentdecken werden – »zu denken, daß wir von Wesen verstanden würden, die noch nicht geboren sind« (KO 161), heißt es in der Erzählung –, schließt den durch die Kunst vermittelten Auftrag ein, Sensibilisierung als Lernhaltung zu demonstrieren. Die Sicherheit, mit der behauptet wird: »Wenn wir zu hoffen aufhören, kommt, was wir befürchten, bestimmt« (KO 171), nimmt Johannes Bobrowskis Gedanken vom Leben auf Hoffnung hin wieder auf, ein Gedanke, der bereits das Beispiel schreibender Wirklichkeitsverarbeitung als Schritt zum Handeln in sich trägt.

Kleist und Günderrode führen ihre Lebenssituation durchaus auf den Beginn des Zeitalters zurück, dessen Größe unter anderem darin besteht, der Vernunft zum Durchbruch verholfen zu haben. In der Erörterung des Für und Wider der damit verbundenen Bedingungen für Menschheitsfortschritt unterscheiden sich Künstler und Wissenschaftler, weil eine dualistische Trennung von Phantasie und Realität, von Emotionalem und Rationalem zur prägenden Erfahrung wird. Für die romantischen Dichter personalisieren sich im Gegensatz Künstler – Bürger die verschiedenen Wertordnungen eines durch die kapitalistische Arbeitsteilung etablierten Wertesystems, innerhalb dessen der Bürger den Künstler als Wahnsinnigen und der Künstler den Bürger als Philister ansieht. Mit der Gegenüberstellung von Authentizität (Künstler) und Anpassung (Bürger) hält sich Christa Wolf an das Erfahrungsmodell der Frühromantiker. Es geht ihr dabei jedoch nicht vordergründig um Wertung im Sinne eines Gut-Böse-Schemas, sondern vielmehr darum, zu zeigen, welche Folgen reduzierten Menschseins aus entfremdeten Gesellschaftsverhältnissen entstehen. Schließlich wird aus diesem Denkansatz gegen das Glück am Erreichten durch die Darstellung schöpferischer Qual polemisiert.

An der Frage aber, ob ein solches Modell heute noch taugt, scheiden sich die Geister. *Kein Ort. Nirgends* enthält keine Aufforderung an den Leser, sich auf die Seite der Idealischen zu schlagen und gegen die Pragmatiker zu stellen. Geht es nicht vielmehr darum, einen objektiv vorhandenen Widerspruch immer wieder aufs Neue ins Bewußtsein zu rufen, sich das Ideal von Tätig-Werden »und dabei wir selber zu bleiben« in Erinnerung zu bringen? Und ist es nicht die Kunst, die diese Erinnerung an das Ziel gesellschaftlicher Utopie wachhalten könnte? Indirekt bezugnehmend auf die »Dialektik der Aufklärung«, in der ein bekennendes Verhältnis zu einer »instrumentellen Vernunft« formuliert wird,[191] führt Christa Wolf in ihrer Rede zur Verleihung des Büchner-Preises aus:

> »Wir, ernüchtert bis auf die Knochen, stehn entgeistert vor den vergegenständlichten Träumen jenes instrumentalen Denkens, das sich immer noch Vernunft nennt, aber dem aufklärerischen Ansatz auf Emanzipation, auf Mündigkeit hin, längst entglitt und als blanker Nützlichkeitswahn in das Industriezeitalter eingetreten ist.« (1980; Di II 156)

Diese Rede enthält das Konzentrat der im poetischen Entwurf von *Kein Ort. Nirgends* enthaltenen Gedanken, die die Autorin in einer Vielzahl von werkbegleitenden theoretischen Überlegungen seit Beginn der siebziger Jahre dargelegt hat. Am Ende des Jahrzehnts radikalisiert sie diese, mit der Erzählung *Selbstversuch* begonnene, Auseinandersetzung um den Stellenwert des Individuums in einer unsentimentalisch organisierten, auf die Rationalität der Vernunft bauenden Sozietät. Sie gehört seither zu den strukturierenden Problemkonstanten ihres Schreibens. Die Wendung gegen ein sich verselbständigendes Gebot unablässiger Produktivkraftentwicklung basiert auf der Erfahrung, daß Selbstentfremdung und Vereinzelung bei fortschreitender wissenschaftlich-technischer Entwicklung zugenommen haben.

> »Kleist sieht plötzlich, was ihn von jenem unterscheidet; was ihn immer unterlegen, den andern immer unanfechtbar machen wird.
>
> Ich kann in gut und böse die Welt nicht teilen; nicht in zwei Zweige der Vernunft, nicht in gesund und krank.« (KO 123)

Wie schon in *Kindheitsmuster* wird auch hier ein wesentliches Indiz der Entfremdung thematisiert: die allenthalben zutage tretende Sprachlosigkeit. Damit korrespondierend, heißt es in *Von Büchner sprechen*, daß das kommunikative Medium Sprache im Sterben begriffen sei:

> »Richtet sich im Zeitalter seiner technischen Reproduzierbarkeit nicht auch das Wort gegen seine Produzenten?« (Di II 157)

Sprache – so der Ausgangspunkt – geht über die Beschreibung von Gegebenem hinaus, ist selbst ein Moment von Utopie, wo sie – ausgelöst durch starken Schmerz oder Konzentration – Bilder produziert und eine notwendige Überschreitung der Grenzen des Sagbaren ermöglicht.

Obwohl in *Kein Ort. Nirgends* – im Gegensatz zu allen anderen bis dahin erschienenen Werken Christa Wolfs – Autobiografisches nicht direkt erscheint, beweisen doch die »Art der Vergegenwärtigung«[192] sowie die authentische Bezugnahme und Wirkungsintention des Textes, durch die eine neue Gesellschaft an jene von ihr aus der Vergangenheit übernommenen und noch immer uneingelösten Verpflichtungen erinnert wird, persönliche Nähe. Die Figuren sprechen aus, »was sie zu sagen hat«, schrieb Günter de Bruyn. Während *Kindheitsmuster* zeige, »wie Christa Wolf wurde«, offenbare *Kein Ort. Nirgends*, »wie sie ist«.[193] Mit großer Konsequenz und der suggestiven Kraft ihrer Sprache bringt sie ein Ich in die Erzählung, das Nichtübereinstimmung mit der Welt besonders schmerzlich dort empfindet, wo »Übereinstimmung stark ersehnt«[194] ist, das meint, was es sagt und von der eigenen Meinung zerrissen wird:

> »Etwas zerreibt Sie, Kleist, über das Sie nicht Herr sind. Wie wahr. Das Unglück, Herr Hofrat, von Bindungen abzuhängen, die mich ersticken, wenn ich sie dulde, und die mich zerreißen, wenn ich mich löse. Dies ist ein Übel, das mit den Jahren nicht sanfter, nur schneidender wird.« (KO 58 f.)

Der 1985 vom Aufbau-Verlag herausgegebene Band *Ins Ungebundene gehet eine Sehnsucht*, in dem Texte von Christa und Gerhard Wolf aus dem Umkreis ihrer Auseinandersetzung mit der Romantik gesammelt erschienen sind, bildet den vorläufigen Abschluß der Bezugnahme auf dieses Erbe.

VI.
Mythos und Zivilisation

»Die Menschheit soll jetzt an den verbrecherischen Gedanken gewöhnt werden, daß ein begrenzter Atomkrieg möglich«[195] sei. Mit dieser Feststellung beginnt der im August 1981 von den Vorsitzenden der beiden deutschen Schriftstellerverbände, Hermann Kant und Bernt Engelmann, verfaßte gemeinsame Aufruf zum Kampf für eine weltweite Abrüstung: »Über alle Grenzen von Staaten, über alle Meinungsverschiedenheiten hinweg richten wir an die Verantwortlichen den dringenden Appell, das neue Wettrüsten zu unterlassen und unverzüglich wieder miteinander in Verhandlungen über weitere Abrüstung einzutreten. Wir fordern die Weltöffentlichkeit auf, nicht zu resignieren, sondern sich mit verstärkter Energie für den Frieden einzusetzen.«[196] Dieser Appell trug die Unterschriften von mehr als 150 Autoren aus Ost und West, unter ihnen Stefan Heym, Günter Grass, Heinrich Böll und Christa Wolf, die damit ihren Willen bekundeten, sich nicht mehr nur mit ihren Werken in die große Politik einzumischen, sondern mit praktischen politischen Aktionen den Schlußsatz dieses Dokuments zu unterstützen: »Nichts ist so wichtig wie die Erhaltung des Friedens.«[197] Ein konkreter Schritt, diesen Appell aus dem Bereich rein moralischer Ansprache herauszubringen, erfolgte mit der von Stephan Hermlin initiierten »Berliner Begegnung zur Friedensförderung« im Dezember 1981, die sich in eine Serie von internationalen Schriftstellertreffen einreihte. Aus Anlaß einer der ersten dieser Zusammenkünfte 1977 in Sofia hatte Peter Weiss in seinem Tagebuch notiert: »Man braucht nicht unbedingt Schriftsteller zu sein, um dem Verlangen nach Frieden besonders zuständigen Nachdruck zu geben.

»Berliner Begegnung zur Friedensförderung« (1981, v. l. n. r.: Gerhard Wolf, Christa Wolf, Günter de Bruyn, Fritz Cremer)

Jeder vernünftig denkende Mensch ist für den Frieden. Der Schriftsteller hat jedoch, indem er das Beobachten hauptberuflich betreibt, die Möglichkeit, etwas von den Hintergründen des Unfriedens, der latenten Aggression aufzudecken.«[198]

Die Teilnehmer der »Berliner Begegnung«, unter ihnen auch Christa Wolf, äußerten sich als Suchende und Betroffene, die ihr ›Handwerkszeug‹ mit in die Waagschale werfen wollten.

> »Sollten wir nicht, angesichts der ›Lage‹, in der wir uns nun befinden, ernsthaft beginnen [...] zu denken und für möglich zu halten, was eigentlich nicht geht?« (Di I 439)

Wie andere Autoren konzentrierte Christa Wolf ihre Überlegungen darauf, welche literarischen Mittel die größten Wirkungen erzielen könnten. Befragt nach den Möglichkeiten von Literatur, eine nukleare Katastrophe verhindern helfen zu können, meinte sie:

> »Wahrscheinlich ist es so, daß sie nichts wird ändern können. Aber sie hat mindestens zu artikulieren, was so viele Leute empfinden, hat sie zu unterstützen, wenigstens in ihrer

> Angst, wenigstens in ihren Depressionen – und natürlich auch in ihrem Sich-Wehren, weil sie sich sonst sehr alleine fühlten. Ich halte es für wichtig, Widerstandspositionen zu artikulieren.« (1983; Di II 466)

»Erzählen, Schreiben ist ja auch immer Sinngeben« (1983; Di I 356), heißt es in dem Essay *Zeitschichten*, Nachwort zu einem Band ausgewählter Erzählungen von Anna Seghers. Deren »eigene Verfassung« an Begriffe wie »Bestürzung, Trübsinn, Müdigkeit, Sehnsucht, Heimweh, Grauen« bindend, hebt Christa Wolf an Seghers' Prosa das Geflecht berichtender, nachdenkender und erinnernder Sätze hervor – eine Schreibart, die sie als zeitgemäß empfindet.

Zu der Frage, welche ästhetischen Strategien am geeignetsten erscheinen, Wirklichkeitserfahrungen in Literatur umzusetzen, hat sich Christa Wolf zu verschiedenen Gelegenheiten öffentlich geäußert. Welche Mittel stehen der Literatur zur Verfügung, wenn es eigentlich kaum noch um die Frage Krieg oder Frieden, sondern vielmehr um den Bestand des Irdischen geht? Gegen eine Logik der atomaren Gewalt müsse eine »Ästhetik des Widerstands *dagegen*« erst noch entwickelt werden, schrieb Christa Wolf 1982 mit Bezug auf den großen Roman von Peter Weiss (K 121).

> »Kampfbeschreibungen sind die ersten Beschreibungen der abendländischen Literatur, Schlachtenschilderungen, Beschreibung von Schlachtgeräten: der Schild des Achill. Daran, ist mir klar geworden, kann ich nicht anknüpfen. [...] Es ist kein Hymnus denkbar auf die Schönheit der Atomrakete. Auch unsere Ästhetik muß neu durchdacht werden.« (1981; Di I 441).

»Kassandra«

Der Kassandra-Stoff war Christa Wolf präsent, lange bevor sie an eine konkrete Bearbeitung dachte.[199] Erstmals tauchte der Name der mythischen Figur in Verbindung mit der »Schwarzseherei« der Mutter Nellys in *Kindheitsmuster* auf (KM 216). 1980 heißt es dann in *Von Büchner sprechen*:

> »Kassandra, denke ich mir, muß Troja mehr geliebt haben als sich selbst, als sie es wagte, ihren Landsleuten den Untergang ihrer Stadt zu prophezeien.« (Di II 167)

1983 bestätigte Christa Wolf in einem Fernsehinterview, daß sie vor dem Hintergrund eskalierender Bedrohung auf den Kassandra-Stoff gestoßen war.[200] Das dem Text vorangestellte Goethe-Zitat bezeichnet die geistige Ausgangssituation:

> »Diesem düsteren Geschlecht ist nicht zu helfen; man mußte nur meistenteils verstummen, um nicht, wie Kassandra, für wahnsinnig gehalten zu werden, wenn man weissagte, was schon vor der Tür steht.« (K 5)

Die konkrete historische Situation und ein existentielles Verantwortungsgefühl ließen Christa Wolf nicht die Freiheit zu verstummen, ebensowenig wie Jahre zuvor Thomas Mann, dessen Reaktion auf den Atombombenabwurf über Hiroshima sie zitiert: »Welch sonderbarer Leichtsinn, oder welche Vertrauensseligkeit, daß wir immer noch *Werke* schaffen! Für wen? Für welche Zukunft?« (K 134)

Wenn Christa Wolf ihre Erzählung über das Leben der griechischen Königstochter eine »Schlüsselerzählung« (K 152) nannte, zielte sie damit weder auf Parallelen zwischen den Figuren des Mythos und lebenden Personen noch auf eine Identität von Titelgestalt und Autorin, vielmehr auf Assoziationen, die sich mit dem Mythos selbst verbinden. Der Modellcharakter wird nahegelegt, der Rückgriff in die Vorgeschichte der Menschheit als »Flucht nach vorn« (K 94) erklärt: »Das Troja, das mir vor Augen steht, ist [...] ein Modell für eine Art von Utopie.« (K 108)

Bevor die Erzählung Gestalt annahm, hatte Christa Wolf den Stoff zunächst für ein Hörspiel mit mehreren Rollen geplant. Im Zentrum sollte ein Dialog zwischen Kassandra – als Frau, die die Wahrheit über die Zukunft voraussagt und der niemand glauben will – und ihrer Tochter stehen.

Wie oft vorher (*Moskauer Novelle*, *Kindheitsmuster*, *Kein Ort. Nirgends*) wurde auch diesmal eine Reise zum entscheidenden Schreibimpuls. Im Sommer 1980 hatte Christa Wolf zusammen

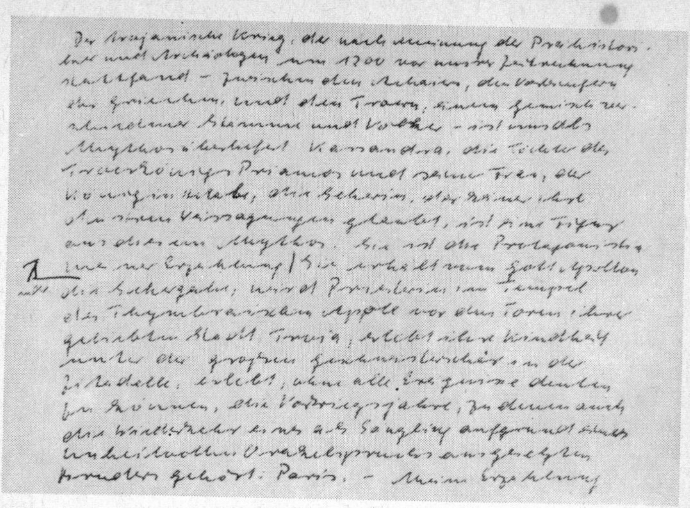
Der trojanische Krieg, der nach Meinung der Prähistoriker und Archäologen um 1200 vor unserer Zeitrechnung stattfand – zwischen den Achäern, den Vorläufern der Griechen, und den Troern, einem gemischt zusammengesetzten Stamm und Volk – ist uns als Mythos überliefert. Kassandra, die Tochter des Troerkönigs Priamos und seiner Frau, der Königin Hekabe, die Seherin, der keiner mehr ihren Weissagungen glaubt, ist eine Figur aus diesem Mythos. Sie ist die Protagonistin meiner Erzählung. | Sie erhält vom Gott Apollon die Sehergabe, wird Priesterin im Tempel des Thymbräischen Apoll vor den Toren ihrer geliebten Stadt Troia; erlebt ihre Kindheit unter den großen Geschwistern in der Zitadelle, erlebt, ohne alle Ereignisse deuten zu können, die Vorkriegsjahre, zu denen auch die Wiederkehr eines als Säugling aufgrund eines unheilvollen Orakelspruchs ausgesetzten Bruders gehört: Paris. – Meine Erzählung

Vortext zu einer »Kassandra«-Lesung

mit ihrem Mann Griechenland bereist. Die *Orestie* des Aischylos im Gepäck und »infiziert von der Neugier an dieser Frühgeschichte«[201], suchte sie die klassischen Orte auf, die der Mythos nennt, und sammelte Erfahrungen mit Land und Leuten. All dies fand Eingang in ihre Vorlesungsreihe, die sie unter dem Thema *Voraussetzungen einer Erzählung* im Frühjahrssemester 1982 an der Johann-Wolfgang-Goethe-Universität Frankfurt/M. als Gastdozentin für Poetik hielt. Die traditionsreiche Reihe dieser Lehrveranstaltungen war im Wintersemester 1959/60 von Ingeborg Bachmann eröffnet worden. Nach längerer Pause sind die Vorlesungen Anfang der siebziger Jahre von namhaften Autoren (Wolfgang Koeppen, Adolf Muschg, Peter Bichsel, Heinrich Böll, Martin Walser, Uwe Johnson, Günter Kunert u.a.) wieder aufgenommen worden. Jeder der genannten Schriftsteller gab Auskunft über seine poetische Konfession und erörterte Probleme zeitgenössischer Literatur und Dichtung. Ingeborg Bachmanns berühmt gewordener Satz: »Hätten wir das Wort, hätten wir Sprache, wir bräuchten die Waffen nicht«[202] und die darin enhaltene Wirkungsstrategie –

einer von einzelnen Werken ausgehenden und zu neuer Wahrnehmung, neuem Bewußtsein und neuem Gefühl erziehenden Literatur – vermittelte wesentliche Impulse für den sich verändernden Kommunikationsraum literarischer Arbeit: »Wenn sie eine neue Möglichkeit ergreift, gibt die Kunst uns die Möglichkeit zu erfahren, wo wir stehen oder wo wir stehen sollten, wie es mit uns bestellt ist, und wie es mit uns bestellt sein sollte.«[203]

Christa Wolf eröffnete zwanzig Jahre später ihre Vorlesungen mit der programmatischen Mitteilung, keine Poetik bieten zu können (K 7). Von der Form akademischer Vorlesungen abgehend, demonstriert sie (wie zuvor Ingeborg Bachmann) ein auf subjektive Erfahrung gebautes und bauendes Wirkungsverständnis, das in seinem Kern um den Gedanken kreist, welche Kräfte zu mobilisieren seien, um der möglichen Vernichtung oder Selbstvernichtung zu entkommen.

Sie macht ihre Zuhörer/Leser zu »Zeugen« eines »Arbeitsvorgangs« (K 8), in dessen Ergebnis ein Werk – bestehend aus vier Vorlesungen und einer Erzählung – entstanden ist. Zwei Reiseberichte von historischen Schauplätzen in Griechenland geben Einblicke in die Spurensuche und das allmähliche Gestaltwerden der Kassandra-Figur. In der dritten Vorlesung verklammert sie die »subjektive Anverwandlung«[204] des überlieferten Stoffes mit Eintragungen aus dem Arbeitstagebuch, geschrieben in den Sommermonaten 1980 und 1981 im mecklenburgischen Landhaus (das im Juli 1983 durch einen Brand zerstört wurde). Die vierte schließlich, als Brief konzipiert, ist ein Essay über

> »Eindeutigkeit und Mehrdeutigkeit, Bestimmtheit und Unbestimmtheit; über sehr alte Zustände und neue Seh-Raster; über Objektivität«. (K 161)

Die Erzählung *Kassandra*, Ergebnis dieses Aneignungsvorgangs, bildet in der fünften Vorlesung den Abschluß. Erzählung und Vorlesungen erschienen 1983 im Aufbau-Verlag in einer gekürzten Fassung; die Vorschläge zu einer einseitigen Abrüstung enthält die sechste Auflage von 1988.

Die episch geschlossene *Kassandra*-Erzählung und die reflexiven Poetik-Vorlesungen sind, unmittelbar aufeinander bezogen, als Einheit zu lesen; die Vorlesungen I-IV bieten Lesehilfen für den Erzähltext, sie enthalten wichtige Hinweise zum historischen Stoff und zur überlieferten Kassandra-Gestalt, und sie sind Dokumente eines öffentlichen, demokratischen Sprechens und Denkens.

In den ersten beiden Vorlesungen wird der Prozeß der Annäherung an die Figur über die Wiedergabe sinnlicher Wahrnehmungen geschildert. Welchen Anteil haben Farben, Gerüche und Licht an der Formung des Stoffes? Der Reisebericht – mit seinen genauen Landschaftsbeschreibungen, den Schilderungen von Begegnungen, von Sitten und Bräuchen – gibt Raum, authentisch Erlebtes, emotional Bewertetes und rational Erfahrenes unmittelbar auszudrücken, und führt mit den Reflexionen der Autorin eine Form experimentellen Denkens vor.

Widerspiegelt der Reisebericht den sich steigernden Rhythmus des Aneignungsvorgangs, zeigt er, wie die Kassandra-Figur sich Schritt für Schritt zum poetischen Medium entwickelt, geht Christa Wolf am Ende der dritten Vorlesung auf Probleme der literarischen Umsetzung ein und führt vor, wie sich der Erzählstil allmählich konkretisiert und wie aus der durch Mythos und antike Tragödie geprägten Gestalt eine lebendige Figur entstehen könnte. Die vierte Vorlesung beendet die Genesis der Annäherung mit einem Rekurs auf Ingeborg Bachmanns Roman-Fragment *Der Fall Franza* (1966). Die Franza-Figur bekommt eine Schlüsselfunktion in der von Christa Wolf beabsichtigten Verbindung von historischen und zeitgenössischen Schicksalen. Die fünfte Vorlesung verdichtet sich schließlich zur fiktionalen *Kassandra*-Erzählung.

Die Autorin stützt sich auf archäologische Befunde, religionsgeschichtliche Zusammenhänge und auf Untersuchungsergebnisse von Altertums- und Mythenforschern wie Johann Jakob Bachofen, George Thomson, Robert von Ranke-Graves und Heide Göttner-Abendroth. Eine der wichtigsten Anregungen zum Umgang mit Stoff und Material fand sie im Briefwechsel zwischen Thomas Mann und Karl Kerényi,[205] aus dem Jahr 1941, in dem der deutsche Schriftsteller und der ungarische Forscher sich vor dem Hintergrund der NS-Blut-und-Boden-Ideologie über Strategien austauschten, »den Mythos den

Athen (1980)

fascistischen Dunkelmännern aus den Händen zu nehmen und ihn ins Humane ›umzufunktionieren‹« (K 133).

Mythos-Mißbrauch hat Christa Wolf in ihrer Jugend selbst kennengelernt, einen Mythos »im Sinne falschen Bewußtseins« (K 134). Gegen magisch-zeitlose Leseweisen wehrt sie sich jetzt, indem sie ihn materialistisch zu deuten versucht, ihn zurückführt »in die (gedachten) sozialen und historischen Koordinaten« (K 142). Dieser Ansatz, »hinter dem Mythos als Abbild eine historische Realität als Abgebildetes erzählerisch freizulegen«[206], erfolgt aus der Haltung eines moralischen Imperativs[207] und ist keineswegs unumstritten. Ausgehend von den Fragestellungen: Wie entstehen Kriege, und wann fängt Kriegsvorbereitung an? Mit welchen Mitteln kann einer Eskalation von Bedrohung Einhalt geboten werden, und wie ist Toleranz im Denken zu entwickeln, wie die falsche Alternative

›Entweder - Oder‹ zu durchbrechen? erscheint das von ihr entworfene Konzept des literarischen Umgangs mit dem Mythos als Modell jedoch überaus einsichtig. Aus dem erklärten Willen, in der Kontinuität der Geschichte weiterleben zu wollen, entsteht der in den Text eingeschriebene Gestus des Appellierens an eine gemeinsam wahrzunehmende Verantwortung der gesamten Menschheit über Klassen und politische Anschauungen hinweg.

Die Warnung vor der Kriegsgefahr ist dem Stoff immanent: Die Ursachen für den Trojanischen Krieg (1194 bis 1184 v. u. Z.) werden in Christa Wolfs Entwurf als Kampf um die Vorherrschaft über die Seehandelswege beschrieben. Sie gibt die Quellen an, auf die sie sich stützt. Hans Blumenbergs 1979 erschienenes Buch *Arbeit am Mythos* und andere im beigefügten Literaturverzeichnis angegebene Arbeiten verweisen den Leser auf die Vielzahl von Untersuchungen zu diesem Thema.

Der mythologische Stoff birgt für sie jedoch noch eine andere Dimension: Ausgehend davon, daß wir in einer Zivilisation leben, »die imstande war, derart exakt ihren eigenen Untergang zu planen« (1981; Di I 440), hofft sie, an die Wurzeln dualistischer Denkstrukturen zu kommen, denn das

> »Wegdrängen des weiblichen Faktors in der Kultur hat genau in dem Zeitraum begonnen, [...] als die minoische Hochkultur durch die mykenischen Expansoren überlagert, vernichtet wurde«. (Di I 441)

Die von Homer und Aischylos überlieferte Geschichte, aus der Sicht männlicher »Sieger« geschrieben, ist deshalb nicht analog übernehmbar. Friedrich Engels' Bemerkungen aufnehmend, daß der erste in der Geschichte auftretende Klassengegensatz zusammenfällt »mit der Entwicklung des Antagonismus von Mann und Weib in der Einzelehe und die erste Klassenunterdrückung mit der des weiblichen Geschlechts durch das männliche«[208], verleiht sie ihrer Kassandra erdachte soziale und geschichtliche Bezüge, nimmt sie eine Psychologisierung aus weiblicher ›Verlierer‹-Sicht vor. Sie plaziert die Geschehnisse um die Kassandra-Figur an die Nahtstelle von untergehendem urgeschichtlichem Matriarchat und dem einsetzenden heroischen Patriarchatszeitalter.[209]

Die Arbeit mit dem Kassandra-Stoff habe ihre »Seh-Raster« ebenso »entschieden verändert« wie die »erste befreiende und erhellende Bekanntschaft mit der marxistischen Theorie und Sehweise« dreißig Jahre zuvor. (K 167)

Eine der ersten Äußerungen zum Einfluß patriarchalischer Gesellschaftsstrukturen auf die Entwicklung der Individuen findet sich bereits in ihrem Essay *Berührung*, der als Vorwort zu Maxie Wanders Band *Guten Morgen, du Schöne* (Darmstadt/Neuwied 1978) erschien. Hier erörtert sie die Frage,

> »bis zu welchem Grad die Geschichte der Klassengesellschaft, das Patriarchat, ihre Objekte deformiert hat und welche Zeiträume das Subjektwerden des Menschen – von Mann und Frau – erfordern wird« (1977; Di I 203).

»Wer war Kassandra, ehe irgendeiner über sie schrieb?« (K 162), lautet die Ausgangsfrage, mit der sich die Autorin dem Mythos nähert, den sie in einen vielschichtigen Text einarbeitet, der sich als ein Geflecht von poetischer Fiktion und authentischer Erfahrungsverarbeitung darbietet. Ihrem Prosa-Konzept treu bleibend, erzählt sie nicht auf einen spannenden Ausgang hin, sondern richtet ihre Aufmerksamkeit im Wechsel von Fiktion und Reflexion auf die Frage: Wie ist Kassandra in die Lage gekommen, in der sie sich befindet?

Sich von der tradierten Sicht auf die mythologische Figur absetzend - etwa der von Friedrich Schiller in seinem *Kassandra*-Gedicht, (K 178 f.) enthält ihre Version der überlieferten Geschichte deutliche Aktualitätsbezüge.

Den erzählerischen Rahmen steckt eine monologisierende Ich-Erzählerfigur ab, die den Text einleitet und abschließt. Die Anverwandlung findet schon im ersten Absatz statt:

> »Hier war es. Da stand sie. Diese steinernen Löwen, jetzt kopflos, haben sie angeblickt. Diese Festung, einst uneinnehmbar, ein Steinhaufen jetzt, war das letzte, was sie sah. Ein lange vergessener Feind und die Jahrhunderte, Sonne Regen Wind haben sie geschleift. Unverändert der Himmel, ein tiefblauer Block, hoch, weit. Nah die zyklopisch gefügten Mauern, heute wie gestern, die dem Weg die Richtung

geben: Zum Tor hin, unter dem kein Blut hervorquillt. Ins Finstere. Ins Schlachthaus. Und allein.

Mit der Erzählung geh ich in den Tod.« (K 201)

Unvermittelt geht die Erzählerrede in Figurenrede über. Kassandra wird vom Objekt reflektierenden Bewußtseins zum Subjekt einer Erzählhandlung, die von ihr erinnert wird. Die Ausgangssituation erschließt sich nicht sogleich. Der schroffe Wechsel der Figurensicht wiederholt sich mehrmals, immer dann, wenn Kassandra, ihre Erinnerungen unterbrechend, ihre gegenwärtige Lage beschreibt: Als Gefangene des siegreichen Griechen-Königs Agamemnon steht sie vor dem Tor von Mykene und wartet auf die Vollstreckung des durch Klytaimnestra verhängten Todesurteils. Wenige Stunden verbleiben ihr, sich ihr Leben noch einmal zu vergegenwärtigen, es in Erinnerung zu rufen, um eine innere Abrechnung vorzunehmen:

»Ich will Zeugin bleiben, auch wenn es keinen einzigen Menschen mehr geben wird, der mir mein Zeugnis abverlangt.« (K 222)

Kassandra ist eine statische Figur, die auf die Ausweitung des Innenraums angewiesen ist. Am Faden ihrer Lebenserinnerungen tastet sie sich in die Kindheit zurück und reflektiert in den wenigen ihr noch verbleibenden Stunden ihre widersprüchliche Welterfahrung. Die Erzählzeit umfaßt einen Nachmittag. Eindrücke aus der Erzählgegenwart unterbrechen die Gedächtnisarbeit, die weder linear noch chronologisch abläuft. Vergegenwärtigung und reflektierender Bewußtseinsstrom wechseln. Indem sie die Stationen ihres Lebens abschreitet, erlebt sie einen inneren Befreiungsprozeß, der sie am Ende dem Tod gegenüber gefaßt erscheinen läßt. Die zusammenfassende Rückschau auf einzelne Lebensabschnitte hat Bilanzcharakter.

Aufgewachsen als Lieblingstochter des Herrscherpaares Hekabe und Priamos (in der *Ilias*, übersetzt von J. H. Voss, die »schönste von Priamos Töchtern«), unterscheidet sich Kassandra von ihren zahlreichen Geschwistern – unter ihnen Hektor, Paris, Troilos, Helenos und Polyxena – dadurch, daß ihr vom Gott Apollon, so der Mythos, die Sehergabe verliehen wurde. Das Privileg ihres Priesteramtes nutzend, kann sie als Ver-

A. F. Lobeck:
Kassandra, Bronze
(1982)

traute am Hof ein eigenständiges Leben führen. Sie wird in der Rolle der Seherin akzeptiert, solange sie »günstige Prophezeiungen« (K 239) abgibt. Als sie es aber ablehnt, sich mit dem Gott Apollon zu vereinigen, bewirkt dieser, daß niemand ihren Voraussagen glaubt, auch nicht, als sich im Krieg mit den Griechen der Untergang Trojas abzeichnet. Als Zeugin des langsamen Verfalls der alten Ordnung, beobachtet sie, wie sich das Leben in Troja allmählich verändert und mit ihm die ethischen Werte.

Von Eumelos, dem neuen Sicherheitsoffizier, eingeführte Sprachregelungen kündigen diese Veränderungen an. Da wird das Wort »Gastfreund« (K 256) eliminiert. Der Spartaner Menelaos wird als »Kundschafter« oder »Provokateur« gesehen. Anhand des Frauenraubmotivs verdeutlicht Christa Wolf, wie Ideologie im Sinne falschen Bewußtseins, die Atmosphäre vergiftet:

> »In Helena, die wir erfanden, verteidigten wir alles, was wir nicht mehr hatten. Was wir aber, je mehr es schwand, für um so wirklicher erklären mußten. So daß aus Worten, Gesten, Zeremonien und Schweigen ein andres Troia, eine Geisterstadt erstand, in der wir häuslich leben und uns wohlfühln sollten.« (K 288)

Die schönste Frau Griechenlands, Helena, ist ein »Phantom«. Eigentlicher Grund der Auseinandersetzungen ist Gold und der Zugang zu den Dardanellen, um den nicht verhandelt werden kann, sondern der in der Logik herrschender Klassengesellschaft und dem aus ihr resultierenden Prinzip patriarchalischen Machtbewußtseins, erkämpft werden mußte. In dieser Situation bleiben Kassandras gefühlsgeladene Warnungen vor der drohenden Katastrophe wirkungslos, ja sie stören die allgemeine Euphorie. Zur Außenseiterin gestempelt, aus dem Königshaus verjagt, flüchtet sie sich, die grausame Wahrheit des bevorstehenden Untergangs verkündend, in den Wahnsinn.

> »Das alte Lied: Nicht die Untat, ihre Ankündigung macht die Menschen blaß, auch wütend, ich kenn es von mir selbst. Und daß wir lieber den bestrafen, der die Tat benennt, als den, der sie begeht.« (K 213)

Die Seherin kann die Zukunft nicht aufgrund irgendwelcher geheimnisvollen Begabungen voraussagen. Ihre Hellsichtigkeit beruht auf genauer Beobachtung des Bestehenden. Das können alle, wenn sie die Augen aufmachen und genau hinsehen. Das, was sie von den anderen unterscheidet, ist ihre Fähigkeit, durch Phantasie und Imagination in sich Kräfte zu mobilisieren, die sie befähigen, auf Fehlentwicklungen aufmerksam zu machen.

> »Wann Krieg beginnt, das kann man wissen, aber, wann beginnt der Vorkrieg. Falls es da Regeln gäbe, müßte man sie weitersagen. In Ton, in Stein eingraben, überliefern. Was stünde da. Da stünde, unter anderen Sätzen: Laßt euch nicht von den Eignen täuschen.« (K 268)

Und wer sind die anderen? Achill, der strahlende Achaier-Held des durch schriftlich fixierte, männliche, Geschichtsschreibung geprägten, überlieferten Mythos, erscheint bei Christa Wolf mit dem Beinamen das »Vieh«. Er ist die Verkörperung des Bösen schlechthin. Ihre Erfahrungen mit dem in perversen Mordgelüsten sich auslebenden Anführer der Griechen rechtfertigen das emotional gefärbte Urteil über ihn als einen Todesengel des Patriarchats, der zur Metapher für blindes, ungerichtetes Machtstreben wird. Fehlsteuerungen in Kindheit und Jugend, seine Unfähigkeit zu lieben, weil auch er nie geliebt

R. Kuhrt: Kassandra, Holzschnitt (1980)

wurde, geben den Hintergrund für das Analyseergebnis: Nichtentwickelte Liebesfähigkeit produziert ungebärdigen Haß.

Die Sorgfalt, die der Beobachtung psychologisch begründeter Handlungsantriebe gezollt wird, hat sich in Christa Wolfs Prosa mehr und mehr entwickelt. Zunehmend wichtiger werden neben den genauen sozialen auch die psychologisch aufgeschlossenen Handlungsweisen. In der *Kassandra*-Erzählung sind es vor allem die mit wenigen Ausnahmen negativ besetzten Männerfiguren wie Agamemnon, Priamos, Eumelos oder Paris, die, neben den Frauenfiguren, in diesem Sinne psychologisch überzeugend motiviert sind. Stolz, weise und gütig sind Marpessa, die Dienerin Kassandras, Arisbe, die Amme, oder die Pflegerin Oinone. Anders wiederum die schweigsamen, aber auch sektiererischen Kämpferinnen wie Penthesilea, die den »Männlichkeitswahn« durch einen fanatisierten »Weiblichkeitswahn« ersetzen. Im ganzen erscheinen die Frauenfiguren – nicht zuletzt durch die Fähigkeit zur Selbstironie mehr vor Idealisierung geschützt – weitaus überzeugender als die in gut oder böse sich aufteilenden Männergestalten. Die beiden unheldischen, liebesfähigen und deshalb liebbaren Männer, Kassandras Geliebter Aineias und dessen Vater Anchises, sind am wenigsten ausgeführt. In ihnen vereinigen sich nahezu alle positiven, den meisten weiblichen Figuren zugestandenen Eigenschaften wie Phantasie, Zärtlichkeit, Emotionalität, Sensibilität und Güte. Sie wirken wie ideale Wunschprojektionen und sind eher dem utopischen Entwurf zuzurechnen, als daß sie Handlungsträger repräsentierten.

Auch die Beschreibung der Höhlenwelt am Skamandros gehört zur Utopie, sie fällt aus der vorherrschenden Erzählhaltung heraus. Für Reflexionen ist kein Platz in dieser Sphäre, die allerdings durch die im Erzählverlauf ansonsten übliche, durch Ankündigungen, Überlegungen oder Versprechen bestimmte Erzählweise entidyllisierende Wirkung bekommen hätte. Die Figuren kommen in dieser Welt beinahe ohne Sprache aus, ihre Beziehungen stellen sich über Körperlichkeit her. Die Einseitigkeit des dargestellten Aktionsraumes vermag nicht unbedingt zu überzeugen, auch wenn die Aussageabsicht deutlich ist. Beispielsweise durch biologistische Naturbilder, die symbolträchtig die Vorstellungskraft des Lesers bevormunden, etwa im Vergleich von Höhlenweltnatur und weiblicher Anatomie (K 219).

Das Motiv des Tanzes bringt dagegen mehrere Dimensionen in den Text. Einmal steht es als einfaches Symbol für Lebensfreude, zum anderen gibt es das einem vorrationalen Bewußtsein entnommene Gleichnis für noch nicht vollzogene Trennung von Körper und Geist. Mit dem Bild der aus dem Leben tanzenden Rosetta aus Büchners *Leonce und Lena*, das Christa Wolf in *Von Büchner sprechen* aufrief (Di II 164), kündigt es auch die Gefahr vernunftwidrigen Verhaltens an.

Kassandra lebt in einem »Zeitenloch«, an der Schwelle des gesellschaftlichen Umbruchs vom Matriarchat zum Patriarchat. Sie wird Zeugin eines Wertewandels. Die in den Ida-Bergen in einem utopischen Modell zusammengeschlossenen, aus dem Kriegsgeschehen sich flüchtenden, alternative Lebensweise praktizierenden Frauen vermitteln den Vorschein einer Hoffnung. Als Handlungsanleitung kann und will das Modell nicht funktionieren. Obwohl Kassandra in der friedlichen Umgebung neuen Lebensmut schöpfen kann, ist sie, die dem Glauben abgeschworen hat, nicht imstande, sich mit der naiven Religiosität des Kybele-Kults zu identifizieren. Gerade aber mit dem Übertritt Kassandras von der Palast- in die Höhlenwelt – verglichen mit einem Übergang von der »Tragödie in die Burleske« (K 255), ein Bild, in dem sich der Hang, sich selber tragisch zu nehmen, auflöst – eröffnen sich neue Perspektiven.

Eine Reihe von gestalterischen und sprachlichen Elementen, wie wir sie aus früheren Werken kennen, kehren auch hier gleichsam als Konstanten wieder. Etwa, wenn die Naturmetaphorik zur Kennzeichnung der inneren Befindlichkeit der Figuren eingesetzt wird. Wetterumschläge und widrige Naturgewalten begleiten die Handlungen der Menschen, kennzeichnen den Stimmungswert des Erzählten. »Es war ein Tag wie dieser, Herbststurm, schubweise von der See her, der Wolken über den tiefblauen Himmel trieb« (K 270 f.), heißt es, als Kassandra die Wahrheit über Helena erfährt. Subjektiv empfundene Farbeindrücke untermalen innere Zustände: »Der Himmel, in den ich aus dem Fenster starrte, war mir Tag und Nacht von tiefstem Schwarz« (K 261), beschreibt Kassandra die Phase ihres Wahnsinns. Der Himmel ist das Symbol abweisender und gleichgültiger Macht.

Warum muß Kassandra sterben? Welche Notwendigkeit bringt sie eigentlich zu Tode? Warum konnte sie mit Aineias keinen Ausweg für sich finden? Das sind Fragen, die der Text aufwirft und an den Leser weitergibt. Die Struktur beteiligten

Erinnerns, versinnbildlicht im assoziationsreichen Strom der Gedanken, das monologische Sprechen der Figur, hat suggestive Kraft und stellt Identifikationsmöglichkeiten her, die sich beim Lesen übertragen. Eine ästhetische Wirkungspotenz, der Christa Wolf vertraut.

Es geht wohl weniger um die Frage, ob der Trojanische Krieg sich hätte vermeiden lassen. Die überlieferte Tatsache ist, er hat stattgefunden und mit bekanntem Ausgang. Was sich aus dem poetischen Entwurf Christa Wolfs lesen läßt, sind die beispielhaft nachgezeichneten Varianten individueller und gesellschaftlicher, psychologischer und sozialer Verhaltensmuster, die Frage nach dem Maß von Verantwortung, das der einzelne zu übernehmen bereit ist.

Die Autorin kann und will keine für alle gleichermaßen gültigen Wege aus dem bestehenden objektiven oder subjektiv empfundenen Dilemma weisen. Die Gabe, sich sehend – gemeint sein könnte auch: schreibend – zu materialisieren, wird als Privileg in einer durch gesellschaftliche Arbeitsteilung bestimmten Welt angesehen. Aus diesem Privileg leitet sich auch Verantwortlichkeit ab. Der Auftrag muß nicht erteilt werden, er wird selbst gestellt. Wer die Mühe des Schreibens oder – wie Kassandra – des Erinnerns auf sich nimmt, muß einen Zweck verfolgen. Vordergründiger Optimismus kann sich nicht einstellen, wohl aber die Vermittlung von Schmerzempfinden als Voraussetzung von Mitsehen und Mitfühlen. Das uralte Motiv des Lernens durch Leid – schon bei Aischylos lernen die agrivischen Greise über Schmerzerfahrung – wird in der Erzählung von Christa Wolf erneut aufgerufen. Den Schrecken zu bannen, indem man von ihm erzählt, ist eine andere Möglichkeit, auf Bedrohung zu reagieren und mit ihr umzugehen.

Die Bedeutungsebenen des vielschichtigen Textes lesen sich auf unterschiedlichste Weise. Ein eigenartiges Geflecht von poetischer Fiktion und authentischer Erfahrungsverarbeitung bezieht den Leser ein in die Erinnerungsarbeit einer Erzählerin und ihrer Figur, in den Prozeß der Suche nach Identität. Insofern ist Christa Wolf auch hier wieder dem ihr eigenen Erzählmuster treugeblieben. Ebenso wie in *Nachdenken über Chri-*

sta T. hat die Erzählerinstanz am Ende des Nachdenkensvorgangs zu sich selbst gefunden, und ebenso sind in die Kassandra-Figur Bestandteile der Gefühls- und Gedankenwelt der Autorin eingegangen.

Die sinnlich-konkrete Wirklichkeitswahrnehmung, die Beschreibung alltäglicher Verrichtungen als bewußt angeführte Beispiele visuell ausgerichter Realitätssicht in den Vorlesungen, findet ihre Entsprechung in der Erzählung, in der es heißt:

> »Ich habe immer mehr an Bildern gehangen als an Worten [...]. Vor den Bildern sterben die Wörter.« (K 221)

Es ist jener in den Texten der Wolf wiederkehrende Vorgang von Lesen und Schreiben – bei Ingeborg Bachmann als Grundmotiv von »sehend werden« und »sehend machen« ausgemacht –, der den Zusammenhang von menschlicher Schmerzerfahrung und künstlerischer Ausdrucksmöglichkeit herstellt und den sie mit einer ausführlichen, mitgehenden Interpretation des Gedichts *Erklär mir, Liebe* zusätzlich versinnbildlicht. In Hinblick auf die Folgen einseitig an instrumenteller Vernunft orientierter Welthaltung kommt sie auf den Zusammenhang mit künstlerischer Formgebung zu sprechen:

> »[...] daß im Grund, vom Grunde her alles mit allem zusammenhängt; und daß das strikte einwegbesessene Vorgehn, das Herauspräparieren eines ›Stranges‹ zu Erzähl- und Untersuchungszwecken das ganze Gewebe und auch diesen ›Strang‹ beschädigt. Aber eben diesen Weg ist doch, vereinfacht gesagt, das abendländische Denken gegangen, den Weg der Sonderung, der Analyse, des Verzichts auf die Mannigfaltigkeit der Erscheinungen zugunsten des Dualismus, des Monismus, zugunsten der Geschlossenheit von Weltbildern und Systemen, des Verzichts auf Subjektivität zugunsten gesicherter ›Objektivität‹.« (K 177)

Solchen – von Christa Wolf als männlich angesehenen – Rationalismus könne nur eine weibliche Erzählpoetik aufbrechen, die, wie die Prosa der Bachmann oder Virginia Woolfs, sich nicht auf eine lineare und ereigniszentrierte Fabel gründet, sondern ein erzählerisches Netzwerk ausbreitet, dessen offene Form am ehesten geeignet scheint, die Vielfalt von Lebenserscheinungen und Widersprüchen zu spiegeln, assoziative Bewußtseinsvorgänge nachzuzeichnen, um Subjektivität zu vermitteln. Mit der Zuspitzung der Patriarchatsthematik wirft sie zugleich die Frage nach dem spezifisch weiblichen beziehungsweise männlichen Schreiben auf, die – an Merkmalen wie Offenheit, Subjektivität, Fragmentcharakter, Netzwerk auf der einen und Analyse, Geschlossenheit, Dualismus, Objektivität auf der anderen Seite festgemacht – nach Erscheinen des Buches eine heftige, grundsätzliche Debatte ausgelöst hat.

Das Verhältnis von poetologischer Vorstellung und dichterischer Konkretisation offenbart die Problemlage. Christa Wolfs Suche nach einer Werkstruktur, die den Stoff gewebeartig präsentiert, führt – wie schon in früheren Werken – zur Variation von verschiedenen Erzählarten und -formen. Von der Reflexion zur Schilderung wechselnd, präsentiert sie eine erzählerische Mischform, die Bewegung versinnbildlichend konturiert ist. Unter der Hand gerät die Kassandra-Figur zu einer Widerstandsheldin, die im Bewußtsein fehlender lebbarer Alternativen in den Tod geht. Gleichwohl bleibt Hoffnung, sie liegt in der Anwesenheit der Erzählerin, die den Text zuendeführt:

»Hier ist es. Diese steinernen Löwen haben sie angeblickt. Im Wechsel des Lichts scheinen sie sich zu rühren.« (K 343)

Die geschlossene Form der Erzählung steht in deutlichem Widerspruch zur intendierten Fragmentarisierung des Geschehens. Ein Widerspruch, den Christa Wolf zwar empfand, jedoch nicht aufzulösen vermochte. Die Geschichte Kassandras kann als die einer weiblichen Ich-Findung gelesen werden, die sich innerhalb konkret benannter politischer und sozialer Koordinaten, Mechanismen zugetragen hat. Im Falle Trojas unter Bedingungen des Krieges. Ohne Zweifel hat der seit *Nachdenken über Christa T.* als Motiv wiederkehrende, von Werk zu Werk stärker hervortretende Gedanke weiblicher Solidarität in *Kassandra* seinen Höhepunkt erreicht. Karoline von Günderrode war – abgesehen von ihrer engen Bindung an Bettina Brentano – mit ihren Wünschen und Ansprüchen vor allem auf sich selbst gestellt. Ihr Ankämpfen gegen ein bürgerlich vorgefaßtes Frauenbild als liebende Mutter und sittsame Hausfrau in einer vernunftbetonten, durch Sach- und Zweckdenken dominierten Umwelt ist in *Kassandra* radikaler auf den Geschlechterkonflikt mit seinen spezifischen Seh- und Erlebensweisen konzentriert. Karoline von Günderrode war die Leidende, deren individueller, durch sie selbst bestimmbarer Handlungsspielraum von ihr voll ausgeschritten wurde. Kassandra dagegen ist eine Figur, die die ihr zugedachte Opferrolle innerhalb einer vor allem kriegerischen patriarchalischen Geschichte bewußt macht und gezielt überschreitet. Sie entwickelt sich zu einer Widerstandsfigur, indem sie die Bindungen an das Vaterhaus abbricht und – sich zu ihrer Außenseiterrolle bekennend – nicht schlechthin mit Rückzug in die innere Emigration oder einer Flucht in eine alternative Privatsphäre reagiert, sondern die zusammen mit gleichgesinnten Frauen und Männern versucht, eine alternative Lebenswelt aufzubauen. Die Seherin, nicht mehr bereit, sich in die Rolle der Verliererin einzupassen, formuliert zugleich auch eine Absage an die Zukunft, die sie notwendigerweise zu Kompromissen zwingen würde. Die Fähigkeit, auf »eine andere, nichttötende Art, auf der Welt zu sein« (1979; Di II 154), aber wird nicht als naturgegeben vorausgesetzt, sondern als gesellschaftliche Bedingung erfaßt. Kassandra, ausgestattet mit Rationalität und Gefühlstiefe, kann die Zukunft sehen, weil sie den Mut hat, die wirklichen Verhältnisse zu benennen. Wie in einem Lehrstück sind die Gründe des Krieges offengelegt und aktualisiert worden: mangelnde Verhandlungsbereitschaft, eskalierende Forderungen und Gegenforderungen, Rüstungswettlauf, erklärt zur jeweils notwendigen Verteidigungshandlung, Schaffung innerer und äußerer Feindbilder. Psychologische Motivationen und Denkstrukturen wie verletztes Ehrgefühl, Angst vor Gesichtsverlust fallen schwer ins Gewicht.

Kassandra bekommt Modellcharakter zugeschrieben. Ihre Lebensgeschichte liegt so weit zurück, daß sie schon wieder Zukünftiges assoziiert. Grundvorgänge gesellschaftlicher Verkehrsformen lassen sich in ihrer Geschichte verdeutlichen, in der sie, zum Objekt gemacht, schließlich widersteht. Die Figur wird das Gefäß der Autorin, mit dem sie ihre Gedanken transportiert: Angst abbauen über Vermittlung von Toleranz, Herrschaftsansprüche im großen wie im kleinen, zwischen den Klassen, zwischen den Staaten, zwischen Mann und Frau, Kon-

Illustration von N. Quevedo zu Christa Wolf: Kassandra (Leipzig 1984)

kurrenzverhalten und Besitzanspruch – all das wird zum Ausdruck gebracht, zu Bildern verdichtet, teilt sich in einer den Kunstcharakter betonenden, Elemente einer bühnenwirksamen Rollensprache enthaltenden, zum klassischen Versmaß neigenden rhythmischen Erzählsprache mit. Zeitgenössische Wendungen wie »sein Gesicht wahren« oder »keine Wirkung zeigen« lockern den Redegestus auf, verweisen auf Aktualisierbarkeit des historischen Geschehens. Die Emotionalität des Geschehens wird durch häufig vorgenommene Verkürzung von Infinitivwendungen verstärkt. Genaue Beobachtung, Aufmerksamkeit für Details, die sich auch über den Ritus des Sprachgebrauchs vermitteln, erzwingen genaues Lesen.

Christa Wolf hat in ihrer Erzählung die Handlungsmöglichkeiten und -fähigkeiten von Individuen erkundet, sie hat vorgeschlagen, das Unmögliche zu denken, und wurde dafür nicht nur gelobt. – Neues Denken hat sich politisch durchgesetzt.

»Störfall«

Ein Gespräch über Bäume würde Bertolt Brecht heute gewiß nicht mehr als »Verbrechen« ansehen. Das erforderliche Nachdenken über Möglichkeiten von Schadensbegrenzungen der global angegriffenen Natur, die Menschheit eingeschlossen, ist von Schriftstellern längst auch als ästhetische Herausforderung angenommen worden.

»Wir leben in dem ungemütlichen Gelände zwischen Katastrophe und Idylle, und so wird es, falls wir überleben, lange bleiben«, (Di I 457) schrieb Christa Wolf im Juni 1985 in *Der weiße Kreis*, einem Beitrag für einen Katalog internationaler Friedensplakate. Dessen Symbol, ein weißer Kreis auf grünem Grund, aufnehmend, formulierte sie:

> »Sie können, sie müssen sich ein Bild machen – ein Schrekkensbild, ein Wunschbild, ein Warn- oder Mahnbild. Die Erde, ihre vollkommene Form – die Kugelgestalt – durch frevelhaften Mißbrauch ungeheurer Energien zerbrechend. Oder: Die Erde, friedliche Heimstatt von Mensch und Tier.« (Ebd.)

Die Befürchtung nicht verbergend, daß der weiße Kreis zu einem schwarzen Loch werden könnte, noch ehe ein »neues Wertegerüst« (Di I 459) als Voraussetzung für vernunftdiktierte Koexistenz zwischen und innerhalb der politischen Systeme gefunden und wirksam geworden ist, verwies sie auf die Notwendigkeit eines neuen »Eingedenkens«[210], das zwingender denn je zu einer Aufgabe für die gesamte zivilisierte Menschheit werden müsse. Dieser nur vier Seiten umfassende, auf den ersten Blick eher wie essayistische Gelegenheitsprosa anmutende Text enthält eine eigene Dimension politischer Ansprache. In ihm sind viele Gedanken aufgehoben, die Christa Wolf seit Beginn der siebziger Jahre – immer wieder und zunehmend radikaler – in ihrer Prosa und Essayistik zur Diskussion gestellt hat: Die polemische Auseinandersetzung mit einer sich vordergründig an den Kriterien instrumenteller Vernunft orientierenden Welthaltung, mit einem unkritisch gebrauchten, vereinfachten Fortschrittsbegriff, der seine Werthierarchien einseitig vor allem aus dem Produktivitätsniveau der hochindustrialisierten und technisierten Leistungsgesellschaften bezieht, wie mit der Tradition, auf die er sich beruft, »einer Dialektik ohne Aufklärung«[211].

Die kollektive und individuelle Verantwortung wächst. Wie sie wahrgenommen wird, fragen sich Wissenschaftler ebenso wie die an den subjektiven Belangen vor allem interessierten Literaten. Das akkumulierte Wissen in Technik und Wissenschaft ist längst zur Macht geworden. Mit ihr verantwortlich umzugehen muß gelernt werden. »Unsere Fähigkeiten, in Lebensprozesse und technische Abläufe einzugreifen, sie umzugestalten, haben Dimensionen angenommen, die in zunehmendem Maße alternative Entscheidungssituationen heraufbeschwören.«[212]

Christa Wolf berichtet in *Der weiße Kreis* von einem Besuch in einer amerikanischen Schule. Die üblicherweise getrennt sitzenden schwarzen und weißen Kinder spielten eine Szene, in der ein weißes Mädchen die Sonne verkörperte und ein schwarzer Junge den Mond, ein Spiel, in dem sich für sie das hoffnungstragende Motiv der Brüderlichkeit versinnbildlicht.

Der Katalogbeitrag kann als Vorarbeit zu *Störfall* gelesen werden. Viele der dort enthaltenen Gedanken tauchen in dem Prosastück wieder auf, das aus aktuellem Anlaß entstanden ist. In diesem Sinne hat es sich als einer der Texte erwiesen, die »[...] auf Geschichte wartend«, von ihr eingeholt worden sind.[213] Unmittelbar nach der Reaktorkatastrophe von Tschernobyl am 26. April 1986 schrieb Christa Wolf – zwischen Mai und September 1986 – *Störfall*. Das Unglück im Block vier des sowjetischen Kernkraftwerkes war Anlaß und auslösendes Moment für die erzählerische Verarbeitung von längst »gestockten Widersprüche(n)«[214], wie es bei Franz Fühmann heißt. Der Name Tschernobyl wird im Buch nicht genannt, das Desaster einer zu friedlichen Zwecken eingesetzten und außer Kontrolle geratenen Atomtechnik, begleitet von den unerbittlichen Film- und Fernsehkameras, das war es, was zu unmittelbarer Stellungnahme zwang.

Formal-ästhetisch bietet der 118 Seiten umfassende Text wenig Neues. Eine als Ich-Erzählerin eingeführte Schriftstellerin hat sich ins mecklenburgische Landhaus zurückgezogen, um ungestört arbeiten zu können. Zwei einander überlagernde ›unerhörte Begebenheiten‹ – Störfälle – beanspruchen ihre Aufmerksamkeit, unterbrechen den gewohnten Tagesrhythmus. Dargestellt wird vor allem der subjektive Verarbeitungsprozeß dieser Geschehnisse. Der innere, sich aus Assoziationsketten, aus Überlegungen zu wissenschaftlichen Thesen und persönlichen Erinnerungen zusammensetzende Monolog der Erzählerin bezieht den Leser in einen Strom von Gedanken ein, in einen Vorgang, der wie die innere Chronik eines Tages gelesen werden kann. Mit den morgendlichen Rundfunknachrichten kommen die ersten Meldungen von der Reaktorkatastrophe unweit der Millionenstadt Kiew. Wie man inzwischen längst weiß, war eine Havarie dieser Art nicht die erste. Die Befürchtung, daß ihr weitere folgen könnten, ist nicht auszuschließen. Stephan Hermlins Gedichtzeile »Die Vögel und der Test« wird assoziiert als Erinnerung an die japanischen Fischer, die ersten Opfer atomarer Gewaltfreisetzung. »Warum nicht auch einmal wir« (S 11), lautet der sarkastische Kommentar, denn der radioaktive Gehalt der Luft steigt noch viele tausend Kilometer vom Unglücksort entfernt an, macht Gemüse und Obst ungenießbar. Sorge um die Kinder breitet sich aus; die Phantasie beschwört Schreckensvisionen herauf.

Der andere »Störfall« ist die Gehirntumor-Operation, der sich der jüngere Bruder der Erzählerin an eben diesem Tag unterziehen muß. Ihren Verlauf verfolgt und begleitet die Erzählerin in Gedanken, mit-leidend, die eigene Ohnmacht, aber auch einen inständig auf Hoffnung setzenden Glauben nicht verbergend. Mit ihm setzt sie alle ihr verfügbaren Kräfte ein, die »Wahrnehmungslücke« des Bruders, die durch die Operation entsteht, schließen zu helfen. Das biblische Motiv, des »Bruders Hüter« zu sein, scheint auf. Erinnert werden Bildfolgen gemeinsamer Kindheit. Im gedanklichen Dialog mit dem Bruder, dessen Argumente sie selbst referiert, entsteht der Raum, in dem Argument und Gegenargument, die Rationalität des Naturwissenschaftlers wie die Emotionalität der Schriftstellerin in Rede und Gegenrede zur Geltung kommen. – Die Passagen um den Bruder tragen deutlich autobiografische Züge, erinnern an den Dialog in *Kindheitsmuster*.

Die Nachricht vom Reaktorunglück und das Wissen um die Kompliziertheit der jetzt notwendig gewordenen Operation, die Hoffnung auf die Kunst der Ärzte und die zum Einsatz gebrachten medizinischen Hochleistungsgeräte beherrschen an diesem Tag das Denken und Fühlen der Erzählerin, bestimmen ihre Handlungen und Kontakte mit der Außenwelt, treiben existentielle Fragestellungen hervor.

Mit dem Kunstgriff, die atomare Katastrophe und einen privaten ›Störfall‹ zu koppeln, sind die beiden Erzählebenen mit- und ineinander verflochten. Beinahe übergangslos, lediglich durch Bindestriche getrennt, werden sie gegenübergestellt. Die damit entstehende wechselnde Perspektive schafft eine wichtige Qualität des Textes, sie stellt die notwendige erzählerische Distanz her, verleiht der Arbeit ihren entscheidenden dialektischen Grundzug.

So kann die Konfrontation der beiden äußeren Ereignisse genutzt werden, Widerspruchsfelder der vom Menschen entwickelten Hochtechnologie zu diskutieren; das Unglück von Tschernobyl, der diesen Vorgang begleitende Tod vieler Menschen, und die gleichzeitige, geradezu beschwörende Überzeugung, mit dem Einsatz moderner Technik vielleicht ein Leben retten zu können – sind die Pole und Konkretisationen eines grundsätzlichen Widerspruchsverhältnisses, in dem ethische Probleme zur Sprache kommen.

Der Untertitel, »Nachrichten eines Tages«, führt in diesem Sinne bewußt in die Irre, denn weder um den Erhalt von Informationen oder sensationelle Neuigkeiten, Ankündigungen, Benachrichtigungen, Mitteilungen, Meldungen noch um die diesen Neuigkeiten innewohnenden Botschaften geht es in erster Linie. Die eigentliche Dimension der Nachricht ist eine andere: sie ergibt sich aus dem in ihr liegenden Zwang, eine Sprache finden zu müssen für diese neue Erfahrung, weiter und anders arbeiten zu lernen. Die damit aufgerufene psychologische Problematik, gleichzeitig nach den möglichen Ursachen menschlicher Destruktionsenergien zu fragen, nach den Motiven des einzelnen für sein Wirken, diskutiert Christa Wolf vor allem mit Blick auf die Qualität jeweils subjektiv wahrgenommener und wahrzunehmender Verantwortung. Die gesellschaftlichen Zwänge, denen das Individuum dabei unterworfen sein kann und die seine Entscheidungen möglicherweise maßgeblich beeinflussen können, treten demgegenüber deutlich zurück, kommen weniger zur Sprache.

Begegnungen mit Nachbarn unterbrechen die Gedankenarbeit, bringen Geschichte in die Gegenwart. Mit der Figur des »alten Plaack« kommt die Erinnerung an den Krieg und die nationalsozialistische Vergangenheit ins Bild, und auch hier wieder die Frage nach der Verantwortung des einzelnen im historischen Prozeß. Dann, unvermittelt, erneut das Eingedenken, die Reaktorkatastrophe, die Nähe zum Bruder:

> »Du, nehme ich an, kennst alle möglichen Bedeutungen des terminus technicus GAU –
>
> Wieder habe ich die Übergänge versäumt, der alte Plaack war in seiner Erzählung fortgeschritten.« (S 49)

Das Warten auf die Rundfunk-Nachrichten bestimmt den Rhythmus, steckt immer wieder den erzählerischen Rahmen der Erzählung ab. Und obwohl der objektive Handlungsraum der Erzählenden dadurch beschränkt bleibt, ist sie nicht passiv. So entsteht langsam das Protokoll des Ablaufs dieses einen Tages, ausgefüllt mit Nachdenken, Reflexionen, Einlassungen. Die Eigendynamik der Ereignisse beeinflußt dabei den inneren Monolog ebenso wie den Dialog mit den Gesprächspartnern am Telefon. Vieles kommt in diesen Telefongesprächen mit den Töchtern und Enkelkindern zur Sprache, in denen sich die Erzählerin des Wertes oder Unwertes eingefahrener Denk- und Verhaltensmuster versichert und zugleich geltende Normen hinterfragt. Es sind ausnahmslos Frauen, vor denen die Ich-Erzählerin ihre Ängste, Zweifel, Mutmaßungen und Hoffnungen ausspricht. In dieser Situation wächst die Aufmerksamkeit für die kleinen, scheinbar nebensächlichen Dinge des Alltags, für die einfachen, zum Leben gehörigen Verrichtungen – Kochen, Abwaschen, Einkaufen, Gartenarbeit. Das Beobachten wachsender Keimlinge bekommt Symbolwert. Wenn die Erzählerin in *Störfall* von der Verantwortung der modernen Wissenschaft für das Fortleben der Gattung Mensch redet, bezieht sie dabei, wie wir es von der Autorin Christa Wolf kennen, die des Schriftstellers ein. Diesmal, so lautet ihre Feststellung, erweisen sich die ihr zur Verfügung stehenden erzählerischen Mittel als unzureichend:

»Alles, was ich habe denken und empfinden können, ist über den Rand der Prosa hinausgetreten.
So wie unser Gehirn arbeitet, können wir nicht schreiben. Wenn ich angefangen haben sollte, mich mit dem Verlust abzufinden, der auf dem Weg vom Gehirn über die Nervenbahnen zur schreibenden Hand unvermeidlich zu sein scheint – an jenem Mittag trat er wieder scharf in mein Bewußtsein.« (S 66)

Orientierungen, Wertvorstellungen und Utopien sind durch dieses Ereignis frag-würdig geworden. Der »Störfall« hat nachhaltig die schon früher geäußerte Gewißheit bestärkt, sich selbst der Bereitschaft zur Übernahme von Verantwortung zu vergewissern, Denkweisen und Reaktionen – und sei es gegen den Strom – auf ihre Tauglichkeit hin zu erproben und damit zu einer neuen Art öffentlicher Selbstverständigung beizutragen.[215]

Die Lebenswelt der antiken Seherin Kassandra trägt bei Christa Wolf Züge heutiger Verhältnisse. So wird die in der Frühgeschichte der Menschheit angesiedelte Erzählung zum Spiegel höchst gegenwärtiger Probleme. In *Störfall* geht die Autorin diametral entgegengesetzt vor, indem sie Menschheitsentwicklung an einem Tag vorüberziehen läßt. Mit dem in *Juninachmittag* schon einmal aufgerufenen alttestamentarischen Motiv »Ein Tag. Ein Tag wie tausend Jahre. Tausend Jahre sind wie ein Tag. Woher wußten es die Alten?« (S 64) wird die geschichtliche Dimension des poetischen Unternehmens umrissen. Ein Motiv, das sich mit anderen Wirklichkeitserfahrungen verändert hat: die Utopie als »Element von Hoffnung« (1979; Di II 411) ist neu zu befragen. Mit dem Bewußtsein sich immer mehr verfestigender Verhältnisse, in denen der Status quo das Erstrebenswerte geworden ist, sind die Utopien nicht verworfen, wohl aber hat sich deren Qualität verändert. Die Lebenszeit verstreicht, und die schon einmal näher gewähnte humanistische, nichtentfremdete Gesellschaft ist in weitere Ferne gerückt. Die in der Einsicht, alte Utopien entschwinden zu sehen, mitschwingende Wehmut ist unüberhörbar.

»Der Schmelz ist weg vom Planeten, nicht? hat die Freundin

gesagt. Der Satz hat sich vor die Blätter auf meinem Arbeitstisch geschoben, dem ich mich versuchsweise genähert habe, eingedenk jener beneideten Zunftgenossen, die – Tod, Verderben, Untergang und Bedrohung vieler Art um sich – die Linie, die sie, schreibend, irgendwann einmal angesetzt hatten, unbeirrt weiter verfolgten, wortebesessen, auf ein Ziel hin, zu dem der Abstand sich niemals verringern will. [...] Unter der Bestrahlung habe ich die Schrift auf meinen Seiten verblassen, womöglich schwinden sehen, und ob einst ein dauerhafter Untertext zwischen den Zeilen hervortreten würde, ist noch ungewiß gewesen. Ich habe eine neue Art Erfahrung mit einer bösen Art von Freiheit gemacht. [...] Wie freudig würde ich mich weiter auf ein Ziel zubewegen, zu dem der Abstand sich nie verringern würde.« (S 29f.)

Die in dieser tagebuchartig organisierten, essayistisch gefärbten Prosa enthaltenen Fragestellungen, führen – in ihrem direkten Bezug zu einem höchst gegenwärtigen Ereignis – weiter in die Menschheitsgeschichte zurück als das bei *Kassandra* der Fall war. Der in der Fachsprache als der »Größte Anzunehmende Unfall« bezeichnete technische Fehler und die Konsequenzen daraus – künftige Generationen werden sich damit auseinanderzusetzen haben – wurden verursacht durch menschliches Versagen, wie spätere Untersuchungen ergeben haben.

Neurologische und anthropologische Fragestellungen bewegend, sucht die Erzählerin jenen »Kreuzweg« auf, an dem die Evolution des Menschen vom Tier begonnen hat. Mit *Störfall* geht Christa Wolf über alarmierende und warnende Zustandsbeschreibungen hinaus und unternimmt einen weiter reichenden gedanklichen Schritt, indem sie die Frage, wie es dazu gekommen ist, mit der Überlegung verbindet, ob nicht am Ende gar dem Menschen ein Trieb zur Selbstvernichtung innewohnt. Wenn ja, an welchem Punkt der menschlichen Entwicklung, die nach Max Frisch im »Holozän« begonnen hat, setzte diese Bereitschaft zur Selbstvernichtung der Art ein? Wo liegen die psychologischen und materiellen Begründungszusammenhänge für die Wahrnehmung von Verantwortung? »Treiben die Utopien unserer Zeit notwendig Monster heraus?« (S 37) Am Beispiel des jungen amerikanischen Wissenschaftlers Peter Hagelstein, der an der Entwicklung des SDI-Programms mitarbeitete, hinterfragt sie persönliche Motive eines Forscherdrangs, dessen Komponenten Karriere und Ehrgeiz einen Faust hervorbringen, der nicht Wissen, sondern Ruhm gewinnen will, einzig auf Effektivität und Leistung ausgerichtet, unfähig zu dem, was die »normalen Leute ›Leben‹ nennen« (S 73). Ihr Augenmerk auf den einzelnen und seine Handlungsmotivationen richtend, exemplifiziert sie die »falschen Alternativen«: entweder sich dem Leistungsdruck zu entziehen – Hagelstein, so entnimmt sie einer Zeitungsnotiz, ist aus dem Projekt ausgestiegen[216] – und damit den gesellschaftlichen Forderungen nicht standzuhalten, oder seelisch zu verarmen - wiederholt im als Gleichnis erzählten Märchen vom »Brüderchen und Schwesterchen«, das nur die Alternative, das »Verhängnis«, zuläßt, »entweder [zu] verdursten oder sich in ein wildes Tier [zu] verwandeln«. (S 80 f.)

Mit dem Verhältnis von wissenschaftlich-technischem und gesellschaftlichem Fortschritt, einer sprunghaft sich vollziehenden Wissenschaftsentwicklung und der sich nicht in gleichem Maße mitvollziehenden Humanisierung der menschlichen Beziehungen hat sich Christa Wolf sehr ausführlich schon 1969 in ihrem Gespräch mit dem Genetiker Hans Stubbe auseinandergesetzt. (1969; Di II 239-270) Nun, nahezu zwanzig Jahre später, hat sich die ökologische Situation grundlegend verändert. Von Jahr zu Jahr nimmt die Zerstörung der Natur zu. Die natürlichen Lebensbedingungen für Pflanzen, Tiere und Menschen sind gefährdet. Christa Wolfs Überlegungen gehen in dieselbe Richtung, die viele inzwischen artikulieren. Unter ihnen Friedrich Dürrenmatt, der das menschliche Wissen anwachsen sieht und zugleich beobachtet, daß die »menschliche Weisheit damit nicht Schritt gehalten hat«.[217] Es waren Autoren wie Hanns Cibulka, Franz Fühmann, Jurij Brězan, Irmtraud Morgner, Joachim Walther oder Richard Pietraß – um nur einige wenige zu nennen –, die sich seit Beginn der siebziger Jahre immer nachdrücklicher mit den Tatsachen beschäftigen, die durch die Ausbeutung der Natur und die damit im Zusammenhang stehenden gravierenden Eingriffe in ökolo-

Mit Franz Fühmann in der Akademie der Künste
(Frühjahr 1981)

gische Gleichgewichte entstanden sind. Der Philosoph und Schriftsteller John Erpenbeck beschrieb 1987 den dadurch hervorgerufenen Grundwiderspruch: »Als Naturwesen ist der Mensch Bestandteil der Naturkreisläufe, als soziales Wesen aber stört, deformiert oder beseitigt er durch den wissenschaftlich-technischen Fortschritt diese Kreisläufe.«[218]

Neben anderen Autoren brachte Helga Königsdorf, von Hause aus Mathematikerin, auf dem X. Schriftstellerkongreß 1987 zur Sprache, was viele bewegte: »Die Gattung Mensch ist dabei, die Grundlagen ihrer Existenz zu erschüttern. Die Welt rückt zusammen, die Ressourcen werden knapp, die ökologischen Schäden mehr und mehr global und unumkehrbar. Angaben über das angehäufte Vernichtungspotential kann man zwar zur Kenntnis nehmen, aber es entzieht sich dem Vorstellungsvermögen. Die Waffen werden auf infame Weise ›intelligenter‹. Die Probleme, die entstehen, haben eine völlig neue

Qualität, eine ›teuflische‹ wollte ich sagen, aber das Wort paßt nicht. Es gibt überhaupt keine richtigen Worte dafür. Wichtiger scheint mir auch die Frage: Haben wir die passenden Antworten?«[219]

In den Prozeß der Antwortsuche bezieht auch Christa Wolf ihre Leser ein, denen sie keine abgeschlossenen Denkergebnisse zu bieten hat. Auch sie problematisiert die Möglichkeiten der Sprache als Kulturprodukt, sie spricht von »Wort-Ekel« und dem als unzureichend empfundenen Potential der Sprache, Bilder für erlittene Schreckensvisionen aufs Papier zu bannen. Der Topos erinnert an Hugo von Hofmannsthals berühmten Lord-Chandos-Brief, dessen Mitteilung über erlebtes sprachliches Verlustempfinden.[220]

Der erste Satz der Erzählung *Störfall* – geschrieben im Futur II – zeigt an, daß schon Distanz zum unmittelbaren Erleben eingetreten ist, aber auch, daß man nicht mehr so wird leben können wie vordem und daß die Veränderungen bis zu einem Bedeutungswandel in der Sprache reichen werden.

Was später dramatische Ausmaße annehmen wird, beginnt harmlos und fast idyllisch, wenn Christa Wolf ihre Erzählerin sich mit Hühnern von der Sorte »Weiße Leghorn« herumärgern läßt, die in der frischen Grassaat scharren, oder wenn sie, vom Frühstückstisch auf die Wiese schauend, »grüne Matten« assoziiert, denn: »Auf dem Lande ist man immer in Gefahr, auf veraltete Vokabeln zurückzugreifen.« (S 14)

Mit der über die Medien stündlich bestätigten »NACHRICHT« (S 11) dieses Tages, an dem die Kirschblüten sprichwörtlich »explodiert« sind, ein Wort wie Wolke nicht mehr naiv verwendbar erscheint, hat sogar Brechts Liedzeile »O Himmel strahlender Azur« eine fast zynische Bedeutung bekommen, ebenso Goethes Jubelruf »Wie herrlich leuchtet mir die Natur«. Plausibler könnten die Bilder kaum in ihrer mehrdeutigen Eindeutigkeit beschrieben werden.

Signalworte wie Erde, Himmel, Wasser, Luft oder Ortsbezeichnungen wie »verkommenes Ufer«[221] bei Heiner Müller oder »mitteldeutsches Loch«[222] bei Volker Braun sind schon seit Mitte der sechziger Jahre (vor allem in der Lyrik) als Symptome gesamtgesellschaftlicher Problemfelder zu alarmierenden Begriffen geworden.[223] Wie die Schriftsteller befassen sich seit Ende der siebziger Jahre viele Maler mit den auch visuell immer offener zutage tretenden Erscheinungen globaler Umweltbedrohung auf der einen und wissenschaftlichen Höchstleistungen auf der anderen Seite. Die X. Kunstausstellung der DDR präsentierte 1987/88 eine Reihe von Werken, die sich intensiv mit dem Einfluß des wissenschaftlich-technischen Fortschritts wie der damit im engen Zusammenhang stehenden Funktion von multimedialen Kommunikationsmitteln auseinandersetzen und dafür neue bildkünstlerische Lösungen fanden. Die zunehmende – spontan wirkende – Expressivität in den häufig auf Zeichen reduzierten Abbildungen von Gegenständlich-Konkretem transportiert Beunruhigung im Lebensgefühl und in der Befindlichkeit von Individuen. Trakia Wendischs (geb. 1958) *Frau mit Fernseher* (1986), Wolfgang Smys (geb. 1952) *Das große Stadtbad* (1986) oder Gerenot Richters (geb. 1926) *Gleichnis* (1983) seien hier nur stellvertretend für einen Trend benannt, mit dem sich in der bildenden Kunst Sinnsuche und Drang nach Kommunikation über gesellschaftsübergreifende Verständigungsmöglichkeiten zu Zivilisationsproblemen ausdrücken.[224]

Erneut kommt Christa Wolf in *Störfall* auf Unterschiede weiblicher und männlicher Wahrnehmungs- und Erlebensweise zurück. Die Männer sind einseitig rationalistisch orientiert, forschen und entdecken, während die Frauen Hausarbeit, Kindererziehung und weitere obligate ›weibliche‹ Tätigkeiten verrichten. Bei allem, was an dieser Realitätserfahrung für viele gültig ist, melden sich doch auch Zweifel gegenüber der Absolutheit derartig dualistisch behaupteter Zustände an. Helga Königsdorf, die mit ihrer 1987 erschienenen Erzählung *Respektloser Umgang* eine wichtige Position in die Debatte um diese Fragen eingebracht hat, äußerte sich, angesprochen auf die Wolfschen Bestimmungen, sehr überzeugend: »Bei diesem Geschehen gibt es immer zwei Seiten. Die eine, die den Angriff, das Objektemachen, als Machtmittel inszeniert, und die andere, die als Subjekt ihre Autonomie bewahrt oder auch nicht. Sind die Mechanismen tatsächlich so effektiv, daß es kein Entrinnen gibt?«[225] Sie appelliert an die Frauen, sich auf ihren Stolz zu besinnen und sich endlich dagegen zu wehren.

»Störfall«-Lesung im Schloß Friedrichsfelde (1987)

Christa Wolf führt in ihrer erzählerisch aufbereiteten, beispielgebenden Selbsterforschung viele Strukturelemente früherer Werke wie mit einem Brennglas zusammen. Die Erzählerin läßt einzelne Lebensepisoden vorüberziehen,

> »als eine Folge von Eintrübungen durch immer dichtere Schatten. Oder, im Gegenteil, als fortlaufende Gewöhnung an härtere Beleuchtungen, schärfere Einsichten, größere Nüchternheit«. (S 43)

Wie in *Unter den Linden* unterzieht sich das Erzähler-Ich in einer an Hebbels Motiv vom »Gerichtstag halten über sich selbst«[226] erinnernden Konsequenz mit Hilfe von Erinnerungen, Verhaltensanalysen und handlungsmotivierenden Einschätzungen einer Prüfung. Es demonstriert einen Selbsterforschungsprozeß, der den Leser direkt anspricht, gleiches zu tun: Was hast du in dieser oder in jener Situation getan oder unterlassen, wie wirst du dich in der Zukunft verhalten?

Bekannte Bilder und Selbstzitate tauchen in *Störfall* wieder auf: die Erinnerung an eine Liebe in Kiew aus *Moskauer Novelle* (S 33); der Empfang der »NACHRICHT« (S 11) assoziiert bis in die Schreibweise hinein den Vergleich mit der einstmals positiv gewerteten NACHRICHT vom Weltraumflug Juri Gagarins in *Der geteilte Himmel*; Erinnerungen an die Jugend während des Nationalsozialismus aus *Kindheitsmuster* werden lebendig und Bilder von den Flüchlingstrecks aus dem Winter 1945, wie wir sie aus *Nachdenken über Christa T.* kennen; Gedanken an weibliches und männliches Rollenverhalten, um Entfremdungssymptome und utopische Lebensentwürfe aus *Kein Ort. Nirgends* und *Kassandra* gehen in den Bewußtseinsstrom der Erzählerin ein. Am augenscheinlichsten aber sind die innerliterarischen Bezüge zu der zwanzig Jahre zuvor entstandenen Erzählung *Juninachmittag*. Die thematischen und personalen Zusammenhänge liegen auf der Hand. Alle äußeren Koordinaten der Erzählsituation der reflektierenden Bezugsperson sind, ebenso wie in *Juninachmittag*, in vielem mit den Lebensverhältnissen der Autorin verbunden. Die Analogien reichen bis in biografisch nachprüfbare Einzelheiten von Lebensumständen oder Lebensdaten von Familienmitgliedern. Vor allem aber spiegeln sie den Zuwachs an gewonnenen Lebenserfahrungen der Autorin. Der Unterschied beider Prosatexte besteht in der veränderten Erkenntnishaltung der Erzählenden. Modifiziert hat sich die Qualität der in beiden Werken angesprochenen Visionen, die Wirkungen und Auswirkungen auf das alltägliche Leben der Menschen. Die Rigorosität, mit der Christa Wolf ihre Erzählerin verkünden läßt, daß sie sich, durch die äußeren Ereignisse veranlaßt, »von nun an an nichts mehr gebunden fühlen würde«, vielmehr tun und lassen werde, »was mir beliebt« (S 10), ist in *Juninachmittag* noch nicht vorhanden. Ihre mit Entschiedenheit getroffene Feststellung:

> »Jenes Ziel in einer sehr fernen Zukunft, auf das sich bis jetzt alle Linien zubewegt hatten, war weggesprengt worden, gemeinsam mit dem spaltbaren Material in einem Reaktorgehäuse ist es dabeigewesen zu verglühen.« (S 10)

beschwört die existentielle Notwendigkeit neu zu formulierender Visionen – neuen Denkens, könnte man auch sagen.

Auffällig ist der teilweise selbstironische Erzählton, der das Erzählte auflockert und ihm die Schwere des Sich-selbst-tragisch-Nehmens nimmt. In einer Stephan Hermlins *Abendlicht* assoziierenden Bemerkung, »alle Umrisse sind zum Abend hin deutlicher« (S 82), hat sich das ›Grundmuster dieses Tages‹ als eine stetige Annäherung an die grundsätzlichen Überlegungen der bereits als Motto vorangestellten Gedanken Carl Sagans und Konrad Lorenz' erwiesen. Die Erzählerin ist an dem Punkt, die eigenen Wahrnehmungs- und Denkmuster zu hinterfragen, sich mit dem »Drehpunkt des Tages« (S 55) – der Bruder ist nach gelungener Operation aus der Narkose erwacht – dem eigenen »blinden Fleck« (S 94) zu stellen:

> »Wo, habe ich gedacht, müßte der blinde Fleck speziell bei mir, in meinem Gehirn liegen – falls er doch lokalisierbar sein sollte. Die Sprache. Das Sprechen, Formulieren, Aussprechen.« (S 98)

Sprachzweifel werden erneut erörtert, das Selbst- und Weltverständnis der Schreibenden thematisiert und auf den Prüfstand gebracht. In Joseph Conrads *Das Herz der Finsternis* findet sie am Ende dieses Tages die Gewißheit und die Ermutigung, weiterhin die Sprache als Medium des gesellschaftlichen wie individuellen Erkenntnisprozesses einzusetzen, was bedeuten könnte, der schriftstellerischen Tätigkeit unverminderten Aufklärungswert beizumessen und sie immer wieder aufs neue als Motivation gegen Resignation und Verzweiflung einzusetzen. Am Ende der Erzählung scheinen Erzählende und Autorin – wie in *Nachdenken über Christa T.* – nahezu identisch. Die Grenzen zwischen Erfundenem und Dokumentarischem haben sich verwischt, bestimmte Erscheinungen sind im Prozeß des neuen Blicks auf die Wirklichkeit deutlicher herausgestellt, neue Seiten sind ihr abgewonnen worden. Die Ich-Erzählerin hat mit ihrer Gedankenarbeit die Sensibilität für eigenes und fremdes Verhalten exemplarisch in die Debatte gebracht. Ihr Anliegen, diesen Tag in seiner historischen Bedeutung kenntlich zu machen, mit dem Beginn des Erzählvorgangs angekündigt, hat sie auf ihre Art eingelöst. Die Aussagen bleiben vieldeutig.

Der fehlende zeitliche Abstand zu dem »Ereignis« von Tschernobyl dokumentiert sich in der in den Text eingeschriebenen, emotionalen, jede ›objektive‹ Betrachtungsweise verwerfenden Schreibhaltung. Jene Unmittelbarkeit des Textes ist es zugleich, die dann auch Kritiker und Fürsprecher ihrerseits zu schnellen Stellungnahmen auf den Plan gerufen, Debatten nicht nur in literarischen Zeitschriften entfacht hat.[227]

In der Tat ist *Störfall* – im Vergleich etwa zu *Kein Ort. Nirgends* – ein weitaus weniger kunstvoll gefertigtes Werk. Es verleugnet seine Entstehung als ein »unplanmäßig« geschriebener Text allerdings auch nicht. Im Gegenteil. Die Wirkung außergewöhnlicher Ereignisse auf das Alltagsleben der Menschen wird essayistisch reflektierend thematisiert. Die unambitionierte Schilderung einfacher Lebenszusammenhänge und -abläufe, eine zunehmend wichtiger werdende Komponente in Christa Wolfs Schaffen, sieht sich der sicherlich nicht ganz zu Unrecht erhobenen Forderung gegenüber, Literatur solle nicht in Reaktion auf aktuelle Anlässe hin entstehen, sie bedürfe der zeitlichen Distanz, um aus dem Wirklichkeitmaterial literarisch Gültiges zu formen. Christa Wolf bekannte sich ausdrücklich zur Operativität ihres Unternehmens, gerade an einem solchen Punkt mit der eigenen Stimme präsent zu sein und damit gesellschaftlich wahrgenommene Verantwortung zu dokumentieren, aufstörend zu wirken.

Die Erzählerin berichtet, daß sie die Arbeit, an der sie gerade saß, unterbrochen, sich »Urlaub gegeben« (S 30) habe zugunsten der Beschreibung dieses Tages. Das Manuskript, an dem Christa Wolf damals gearbeitet hat, trägt den Titel *Sommerstück* – aber das ist schon wieder eine andere Geschichte.

Anhang

Biografische Daten

Christa Wolf (geb. Ihlenfeld) wurde am 18. März 1929 in Landsberg a. d. Warthe [Gorzów Wielkopolski, VR Polen] geboren. Ihre Eltern betrieben ein Lebensmittelgeschäft; 1939/45 Besuch der Oberschule in der Heimatstadt; Januar 1945 Umsiedlung nach Gammelin/Mecklenburg. Arbeit als Schreibkraft im Bürgermeisteramt; 1946 Besuch der Oberschule in Schwerin, Aufenthalt in einem Lungensanatorium; 1947 Umzug nach Bad Frankenhausen/Kyffhäuser, 1949 Abitur ebd., Mitglied der SED; 1949/53 Studium der Germanistik in Jena und (ab 1951) Leipzig; 1951 Ehe mit dem Germanisten und Essayisten Gerhard Wolf (geb. 1928), 1952 und 1956 Geburt der Töchter Annette und Katrin; 1953/59 in Berlin: wissenschaftliche Mitarbeiterin des Deutschen Schriftstellerverbandes (bis 1955) und Mitglied des Vorstands, Cheflektorin des Verlages Neues Leben (1956), Redakteurin der Zeitschrift »Neue Deutsche Literatur« (1958/59); 1959/62 in Halle: freischaffende Lektorin beim Mitteldeutschen Verlag, Studienaufenthalt im Waggonwerk Ammendorf, Mitglied einer Brigade und eines Zirkels Schreibender Arbeiter, (zus. mit G. Wolf) Herausgeberin verschiedener Anthologien zur DDR-Literatur; ab 1959 zahlreiche Reisen: UdSSR, BRD, Frankreich, Finnland u. a.; ab 1962 als freischaffende Schriftstellerin, zuerst in Kleinmachnow b. Berlin, ab 1976 in Berlin wohnhaft; 1963/67 Kandidatin des ZK der SED; 1964 Besuch des Auschwitz-Prozesses in Frankfurt (M.); ab 1965 Teilnahme an Internationalen PEN-Kongressen (1965 Bled/Jugoslawien, 1973 und 1978 Stockholm, 1986 Hamburg), 1974 am 7. Max-Kade-German-Writer-in-Residence am Oberlin College, Oberlin/Ohio; 1976 Gastvorlesungen ebd., 1978 an der University of Edinburg/Schottland; ab 1981 aktive Teilnahme an den Internationalen Schriftstellerbegegnungen für den Frieden (1981 »Berliner Begegnung«, 1983 Den Haag, 1987 »Berlin – ein Ort für den Frieden«); 1982 Gastdozentin für Poetik an der Universität Frankfurt (M.); 1983 Gastprofessorin an der Ohio State University, Columbus/USA, 1985 Honorary Fellow of Modern Language Association of America, 1987 Gastprofessur für ein Schreibseminar an der Eidgenössischen Technischen Hochschule Zürich.

Christa Wolf ist Mitglied des PEN-Zentrums DDR (1965), der Akademie der Künste der DDR (1974), der Deutschen Akademie für Sprache und Dichtung Darmstadt (1979), der Akademie der Künste Berlin (West) (1981), der Europäischen Akademie der Künste und Wissenschaften Paris (1984) und der Freien Akademie der Künste Hamburg (1986); 1961 erhielt sie den Kunstpreis der Stadt Halle, 1963 den Heinrich-Mann-Preis der AdK der DDR, 1964 den Nationalpreis III. Klasse und 1987 I. Klasse für Kunst und Literatur; 1972 den Theodor-Fontane-Preis des Bezirkes Potsdam und (zus. mit Walter Kempowski) den Wilhelm-Raabe-Preis, den sie ablehnte, 1977 den Literaturpreis der Freien und Hansestadt Bremen, 1980 den Georg-Büchner-Preis der Deutschen Akademie für Sprache und Dichtung, 1983 den Schiller-Gedächtnispreis des Landes Baden-Württemberg, 1984 den Franz-Nabel-Preis der Stadt Graz, 1985 den Österreichischen Staatspreis für Europäische Literatur, 1987 den Geschwister-Scholl-Preis der Stadt München; 1983 Dr. h. c. der Ohio State University Columbus/USA, 1985 der Universität Hamburg.

Bibliografie der Buchausgaben (Auswahl)

Prosa/Essayistik

Moskauer Novelle. Ill. von Hans Mau (Halle 1961); Der geteilte Himmel. Erzählung. Ill. von Willi Sitte (Halle 1963); Nachdenken über Christa T. (Halle 1968); Lesen und Schreiben. Aufsätze und Betrachtungen. Mit einer Nachbemerkung von Hans Stubbe (Berlin/Weimar 1972); Lesen und Schreiben. Aufsätze und Prosastücke (Darmstadt/Neuwied 1972); Till Eulenspiegel. Erzählung für den Film. Mit einem Nachwort von Wolfgang Heise (zus. mit Gerhard Wolf, Berlin/Weimar 1972); Unter den Linden. Drei unwahrscheinliche Geschichten. Ill. Harald Metzkes (Berlin/Weimar 1974); Gesammelte Erzählungen (Darmstadt/Neuwied 1974); Kindheitsmuster (Berlin/Weimar 1976); Kein Ort. Nirgends (Berlin/Weimar 1979); Fortgesetzter Versuch. Aufsätze, Gespräche, Essays (Leipzig 1979); Kassandra. Vier Vorlesungen. Eine Erzählung. Mit 38 Fotos (Berlin/Weimar 1983); Erzählungen (Berlin/Weimar 1985); Ins Ungebundene gehet eine Sehnsucht. Gesprächsraum Romantik. Prosa, Essays (zus. mit G. Wolf, Berlin/Weimar 1985); Störfall. Nachrichten eines Tages (Berlin/Weimar 1987); Die Dimension des Autors. Essays und Aufsätze. Reden und Gespräche 1959–1985. 2 Bde. (Berlin/Weimar 1986); Ansprachen (Darmstadt 1988).

Herausgaben

In diesen Jahren. Deutsche Erzähler der Gegenwart (Leipzig 1957); Proben junger Erzähler. Ausgewählte deutsche Prosa (zus. mit H. Beseler, Leipzig 1959); Wir, unsere Zeit. Bd. 1: Prosa aus zehn Jahren, Bd. 2: Gedichte aus zehn Jahren (zus. mit G. Wolf, Berlin/Weimar 1959); Juri Kasakow: Larifari und andere Erzählungen (Berlin 1966, Vorw.); Anna Seghers: Glauben an Irdisches. Essays aus vier Jahrzehnten. Mit einem Nachwort v. C. Wolf (Leipzig 1969); Karoline von Günderrode: Der Schatten eines Traumes. Gedichte. Prosa. Briefe. Zeugnisse von Zeitgenossen. Mit einem Essay von C. Wolf (Berlin 1979).

Filmdrehbücher

Der geteilte Himmel (zus. mit G. Wolf, K. Wolf, W. Brückner, K. Barthel, 1964, Regie: Konrad Wolf); Fräulein Schmetterling (zus. mit G. Wolf, 1966). Die Toten bleiben jung (zus. mit J. Kunert, G. Helwig, G. Haubold, R. v. Dahlen, 1968, Regie: Joachim Kunert); Till Eulenspiegel (zus. mit Gerhard Wolf, Regie: Rainer Simon).

Bibliografie: Maritta Rost/Rosemarie Geist: Auswahlbibliografie 1961–1987. In: Christa Wolf. Almanach zum 60. Geburtstag 18. 3. 1989. Berlin/Weimar 1989.

Anmerkungen und Zitatnachweise

Die im Text mit Sigle und Seitenzahl nachgewiesenen Zitate sind wie folgt aufzulösen:

Di I Die Dimension des Autors. Essays und Aufsätze, Reden und
Di II Gespräche 1959–1985. Bd. I: Selbstauskünfte, Zeitgenossen I und II, Zeitgeschehen; Bd. II: Essays und Reden I u. II, Gespräche. Ausw. A. Drescher. Berlin/Weimar 1986

GH Der geteilte Himmel. Halle/Saale 1961

J Juninachmittag. In: Erzählungen. Berlin/Weimar 1985

K Kassandra. Vier Vorlesungen. Eine Erzählung. Berlin/Weimar 1983

KM Kindheitsmuster. Berlin/Weimar 1976

KO Kein Ort. Nirgends. Berlin/Weimar 1979

MN Moskauer Novelle. Halle/Saale 1961

N Nachdenken über Christa T. Halle/Saale 1968

S Störfall. Nachrichten eines Tages. Berlin/Weimar 1987

T Till Eulenspiegel. Erzählung für den Film. Berlin/Weimar 1973

UdL Unter den Linden. Drei unwahrscheinliche Geschichten. Berlin/Weimar 1974

1 Günter de Bruyn: Fragment eines Frauenporträts. In: Liebes- und andere Erklärungen. Schriftsteller über Schriftsteller. Hg. Annie Voigtländer. Berlin/Weimar 1973, S. 410.

2 Heinrich Böll: Wo habt ihr alle bloß gelebt? In: C. W. Materialienbuch. Hg. Klaus Sauer. Darmstadt/Neuwied 1983, S. 7.

3 Vera Brauer, Christa T. und Nelly Jordan, die Hauptfiguren der am stärksten autobiografisch geprägten Werke Christa Wolfs, verbrennen nach der Befreiung vom Faschismus ihr Tagebuch.

4 Christa Wolf: Rede zum 80. Geburtstag von Hans Mayer. Berlin, März 1987, S. 2 (Manuskript).

5 Ebd.

6 Christa Wolf: Das siebte Kreuz (Di I 263–278); Zeitschichten (ebd. 353–363); Transit: Ortschaften (ebd. 364–377).

7 Vgl. Werner Mittenzwei: Das Leben des Bertolt Brecht oder der Umgang mit den Welträtseln. Berlin/Weimar 1986. Bd. 2, S. 309–316.

8 Christa Wolf: Um den neuen Unterhaltungsroman. Zu E. R. Greulichs Roman »Das geheime Tagebuch«. In: Neues Deutschland (Berlin), 20. 7. 1952, S. 6.

9 Vgl. Manfred Jäger: Die Literaturkritikerin C. W. In Text + Kritik. Hg. Heinz Ludwig Arnold. H. 46: C. W. München 1980, S. 48–55.
10 Christa Wolf: Probleme des zeitgenössischen Gesellschaftsromans. Bemerkungen zu dem Roman »Im Morgennebel« von Ehm Welk. In: Neue Deutsche Literatur (Berlin) 2 (1954), H. 1, S. 146.
11 Ehm Welk: Probleme der zeitgenössischen Buchkritik. In: NDL 2 (1954), H. 6, S. 155.
12 Christa Wolf: Komplikationen, aber keine Konflikte. In: Ebd., S. 142.
13 Ebd.
14 Günther Deicke: Über meine Jahre als NDL-Redakteur. In: Sinn und Form (Berlin) 40 (1982), H. 2, S. 335.
15 Vgl. Geschichte der Deutschen Demokratischen Republik. Autorenkollektiv, Ltg. Rolf Badstübner. Berlin 1981, S. 201.
16 Gerhard Giese/Dietrich Mühlberg: Was für Romane lesen Sie und was für Romane möchten Sie lesen? In: NDL 2 (1954), H. 7, S. 153.
17 Ebd., S. 152.
18 Vgl. Offener Brief an unsere Schriftsteller. In: Der Nachterstedter Brief. Hg. Deutscher Schriftstellerverband u. Bundesvorstand des FDGB, Berlin 1955, S. 7–10.
19 Vgl. Lutz Winkler: Kulturelle Erneuerung und gesellschaftlicher Auftrag. Tübingen 1987, S. 47.
20 Christa Wolf: Achtung Rauschgifthandel! In: NDL 3 (1955), H. 2, S. 138.
21 Ebd., S. 140.
22 Christa Wolf: Popularität oder Volkstümlichkeit? In: NDL 4 (1956), H. 1, S. 118.
23 Ebd., S. 121.
24 Christa Wolf: Menschliche Konflikte in unserer Zeit. In: NDL 3 (1955), H. 7, S. 144.
25 Christa Wolf: Bemerkungen zu »Tinko«. In: Walter Victor: Erwin Strittmatters »Tinko« und das Problem der künstlerischen Meisterschaft. In: Über unsere junge Literatur. Diskussionsmaterial zur Vorbereitung des IV. Deutschen Schriftstellerkongresses, 1955, H. 1, S. 44f.
26 Johannes R. Becher: Poetische Konfession. Berlin 1954, S. 482.
27 Christa Wolf: Literatur und Zeitgenossenschaft. In: NDL 7 (1959), H. 3, S. 10.
28 Vgl. Forum (Berlin), 1966, Nr. 10, S. 23.

29 Christa Wolf: Vom Standpunkt des Schriftstellers und von der Form der Kunst. In: NDL 5 (1957), H. 12, S. 120.

30 Anna Seghers: Rede auf dem IV. Schriftstellerkongreß. In: A. S.: Über Kunstwerk und Wirklichkeit. Bd. 1: Die Tendenz in der reinen Kunst. Berlin 1970, S. 110.

31 Vgl. Therese Hörnigk: Kriegserlebnis und Wandlungsgestalt in der frühen DDR-Literatur. In: Literatur im Wandel. Entwicklungen in europäischen sozialistischen Ländern 1944/45 – 1980. Berlin/Weimar 1986, S. 223–246.

32 Bertolt Brecht: Kulturpolitik und Akademie der Künste. In: B. B.: Schriften zur Literatur und Kunst. Bd. 2. Berlin/Weimar 1966, S. 355.

33 Siehe Nachweis 29.

34 Günter de Bruyn: Der Holzweg. In: Eröffnungen. Schriftsteller über ihr Erstlingswerk. Berlin/Weimar 1974, S. 142.

35 Christa Wolf: Schicksal einer deutschen Kriegsgeneration. In: Sonntag (Berlin) 16 (1962), Nr. 50, S. 10.

36 Ebd.

37 Louis Fürnberg an Christa Wolf, 15. 6. 1956. In: Fürnberg – Ein Lesebuch für unsere Zeit. Hg. Hans Böhm. Berlin 1963, S. 388.

38 Christa Wolf: Die Moskauer Novelle. In: Junge Kunst (Berlin) 4 (1960), H. 7 und 8.

39 Vgl. Therese Hörnigk: Das Thema Krieg und Faschismus in der Geschichte der DDR-Literatur. In: Weimarer Beiträge (Berlin) 24 (1978), H. 5, S. 73–105.

40 Vgl. Günter Mieth: Komposition, Erzählerperspektive, Gattungsproblematik. In: Deutschunterricht (Berlin) 9 (1966), Nr. 4, S. 218.

41 Vgl. Frau von heute besuchte Christa Wolf. In: Frau von heute (Berlin) 17 (1962), Nr. 2, S. 26.

42 Ebd.

43 Franz Fühmann: Antwort auf eine Umfrage (1971). In: F. F.: Essays, Gespräche, Aufsätze 1964–1981. Rostock 1981, S. 30.

44 Christa Wolf: Ein Erzähler gehört dazu. In: NDL 9 (1961), H. 10, S. 130.

45 Christa Wolf: Die Literatur der neuen Etappe. Gedanken zum III. Sowjetischen Schriftstellerkongreß. In: ND, 20. 6. 1959, Beilage Nr. 24.

46 Ebd.

47 Vgl. Manfred Jurgensen: C. W.: Moskauer Novelle. In: Wolf. Darstellung, Deutung, Diskussion. Bern 1984, S. 11; Sonja Hilzinger: C. W. Stuttgart 1986, S. 9.

48 Die »Moskauer Novelle«. In: Erzähler der Gegenwart. Radio DDR, 25. 9. 1960.

49 Christa Wolf: Moskauer Novelle. In: Frau von heute (Berlin) 16 (1961), Nr. 10; 17 (1962), Nr. 2. In Fortsetzungen wurde »Moskauer Novelle« abgedruckt in: »Volksstimme« (Magdeburg) ab 24. 11. 1961; »Freie Presse« (Karl-Marx-Stadt) ab 8. 11. 1961; »Nationalzeitung« (Berlin) ab 3. 1. 1962; »Leipziger Volkszeitung« (Leipzig) ab 28. 10. 1961; »Handelswoche« (Berlin) ab 6. 11. 1961.

50 Dr. M.: Arbeiten heißt bei uns schreiben. Die Schriftstellerin C. W. In: Liberal-Demokratische Zeitung (Halle), 20. 3. 1962.

51 Walter Victor: Ein Kleinod der Gegenwartsliteratur. In: Berliner Zeitung, 1. 12. 1961.

52 Alfred Kurella: Neue Literatur mit neuem Lebensgefühl. In: Junge Kunst 5 (1961), H. 6 (ohne Seitenangabe); vgl. auch Gerda Schultz: Ein überraschender Erstling. In: NDL 9 (1961) 7, S. 128–131.

53 Alfred Kurella (s. Nachweis 52).

54 Vgl. Greif zur Feder, Kumpel. Protokoll der Autorenkonferenz des Mitteldeutschen Verlages. Halle 1959, S. 51; Therese Hörnigk: Die erste Bitterfelder Konferenz. Programm und Praxis der sozialistischen Kulturrevolution am Ende der Übergangsperiode. In: Literarisches Leben in der DDR 1945 bis 1960. Berlin 1979, S. 196–243.

55 Christa Wolf: Dienstag, der 27. September 1960. In: NDL 22 (1974), H. 7, S. 22.

56 Christa Wolf: Land, in dem wir leben. In: NDL 9 (1961), H. 5, S. 51.

57 Franz Fühmann: Brief an den Minister für Kultur. In: (s. Nachweis 43), S. 8f.

58 Christa Wolf (s. Nachweis 55), S. 13.

59 Hermann Kähler verweist auf den Einfluß einer »stark subjektiv geprägten Literaturströmung in der sozialistischen Literatur seit Owetschkins ›Frühlingsstürme‹«. H. K.: C. W. erzählt. In: Weggenossen. Fünfzehn Erzähler. Leipzig 1975, S. 215.

60 Dieter Schlenstedt: Motive und Symbole in C. W.s Erzählung »Der geteilte Himmel«. In: Weimarer Beiträge 10 (1964), H. 1, S. 79.

61 Christa Wolf: Krankheit und Liebesentzug (1984). In: NDL 34 (1986), H. 10, S. 84–102; wiederh. in: Di II 271–292.

62 Vgl. Siegfried Prokop: Übergang zum Sozialismus in der DDR. Berlin 1986, S. 74–85.

63 Christa Wolf: Der Gegenwart verpflichtet. Bericht über die Diskussion auf der Parteiaktivtagung. In: film (Berlin) 4 (1963), Nr. 1, S. 5f.
64 Volker Braun: Einer. In: V. B.: Provokation für mich. Berlin 1963, S. 50.
65 Vgl. Hans Bunge: Im politischen Drehpunkt. In: Alternative ([W.-]Berlin) 7 (1964), Nr. 4 (April), S. 14f.
66 Martin Reso (Hg.): »Der geteilte Himmel« und seine Kritiker. Halle 1965, S. 7f.
67 Hans Koch: Sicher auf dem neuen Ufer. In: Ebd., S. 11f.
68 Günther Wirth: Den Blick zum klaren Horizont gewonnen. In: Ebd., S. 16f.
69 Eduard Zak: Tragische Erlebnisse in optimistischer Sicht. In: Ebd., S. 31f.
70 Max Walter Schulz: Prüfung unserer Menschlichkeit. In: Ebd., S. 227f.
71 Hans Jürgen Geerdts: Menschen mitten unter uns: In: Ebd., S. 42f.
72 Manfred Engelhardt: Wagnisse. In: Ebd., S. 86f.
73 Alfred Kurella: Begründung. In: Ebd., S. 27.
74 Irma Schmidt: Veränderung bewirken und sich mitverändern. In: Ebd., S. 163.
75 Dieter Schlenstedt (s. Nachweis 60), S. 206.
76 Dietrich Allert/Hubert Wetzelt: Die große Liebe. In: (s. Nachweis 66), S. 83.
77 Christa Wolf: Der geteilte Himmel. In: Arbeitshefte. Hg. Akademie der Künste der DDR, Schriftsteller und Film. Berlin 1979, Nr. 33, S. 115.
78 Vgl. Dieter Schlenstedt: Wirkungsästhetische Analysen. Berlin 1983, S. 16.
79 Max Frisch: Tagebuch 1946–1949. Frankfurt (M.) 1964, S. 241.
80 Christa Wolf: Wo liegt unsere »terra incognita«? In: Forum 17 (1963), Nr. 18, S. 30.
81 Franz Fühmann: Brief an den Minister für Kultur. In: (s. Nachweis 43), S. 13.
82 Peter Weiss: Notizbücher 1960–1971. Bd. 2. Frankfurt (M.)1982, S. 577.
83 Vgl. Silvia Schlenstedt: Stephan Hermlin. Berlin 1985. S. 191f.
84 Vgl. Therese Hörnigk: Ein Buch des Erinnerns, das zum Nachdenken anregte. C. W.s »Nachdenken über Christa T.« In: Werke und Wirkungen. Leipzig 1987, S. 208.

85 Brigitte Reimann in ihren Briefen und Tagebüchern. Ausw. v. E. Elten-Krause, W. Lewerenz. Berlin 1983, S. 164.
86 Geschichte der DDR (s. Nachweis 15), S. 264.
87 Karl Mickel: In zwei Kulturen leben. Laudatio anläßlich der Verleihung des H.-Mann-Preises 1979 an F. R. Fries. In: NDL 27 (1979), H. 8, S. 163.
88 Vgl. Lothar Lang: Malerei und Graphik in der DDR. Leipzig 1983, S. 70f.
89 Klaus Weidner: Zur Entwicklung des sozialistischen Menschenbildes in den Werken der Malerei auf der VI. Kunstausstellung. In: Wissenschaftliche Zeitschrift der Humboldt-Universität zu Berlin. Gesellschafts- und Sprachwissenschaftliche Reihe VII (1968), Nr. 5, S. 816.
90 Volker Braun: Interview mit Silvia Schlenstedt, In: V. B.: Es genügt nicht die einfache Wahrheit. Leipzig 1979, S. 119.
91 Vgl. Frank Hörnigk: »Bau«-Stellen. Aspekte der Produktions- und Rezeptionsgeschichte eines dramatischen Entwurfs. In: Zeitschrift für Germanistik (Leipzig) 6 (1985) H. 1, S. 35.
92 Vgl. Geschichte der DDR (s. Nachweis 15), S. 268.
93 Christa Wolf: Gute Bücher – und was weiter? In: ND, 19. 12. 1965, S. 12.
94 Ebd.
95 Gespräch mit Wolfgang Kohlhaase. In: Sinn und Form 31 (1979), H. 5, S. 984.
96 Sigrid Töpelmann: Interview mit Günter de Bruyn. In: Auskünfte. Werkstattgespräche mit DDR-Autoren. Berlin/Weimar 1974. S. 46
97 Vgl. Peter Gugisch: C. W. In: Literatur der DDR. Einzeldarstellungen. Bd. 1, Berlin 1974, S. 352f.; sowie: Wolfgang Emmerich: Kleine Literaturgeschichte der DDR. Darmstadt/Neuwied 1981, S. 155; ders.: Der verlorene Faden. Probleme des Erzählens in den siebziger Jahren. In: Literatur der DDR in den siebziger Jahren. Frankfurt (M.) 1983, S. 153–192; Alexander Stephan; C. W. München 1979, S. 101–106.
98 Silvia und Dieter Schlenstedt: Modern erzählt. In: NDL 14 (1966), H. 12, S. 28.
99 Christa Wolf (s. Nachweis 55), S. 11–22.
100 Almut Giesecke: Zum Leistungsvermögen einer Prosaform. In: Weimarer Beiträge 23 (1977), H. 8, S. 133.
101 Vgl. Therese Hörnigk (s. Nachweis 84), S. 169.

102 Johannes R. Becher: Auf andere Art so große Hoffnung. Tagebuch 1950. In: J. R. B.: Gesammelte Werke, Bd. 12. Berlin/Weimar 1969, S. 224.
103 Ebd. (zitiert in: Di I 32f.).
104 Robert Weimann: Erzählsituation und Romantypus. In: Sinn und Form 18 (1966), H. 1, S. 122.
105 Vgl. Therese Hörnigk (s. Nachweis 84), S. 174.
106 Vgl. Werner Mittenzwei (s. Nachweis 7), Bd. 2, S. 529f.
107 Johannes Bobrowski: Boehlendorff. In: J. B.: Boehlendorff und Mäusefest. Berlin 1965, S. 14.
108 Vgl. Andreas Huyssen: Auf den Spuren Ernst Blochs. Nachdenken über C. W. In: Basis (Frankfurt/M.) 1975, Nr. 5, S. 100–116.
109 Ingeborg Bachmann: Die Wahrheit ist dem Menschen zumutbar. Rede zur Verleihung des Hörspielpreises der Kriegsblinden. In: I. B.: Ausgewählte Werke in 3 Bdn. Berlin/Weimar 1987. Bd. 1, S. 565.
110 Stephan Hermlin: Stellungnahme auf eine Umfrage. In: Action Poétique (Paris) 1969, H. 41/42. Zit. nach: St. H.: Lektüre 1960–1971, Berlin/Weimar 1973, S. 231.
111 Brigitte Reimann (s. Nachweis 85), S. 241.
112 Stephan Hermlin: Abendlicht. Leipzig 1979, S. 22.
113 Franz Fühmann: Der Wahrheit nachsinnen. Viel Schmerz. In: Georg Trakl: Gedichte, Dramenfragmente, Briefe. Bd. 1. Leipzig 1981, S. 44.
114 Vgl. Therese Hörnigk (s. Nachweis 84), S. 196; sowie: Manfred Behn: Wirkungsgeschichte von C. W.s »Nachdenken über Christa T.« Königstein (Ts.) 1978.
115 Vgl. Anna Seghers: Sein und Zukunft unserer Republik waren und sind unser Ziel [Begrüßungsworte für den VI. Deutschen Schriftstellerkongreß 1969]. In: A. S. (s. Nachweis 30), S. 170.
116 Hermann Kant: Unsere Worte wirken in der Klassenauseinandersetzung. Rede auf dem VII. Schriftstellerkongreß 1973. In: VII. Schriftstellerkongreß. Protokoll. Berlin/Weimar 1974, S. 32.
117 Richard A. Zipser unter Mitarbeit von Karl Heinz Schoeps: DDR-Literatur im Tauwetter. New York 1985, Bd. III (Interviewfrage: Was halten Sie für die wichtigsten Werke [außerhalb Ihres Schaffens] in der DDR-Literatur der siebziger Jahre?), S. 125ff.
118 Heinz Sachs: Verleger sein heißt ideologisch kämpfen. In: ND, 14. 5. 1969.
119 Dieter Schlenstedt: Entwicklungslinien der neueren DDR-Literatur. In: Zeitschrift für Germanistik 9 (1988), H. 1, S. 9.

120 Ebd.

121 Vgl. Joseph Pischel: Welt und Kunstanschauung im Essay. In: DDR-Literatur '83 im Gespräch. Hg. S. Rönisch. Berlin/Weimar 1984, S. 7–32.

122 Vgl. Theodor W. Adorno: Der Standort des Erzählens im zeitgenössischen Roman. Frankfurt (M.) 1958; Kurt Batt: Revolte intern. München 1975.

123 Günter Kunert, in: Joachim Walter: Meinetwegen Schmetterlinge. Gespräche mit Schriftstellern. Berlin 1973, S. 92.

124 Hans-Georg Werner: Zum Traditionsbezug der Erzählungen in C. W.s »Unter den Linden«. In: Weimarer Beiträge 22 (1976), H. 4, S. 62.

125 Ingeborg Bachmann (s. Nachweis 109). Bd. 1, S. 564.

126 Heinz Dieter Weber: »Phantastische Genauigkeit«. Der historische Sinn der Schreibarbeit C. W.s. In: Erinnerte Zukunft. 11 Studien zum Werk C. W.s. Würzburg 1985, S. 84.

127 Manfred Naumann: Blickpunkt Leser. Literaturtheoretische Aufsätze. Leipzig 1984, S. 139.

128 Brigitte Burmeister: Streit um den Nouveau Roman. Eine andere Literatur und ihre Leser. Berlin 1983, S. 15.

129 Christa Wolf: Ergebnis reifen Bewußtseins. In: ND, 3. 4. 1968.

130 Bertolt Brecht: Die Lösung. In: B. B.: Gedichte. Bd. 7. Berlin/Weimar 1969, S. 9.

131 Christa Wolf: Nur die Lösung: Sozialismus. In: ND, 4. 9. 1968, S. 4.

132 Vgl. das Gespräch mit C. W. in diesem Band, S. 30.

133 Bertolt Brecht: Arbeitsjournal. Berlin/Weimar 1977, S. 444.

134 Günther Weisenborn: Die Entlarvung der Großen und der Kleinen. In: (s. Nachweis 77), S. 117.

135 Zit. nach: Ebd. – Vgl. Werner Mittenzwei (s. Nachweis 7), Bd. 2, S. 248–250.

136 Michail Bachtin: Literatur und Karneval. Zur Romantheorie und Lachkultur. München 1969, S. 32.

137 In vielen Leserbriefen, die Christa Wolf zu »Nachdenken über Christa T.« bekommen hatte, wird der Gedanke geäußert, daß »Trauer zum Leben gehöre«. Vgl. Therese Hörnigk (s. Nachweis 84), S. 207.

138 Lexikon deutschsprachiger Schriftsteller von den Anfängen bis zur Gegenwart. Bd. 2. Autorenkollektiv, Ltg. K. Böttcher. Leipzig 1974, S. 490.

139 Vgl. Therese Hörnigk (s. Nachweis 84).

140 Frank Hörnigk (s. Nachweis 91), S. 35–52.
141 Die Literatursatire erscheint in: C. W.: Gesammelte Erzählungen. Berlin/Weimar 1989.
142 Hans Georg Werner (s. Nachweis 124), S. 39.
143 Heinz Plavius: Mutmaßungsmut. In: NDL 22 (1974), H. 6, S. 95.
144 Christa Wolf: Die zumutbare Wahrheit (Nachw.). In: Ingeborg Bachmann: Undine geht. Leipzig 1973.
145 Ingeborg Bachmann: Frankfurter Vorlesungen: Probleme zeitgenössischer Dichtung: In: (s. Nachweis 109). Bd. 1, S. 411.
146 Franz Fühmann: Literatur und Kritik. In: (s. Nachw. 43), S. 73.
147 Georg Seidel: Nachwort. In: E. T. A. Hoffmann: Lebensansichten des Katers Murr. Leipzig 1968, S. 349.
148 Vgl. Rulo Melchert: Erfindungen als Wahrheit. In: Sinn und Form 27 (1975), H. 2, S. 443.
149 Irmtraud Morgner, in: Meinetwegen Schmetterlinge (s. Nachweis 123), S. 47.
150 Christa Wolf: Selbstversuch. In: Sinn und Form 25 (1973), H. 2, S. 301–325.
151 Vgl. Wolfgang Emmerich: Nachwort. In: Sarah Kirsch/Irmtraud Morgner/C. W.: Geschlechtertausch. Darmstadt/Neuwied 1980, S. 101–127.
Vgl. Anna Pegoraro: Mann versus Mensch. Zu C. W.s Erzählung »Selbstversuch«. In: Colloquia Germanica (Bern) 15 (1982), H. 3, S. 239–252.
152 Vgl. Sigrid Damm/Jürgen Engler: Notate des Zwiespalts und Allegorien der Vollendung. In: Weimarer Beiträge 21 (1975), H. 7, S. 45.
153 Irene Dölling: Zur kulturtheoretischen Analyse von Geschlechterbeziehungen. In: Weimarer Beiträge 26 (1980), H. 1, S. 59.
154 Vgl. ebd.
155 Leonore Krenzlin: Unter den Linden. In: Sonntag 29 (1975), Nr. 3.
156 Vgl. Nyota Thun: Krieg und Literatur. Berlin 1977, S. 254f.
157 Vgl. Bertolt Brecht: Gespräch mit jungen Intellektuellen. In: B. B.: Schriften zur Politik und Gesellschaft. Bd. 2. Berlin/Weimar 1968, S. 204.
158 Vgl. Christa Wolf, in: Deutsches Allgemeines Sonntagsblatt (Hamburg), 2. 1. 1977.
159 Vgl. Rüdiger Bernhard: Andrang bei Christa und Gerhard Wolf (Bericht von einer Lesung an der Martin-Luther-Universität Halle). In: Universitätszeitung (Halle), 28. 11. 1974.

160 Konrad Wolf: Kunst im Kampf gegen den Faschismus. In: ND, 9. 5. 1979, S. 4.
161 Vgl. Therese Hörnigk (s. Nachweis 31), S. 223–246.
162 Heiner Müller. Gespräch mit Martin Linzer. In: H. M.: Theaterarbeit. [W.-]Berlin 1986, S. 125.
163 Monika Melchert: Der epische Spielraum im Roman. Diss. Berlin 1981, S. 107–110.
164 Günter de Bruyn. Gespräch mit Sigrid Töpelmann. In: (s. Nachweis 96), S. 54.
165 Kurt David: Die Überlebende. Berlin 1972; Rolf Schneider: Reise nach Jaroslawl. Rostock 1974; Helga Schütz: Vorgeschichten oder Schöne Gegend Probstein. Berlin/Weimar 1971; Volker Braun: Gdańsk. In: V. B.: Gegen die symmetrische Welt. Halle 1974.
166 Vgl. Hans Robert Jauss: Zeit und Erinnerung in Marcel Prousts »A la recherche du temps perdu«. Ein Beitrag zur Theorie des Romans. Heidelberg 1955, S. 136.
167 Heinrich Böll (s. Nachweis 2), S. 12.
168 Vgl. Annemarie Auer: Gedanken beim Lesen. Gegenerinnerung. In: Sinn und Form 29 (1977), H. 4, S. 856f.
169 Stephan Hermlin: Briefe zu Annemarie Auer. In: Ebd., H. 6, S. 1318.
170 Ingeborg Bachmann: Ludwig Wittgenstein. Zu einem neuen Kapitel der jüngsten Philosophiegeschichte. In: I. B.: Werke. München 1978. Bd. 4, S. 13; dies.: Sagbares und Unsagbares – Die Philosophie Ludwig Wittgensteins (1953). In: I. B.: Ausgewählte Werke. Berlin/Weimar 1987. Bd. 1, S. 514–537.
171 Ebd.
172 Sigrid Bock: Kindheitsmuster. In: Weimarer Beiträge 23 (1979) 9, S. 103.
173 Ebd. S. 125.
174 Annemarie Auer (s. Nachweis 168).
175 Stephan Hermlin (s. Nachweis 169).
176 Walter Benjamin: Vergangenes heiter. Zu artikulieren heißt nicht, es erkennen, wie es eigentlich gewesen ist. In: W. B.: Werke. Bd. 1/2. Frankfurt (M.) 1980, S. 695.
177 Christa Wolf: Brief an den X. Schriftstellerkongreß; Rede vor dem Berliner Bezirksverband des Schriftstellerverbandes der DDR, März 1988. In: C. W.: Ansprachen. Darmstadt 1988, S. 85.
178 Wolfgang Heise: Zur Diskussion über die »Romantik«. In: Arbeitshefte der AdK, Arbeiten mit der Romantik heute. Hg. H. Hess, P. Liebers. Berlin 1978, S. 18.

179 Jürgen Engler: Herrschaft der Analogie. In: NDL 27 (1979), H. 7, S. 129.
180 Hans Kaufmann: Umschau und Kritik. Zur DDR-Literatur der siebziger Jahre. In: Sinn und Form 30 (1978), H. 1, S. 171.
181 Lothar Lang (s. Nachweis 88), S. 17.
182 Günter Hartung: C. W., Kein Ort. Nirgends. In: Connaissance de la RDA (Paris), November 1981, Nr. 13, S. 31.
183 Günter Kunert: Zweige vom selben Stamm. In: (s. Nachweis 2), S. 16.
184 Günter Hartung (s. Nachweis 182), S. 33.
185 Hannah Arendt: Rahel Varnhagen. Lebensgeschichte einer deutschen Jüdin aus der Romantik. Frankfurt (M.) / [W.-]Berlin/Wien 1975, S. 45.
186 Silvia Bovenschen: Die imaginierte Weiblichkeit. Frankfurt (M.) 1979, S. 261.
187 Vgl. Helen Fehervary: Autorschaft, Geschlechtsbewußtsein und Öffentlichkeit. In: Entwürfe von Frauen in der Literatur des 20. Jahrhunderts. Hg. I. von der Lühe. [W.-]Berlin 1982, S. 132–153.
188 Silvia und Dieter Schlenstedt: Kein Ort. Nirgends. In: Sonntag 33 (1979), Nr. 32, S. 6.
189 Ingeborg Bachmann: Malina. In: I. B. (s. Nachweis 109), Bd. 3, S. 164.
190 Jürgen Engler (s. Nachweis 179), S. 132.
191 Wolfgang Emmerich: Dialektik der Aufklärung in der jüngsten DDR-Literatur. In: Die Literatur der DDR 1976–1986. Pisa 1987, S. 409.
192 Günter Hartung (s. Nachweis 182), S. 34.
193 Günter de Bruyn, in: (s. Nachweis 2), S. 22.
194 Ebd., S. 21.
195 Bernt Engelmann/Gerd E. Hoffmann/Angelika Mechtel/Hans von der Waarsenburg: Vorwort. In: Es geht, es geht. München 1982, S. 9.
196 Ebd.
197 Ebd.
198 Peter Weiss: Notizbücher 1971–1980. Frankfurt (M.) 1981. S. 390.
199 Ein Gespräch über »Kassandra« mit Christa und Gerhard Wolf an der Ohio State University, 1. 6. 83. In: German Quarterly (Cherry Hill) 57 (1984), Nr. 1, S. 106.
200 Voraussetzung einer Erzählung. In: ARD, Bücherjournal. Interview mit Dieter Zilligen, 27. 1. 1983.

201 Siehe Nachweis 199, S. 107.

202 Ingeborg Bachmann (s. Nachweis 145), S. 401.

203 Ebd.

204 Hans Kaufmann: Wider die troianischen Kriege. In: Sinn und Form 36 (1984), H. 3, S. 653.

205 Karl Kerényi/Thomas Mann: Gespräche in Briefen. München 1967.

206 Vgl. Robert Weimann: Literaturgeschichte und Mythologie. Methodologische und historische Studien. Frankfurt (M.) 1977, S. 7f.

207 Klaus Schuhmann: Autorenstandpunkt und Gesellschaftsprozeß. Zur Wirklichkeitssicht und Schreibweise einiger DDR-Schriftsteller. In: Selbsterfahrung und Welterfahrung. Berlin/Weimar 1981, S. 175.

208 Friedrich Engels: Der Ursprung der Familie, des Privateigentums und des Staats. In: MEW. Bd. 21. Berlin 1962, S. 68.

209 Vgl. Ernest Bornemann: Das Patriarchat. Ursprung und Zukunft unseres Gesellschaftssystems. Frankfurt (M.) 1975.

210 Walter Benjamin: Das Passagenwerk. Frankfurt (M.) 1982, S. 589.

211 Wolfgang Emmerich (s. Nachweis 191), S. 413.

212 Karin Hirdina: Parodien ohne Komik. Franz Fühmann: Saiäns-Fiktschen. In: Sinn und Form 34 (1982), H. 4, S. 907–910.

213 Heiner Müller: Verabschiedung des Lehrstücks. In: H. M.: Mauser. [W.-]Berlin 1978, S. 85.

214 Franz Fühmann: Saiäns-Fiktschen. Rostock 1981, S. 7.

215 Vgl. Karin Hirdina (s. Nachweis 212).

216 Vgl. Eine amerikanische Tragödie. In: Wochenpost (Berlin) 1987, Nr. 16, S. 16.

217 Friedrich Dürrenmatt: Aus praktischer Vernunft dem Rüstungswahn ein Ende setzen. In: ND, 21./22. 3. 1987, S. 6.

218 John Erpenbeck: Näherungen. In: Windvogelviereck. Berlin 1987, S. 331.

219 Helga Königsdorf: (X. Schriftstellerkongreß. Aus der Diskussion). In: Sonntag 41 (1987), Nr. 49, S. 3.

220 Hugo von Hofmannsthal: Ein Brief. In: H. v. H.: Ausgewählte Werke. Hg. E. Middell. Leipzig 1975, S. 95–108.

221 Heiner Müller: Verkommenes Ufer. Medeamaterial. Landschaft mit Argonauten. In: H. M.: Stücke. Berlin 1988, S. 183–194.

222 Volker Braun: Burghammer. In: NDL 31 (1983), H. 5, S. 38.

223 Vgl. Klaus Schuhmann: Lageberichte zur ökologischen Situation – Beobachtungen zur Lyrik der achtziger Jahre. In: DDR-Literatur '85 im Gespräch. Hg. S. Rönisch. Berlin/Weimar 1986, S. 23–43.

224 Vgl. Peter H. Feist [u. a.]: Ansichten zur X. In: Weimarer Beiträge 34 (1988), H. 8, S. 1237–1262.
225 Helga Königsdorf, in: (s. Nachweis 191), S. 451f.
226 Zit. nach: Frank Benseler: Über den Rand der Prosa hinaustreten. In: Deutsche Volkszeitung (Düsseldorf), 10. 4. 1987, Nr. 15, S. 14.
227 Vgl. die Diskussion in: Spectrum (Berlin) 1988, H. 4 und 5.

Bildnachweise

Urhebernachweise (Grafiken, Plastiken, Umschlaggestaltungen)
Heinz Hellmis: S. 133 – Harald Kretzschmar: S. 126 – Wolfgang Kenkel: S. 189 – Rolf Kuhrt: S. 242 – Anna Franziska Lobeck: S. 240 – Harald Metzkes: S. 189 – Nuria Quevedo: S. 249 – Hans-Joachim Schauß: S. 133.

Leistungsschutznachweis (Fotografien)
ADN-Zentralbild, Berlin: S. 49 (Archiv), S. 67 (Kümpfel), S. 111 (Hess), S. 119 – Akademie der Künste der DDR, Berlin: S. 56 (Kraushaar), S. 258 (Matzat) – Barbara Köppe, Berlin: S. 165, 230 – Klaus Morgenstern, Berlin: S. 154 – A. F. Lobeck, Berlin: S. 240 – Helga Paris, Berlin: S. 185, 195, 212 – Günter Prust, Berlin: S. 261 – Helfried Strauß, Leipzig: S. 157, 206, 218 – Staatliches Filmarchiv der DDR: S. 100, 161 – Christa Wolf (Privatbesitz): S. 52, 236 – Reproduktionen: Friedel Wallesch, Berlin: S. 52, 126, 133, 189, 242, 249.